DESAPARECIDAS

OBRAS DA AUTORA PUBLICADAS PELA EDITORA RECORD

Série Rizolli & Isles

O cirurgião
O dominador
O pecador
Dublê de corpo
Desaparecidas
O Clube Mefisto
Relíquias
Gélido
A garota silenciosa
A última vítima
O predador
Segredo de sangue
A enfermeira

Vida assistida
Corrente sanguínea
A forma da noite
Gravidade
O jardim de ossos
Valsa maldita

Com Gary Braver

Obsessão fatal

TESS GERRITSEN

DESAPARECIDAS

Tradução de
ALEXANDRE RAPOSO

9ª edição

EDITORA RECORD
RIO DE JANEIRO • SÃO PAULO
2024

CIP-Brasil. Catalogação-na-fonte
Sindicato Nacional dos Editores de Livros, RJ.

G326d Gerritsen, Tess
9ª ed. Desaparecidas / Tess Gerritsen; tradução Alexandre Raposo.
– 9ª ed. – Rio de Janeiro: Record, 2024.

Tradução de: Vanish
ISBN 978-85-01-07733-2

1. Ficção americana. I. Raposo, Alexandre. II. Título.

08-2544 CDD – 813
CDU – 821.111(73)-3

Título original norte-americano:
VANISH

Direitos exclusivos de publicação em língua portuguesa somente para o
Brasil adquiridos pela
EDITORA RECORD LTDA.
Rua Argentina, 171 – Rio de Janeiro, RJ – 20921-380 – Tel.: (21) 2585-2000
que se reserva a propriedade literária desta tradução

Impresso no Brasil

ISBN 978-85-01-07733-2

Seja um leitor preferencial Record
Cadastre-se no site www.record.com.br
e receba informações sobre nossos
lançamentos e nossas promoções.

Atendimento e venda direta ao leitor
sac@record.com.br

Mais uma vez, para Jacob.

AGRADECIMENTOS

Meus mais profundos agradecimentos à minha luz guia e agente literária, Meg Ruley, para Jane Berkey e Don Cleary, da agência Jane Rotrosen, para Linda Marrow e Gina Centrello, da Ballantine Books, e para Selina Walker, da Transworld. Vocês todos fizeram este livro acontecer.

1

Meu nome é Mila, e esta é a minha jornada.

Há muitos lugares onde eu poderia começar a minha história. Poderia começar na cidade onde cresci, em Kryvicy, à margem do rio Servac, no distrito de Miadziel. Poderia começar quando tinha 8 anos de idade, no dia em que minha mãe morreu, ou quando eu tinha 12 anos e meu pai foi atropelado pelo caminhão do vizinho. Mas creio que deva começar a minha história aqui, no deserto mexicano, tão longe de minha Bielo-Rússia natal. Foi aqui que perdi a inocência. Foi aqui que meus sonhos se acabaram.

É um dia de novembro sem nuvens, e grandes pássaros negros pairam no céu mais azul que já vi. Estou sentada em uma van branca dirigida por dois homens que não sabem o meu nome verdadeiro, nem parecem se importar. Desde que me viram descer do avião na Cidade do México, eles apenas riem e me chamam de Red Sonja. Ânia diz que é por causa da cor do meu cabelo. *Red Sonja* é o nome de um filme que nunca vi, mas ao qual Ânia assistiu. Ela me sussurra que é a respeito de uma bela guerreira que parte os inimigos ao meio com sua espada. Mas acho que os homens estão debochando de mim ao me chamarem assim, porque não sou bonita. Não sou guerreira. Tenho apenas 17 anos e estou com medo porque não sei o que vai acontecer em seguida.

Ânia e eu estamos de mãos dadas, e a van leva nós duas e outras cinco meninas através de um território desolado, deserto, de vegetação rasteira. O "pacote turístico do México". Foi o que a mulher em Minsk nos prometeu, mas sabíamos o que ela realmente queria dizer: uma fuga. Uma chance. Vocês pegam um avião para a Cidade do México, ela nos disse. Lá vai haver gente que as receberá no aeroporto para ajudá-las a cruzar a fronteira e começar uma nova vida.

— Como é a vida aqui? — perguntou ela. — Não há bons trabalhos para as jovens, nem apartamentos, nem homens decentes. Vocês não têm pais que as sustentem. E você, Mila, você fala inglês tão bem... — disse para mim. — Quando chegar aos EUA, você vai se adaptar em um piscar de olhos — e estalou os dedos. — Sejam corajosas! Agarrem a oportunidade. Os empregadores pagam a passagem. O que vocês duas estão esperando?

Não por isso, penso, ao ver o deserto interminável do lado de fora da janela. Ânia se aconchega ao meu lado e todas as meninas da van permanecem em silêncio. Estamos todas começando a pensar a mesma coisa. *O que foi que eu fiz?*

Viajamos a manhã inteira. Os homens na frente não falam conosco, mas o homem do lado do passageiro se vira a toda hora para nos olhar. Seus olhos sempre buscam Ânia, e não gosto do modo como olha para ela. Ela não percebe porque está cochilando no meu ombro. Uma "ratinha", como nós a chamávamos na escola, por ser tão tímida. Um olhar de um menino era suficiente para fazê-la corar. Temos a mesma idade, mas quando olho para o rosto adormecido de Ânia vejo uma criança. E penso: não devia tê-la deixado vir comigo. Devia ter dito para ela ficar em Kryvicy.

Finalmente, nossa van deixa o asfalto e entra em uma estrada de terra batida. As outras meninas despertam e olham pela janela, para as colinas marrons onde as pedras repousam como ossos antigos. Em minha cidade natal já caiu a primeira neve, mas aqui, nesta terra sem inverno, só há poeira, céu azul e arbustos ressecados. Em dado momento, paramos, e os dois homens olham para nós.

O motorista diz, em russo:

— Hora de sair e caminhar. É o único meio de cruzar a fronteira.

Eles abrem a porta e saímos uma a uma, sete meninas ofuscadas pelo sol e se espreguiçando após o longo percurso. Apesar do sol brilhante, está frio aqui, mais do que eu esperava. Ânia segura minha mão, e percebo que ela está tremendo.

— Por aqui — ordena o motorista.

Saímos da estrada de terra batida e pegamos uma trilha que nos leva em direção às colinas. Passamos por pedras e arbustos retorcidos que agarram as nossas pernas. Ânia está usando sandálias e tem de fazer pausas freqüentes para tirar as pedras afiadas das solas dos pés. Estamos todas sedentas, mas os homens só nos deixam parar uma única vez para beber água. Continuamos a andar, subindo o caminho pedregoso como cabras desengonçadas. Atingimos o topo e começamos a descer em direção a um grupo de árvores. Apenas quando chegamos na parte baixa vemos um leito de rio seco. Ao longo da margem, vemos restos descartados por aqueles que fizeram a travessia antes de nós: garrafas plásticas de água, uma fralda suja, um sapato velho com o couro rachado pelo sol. Um trapo de lona azul pendurado em um galho. Por esse caminho passaram muitos sonhadores, e somos mais sete, seguindo as suas pegadas até os EUA. Subitamente, meus temores desvanecem porque aqui, nestes detritos, está a prova de que estamos perto.

Os homens acenam para que prossigamos, e começamos a galgar a margem oposta.

Ânia agarra minha mão.

— Não consigo andar mais — sussurra.

— Você tem de continuar.

— Mas meu pé está sangrando.

Olho para seus dedos machucados, o sangue porejando da pele macia, e grito para os homens:

— Minha amiga cortou o pé!

O motorista diz:

— E daí? Continuem andando.

— Não podemos continuar. Ela precisa de um curativo.

— Ou vocês andam ou vamos deixá-las para trás.

— Ao menos dê tempo para ela trocar os sapatos!

O homem se volta e, neste instante, se transforma. A expressão em seu rosto faz Ânia se encolher. As outras meninas ficam paralisadas e de olhos arregalados, juntas umas às outras como cordeiros assustados, enquanto ele caminha em minha direção.

O golpe é tão rápido que nem o vejo chegar. De repente, estou de joelhos e, durante alguns segundos, tudo fica escuro. Os gritos de Ânia soam distantes. Registro a dor, o pulsar em meu queixo, o gosto de sangue. Vejo-o pingar em gotas grossas sobre as pedras do rio seco.

— Levante-se. Vamos, levante-se! Já perdemos tempo demais.

Ergo-me com dificuldade. Ânia me encara com olhos assustados.

— Mila, comporte-se! — sussurra. — Temos de fazer o que nos dizem! Meus pés não estão mais doendo. Posso andar.

— Entendeu agora? — disse-me o homem. Ele se volta e olha atravessado para as outras meninas. — Vêem o que acontece se me aborrecer? Se me responder? Agora andem!

Subitamente as meninas atravessam com pressa o leito do rio. Ânia agarra a minha mão e me puxa. Estou tonta demais para agüentar, de modo que tropeço atrás dela, engolindo o sangue, mal vendo a trilha à minha frente.

Logo em seguida subimos a margem oposta, atravessamos uma fileira de árvores e subitamente nos vemos em uma estrada de terra batida.

Duas vans estão estacionadas, esperando por nós.

— Fiquem em fila — diz o nosso motorista. — Vamos, apressem-se. Eles querem olhar para vocês.

Embora confusas com a ordem, formamos uma fila, sete garotas cansadas com pés doloridos e roupas imundas.

Quatro homens descem das vans e cumprimentam o nosso motorista em inglês. São americanos. Um homem forte caminha lentamente diante da fila, nos observando. Usa um boné de beisebol e parece um fazendeiro queimado de sol inspecionando as suas vacas. Ele pára à minha frente e franze as sobrancelhas ao olhar para o meu rosto.

— O que houve com esta aqui?

— Ah, ela me respondeu — disse o nosso motorista. — É só um arranhão.

— De qualquer modo, ela é muito magrela. Quem vai querer uma assim?

Será que ele tem noção de que sei falar inglês? Será que se importa em saber que falo? Posso ser magrela, penso, mas você tem cara de porco.

Seu olhar já se voltou para as outras meninas.

— Tudo bem — diz ele, sorrindo. — Vamos ver o que temos aqui.

Nosso motorista olha para nós.

— Tirem as roupas — ordena em russo.

Olhamos de volta, chocadas. Até esse momento, ainda me agarrava a um fiapo de esperança de que a mulher em Minsk tivesse nos dito a verdade, que ela arranjara empregos para nós nos EUA. Que Ânia seria babá de três meninas e que eu venderia vestidos em uma loja de roupas de casamento. Mesmo depois que o motorista tomou nossos passaportes, mesmo enquanto tropeçávamos ao longo daquela trilha, pensava: tudo vai acabar bem. Ainda pode ser verdade.

Nenhuma de nós se moveu. Ainda não acreditávamos no que ele nos pedira para fazer.

— Vocês me ouviram? — disse o nosso motorista. — Querem ficar parecidas com *ela*? — e apontou para o meu rosto inchado, que ainda pulsava por causa do soco. — *Tirem a roupa!*

Uma das meninas balança a cabeça e começa a chorar. Aquilo o enfurece. O tapa violento faz a sua cabeça girar para o lado e ela cambaleia. Ele a puxa pelo braço, segura-lhe a blusa e a rasga. Gritando, ela tenta afastá-lo. O segundo tapa a derruba no chão. Não satisfeito, ele caminha até ela e lhe dá um violento chute nas costelas.

— Agora — diz ele, voltando-se para o resto de nós. — Quem é a próxima?

Uma das meninas rapidamente começa a abrir os botões de sua blusa. Todas obedecemos, tirando as nossas camisas, desabotoando saias e calças. Até mesmo Ânia, a tímida e pequena Ânia, tira a camisa, obediente.

— Tudo — ordena o nosso motorista. — Tirem tudo. Por que demoram tanto, suas putas? Logo vão aprender a tirar a roupa com mais rapidez. — Ele se aproxima de uma menina que está de braços cruzados sobre os seios. Ela não tinha tirado a calcinha, e estremece quando ele a arranca.

Os quatro americanos começam a nos cercar como lobos, seus olhos percorrendo nossos corpos. Ânia treme tanto que consigo ouvir seus dentes batendo.

— Vou fazer o test drive nesta aqui.

Uma das meninas dá um gemido quando é tirada da fila. O homem nem se preocupa em ser discreto. Ele empurra a cabeça da menina contra uma das vans, desabotoa as calças e a penetra. Ela grita.

Os outros homens se aproximam e escolhem. Subitamente, Ânia é tirada de perto de mim. Tento segurá-la, mas o motorista separa nossas mãos.

— Ninguém quer você — diz ele.

Ele me joga dentro da van e me tranca.

Pela janela, vejo e ouço tudo. As risadas dos homens, a luta das meninas, seus gritos. Não posso ver. Mas também não consigo deixar de olhar.

— Mila! — grita Ânia. — Mila, me ajude!

Soco a porta fechada, desesperada para ir ao encontro dela. O homem a derrubou no chão e abriu-lhe as pernas. Está deitada com os pulsos presos contra o chão de terra, os olhos apertados de dor. Também grito, os punhos golpeando a janela, mas não consigo quebrá-la.

Quando o homem termina, está sujo com o sangue de Ânia. Ele fecha o zíper das calças e declara em voz alta:

— Legal. Muito legal.

Olho para Ânia. A princípio penso que deve estar morta, pois não se move. O homem nem mesmo se volta para ela. Em vez disso, procura uma garrafa de água em uma mochila. Ele toma um generoso gole e não vê Ânia voltar a si.

Subitamente, ela se levanta e começa a correr.

Enquanto Ânia corre pelo deserto, aperto as mãos contra a janela. *Rápido, Ânia! Vá. Vá!*

— Ei! — grita um dos homens. — Aquela ali está fugindo!

Ânia ainda está fugindo. Está descalça, nua, e pedras pontiagudas certamente estão ferindo os seus pés. Mas o deserto se abre diante dela e ela não hesita.

Não olhe para trás. Continue a correr! Continue...

O tiro faz o meu sangue gelar.

Ânia é jogada para a frente e cai esparramada no chão. Mas ainda não está vencida. Volta a ficar de pé, cambaleia alguns passos como uma bêbada e cai de joelhos. Agora ela está engatinhando, cada centímetro, uma luta, um triunfo. Ela estende o braço, como para pegar uma mão prestativa que nenhum de nós consegue ver.

Um segundo tiro.

Desta vez, Ânia cai e não volta a se erguer.

O motorista da van guarda o revólver no cinto e olha para as meninas. Estão todas chorando, agarradas umas às outras e olhando para o corpo de Ânia caído no meio do deserto.

— Que desperdício — diz o homem que a estuprou.

— É difícil domá-las — diz o motorista. — Você ainda tem seis para escolher.

Eles haviam experimentado o produto. Os homens começavam a negociar. Ao terminarem, nos dividiram como gado. Três meninas em cada van. Não ouço quanto pagaram por nós. Só sei que sou a barganha, aquela que entra como parte de outro negócio.

Quando nos afastamos, olho para o corpo de Ânia. Não se incomodaram em enterrá-la. Ela jaz ao sol e ao vento, e pássaros famintos circulam no céu. Em algumas semanas, não restará coisa alguma. Ela desaparecerá, como eu estou a ponto de desaparecer, em uma terra onde ninguém sabe o meu nome. Nos EUA.

Pegamos uma auto-estrada e vejo a placa: US 94.

2

A Dra. Maura Isles passara o dia inteiro sem respirar ar fresco. Desde as sete da manhã ela vinha inalando o aroma da morte, um cheiro tão familiar que, após o bisturi cortar a pele fria, ela nem se importava com os odores nauseabundos que exalavam dos órgãos expostos. Os policiais que ocasionalmente ficavam na sala para observar as necropsias não eram tão estóicos. Às vezes, Maura sentia um leve aroma de pomada de menta que eles passavam sob as narinas para disfarçar o cheiro. Às vezes, nem isso, e ela os via ficarem subitamente nauseados e se voltarem para vomitar na pia. Os tiras não estavam acostumados como ela ao aroma adstringente do formol, o cheiro sulfuroso de membranas em decomposição.

Hoje havia um incongruente toque de doçura ao buquê de odores: o cheiro de óleo de coco, emanando da pele da Sra. Gloria Leder, que estava deitada na mesa de necropsia. Tinha 50 anos e era uma divorciada de quadris largos e seios fartos, unhas dos pés pintadas de rosa brilhante. Tinha fortes marcas de bronzeado, delimitadas pelas bordas do traje de banho que vestia quando foi encontrada morta junto à piscina de seu apartamento. Era um biquíni, o que não era a escolha mais feliz para um corpo vergado pela meia-idade.

Quando foi a última vez em que tive oportunidade de vestir meu traje de banho?, pensou Maura e sentiu uma inveja absurda da Sra. Gloria Leder, que passara os últimos momentos de sua vida desfrutando aquele dia de verão. Era quase agosto, e Maura ainda não fora à praia ou se sentara junto a uma piscina. Nem sequer se bronzeara no quintal de casa.

— Rum e Coca-Cola — disse o jovem policial ao pé da mesa. — Acho que era isso que ela tinha no copo ao seu lado. Estava junto à cadeira de praia.

Aquela era a primeira vez que Maura via o policial Buchanan no necrotério. Ele a deixava nervosa pelo modo como remexia a máscara de papel e jogava o peso do corpo sobre um e outro pé. Parecia jovem demais para ser policial. Todos eles começavam a parecer-lhe jovens demais.

— Guardou o conteúdo do copo? — perguntou a Buchanan.

— Hã... não, senhora. Mas dei uma boa cheirada. Ela definitivamente estava tomando rum com Coca-Cola.

— Às nove da manhã? — Maura olhou para seu assistente no outro lado da mesa. Como sempre, estava em silêncio, mas ela viu uma sobrancelha de Yoshima se erguer, o comentário mais eloqüente que seria capaz de extrair dele.

— Ela não bebeu muito — disse o policial Buchanan. — O copo estava quase cheio.

— Tudo bem — disse Maura. — Vamos dar uma olhada nas costas dela.

Juntos, ela e Yoshima viraram o corpo de lado.

— Há uma tatuagem no quadril — notou Maura. — Uma pequena borboleta azul.

— Ué... — estranhou Buchanan. — Uma mulher da idade dela?

Maura ergueu a cabeça.

— Você acha que uma mulher de 50 anos é velha?

— Quero dizer... bem, é a idade de minha *mãe*.

Cuidado, guri. Sou apenas dez anos mais jovem.

Maura pegou o bisturi e começou a cortar. Era sua quinta necropsia do dia, e tinha de trabalhar rápido. Com o Dr. Costas de férias, e com um acidente envolvendo vários veículos na noite anterior, a geladeira estava lotada de sacos de cadáver naquela manhã. Enquanto trabalhava no estoque, chegaram dois outros cadáveres. Esses teriam de esperar até o dia seguinte. O corpo religioso do necrotério já havia ido embora e Yoshima olhava para o relógio a toda hora, certamente ansioso por ir logo para casa.

Ela cortou a pele e esvaziou o tórax e o abdome. Removeu os órgãos e colocou-os em uma prancha de corte para serem seccionados. Pouco a pouco, Gloria Leder revelava os seus segredos: um fígado gorduroso, sinal revelador de rum e Coca-Cola em demasia. Um útero repleto de fibromas.

Finalmente, abriram o crânio, onde encontraram o motivo de sua morte. Maura viu assim que ergueu o cérebro com as mãos enluvadas.

— Hemorragia subaracnóidea — disse ela, e olhou para Buchanan. Ele parecia bem mais pálido do que quando entrou na sala. — Esta mulher certamente tinha um aneurisma nodular: um ponto fraco em uma das artérias na base do cérebro. A hipertensão deve tê-lo agravado.

Buchanan engoliu em seco, o olhar fixo na aba de pele flácida que fora o couro cabeludo de Gloria Leder, agora dobrado sobre o rosto. Essa era a parte que geralmente os deixava horrorizados, o ponto em que muitos recuavam ou iam embora: quando o rosto cedia como uma máscara de borracha.

— Está dizendo que foi morte natural? — perguntou ele.

— Correto. Não há nada mais para ver aqui.

O jovem arrancou o avental enquanto se afastava da mesa.

— Acho que preciso de um pouco de ar fresco...

Eu também, pensou Maura. É uma noite de verão, meu jardim precisa ser regado, e não saí ao ar livre o dia inteiro.

Uma hora depois, porém, ela ainda estava dentro do prédio, sentada diante de sua escrivaninha, revendo anotações e relatórios. Embora tivesse trocado o avental, o cheiro de necrotério parecia estar impregnado nela, um cheiro que não saía com água e sabão porque perdurava em sua memória. Ela pegou o ditafone e começou a gravar o seu relatório sobre Gloria Leder.

— Mulher branca de 50 anos de idade encontrada em uma espreguiçadeira junto à piscina de seu apartamento. É uma mulher bem desenvolvida e bem nutrida, sem traumas visíveis. O exame externo revela uma velha cicatriz cirúrgica no abdome, provavelmente uma apendicectomia. Há uma pequena tatuagem de uma borboleta... — Fez uma pausa, lembrando-se da tatuagem. Era no quadril direito ou no esquerdo? Meu Deus, estou tão cansada, pensou. Não me lembro. Que detalhe trivial. Não fazia diferença para as suas conclusões, mas detestava ser imprecisa.

Ergueu-se da cadeira e caminhou pelo corredor vazio até a escadaria, seus passos ecoando nos degraus de concreto. Ao entrar no laboratório, ligou as luzes e viu que, como sempre, Yoshima deixara o lugar em condições imaculadas, as mesas limpas e brilhantes, o chão impecavelmente limpo. Maura foi até a sala refrigerada e abriu a porta pesada deixando escapar línguas de névoa fria. Ela inspirou por reflexo, como se estivesse a ponto de mergulhar em água suja, e entrou.

Oito macas estavam ocupadas. A maioria esperava para ser recolhida pelas casas funerárias. Caminhando ao longo da fila, verificou as etiquetas até encontrar a de Gloria Leder. Abriu o saco, enfiou as mãos sob as nádegas do cadáver e virou-o de lado, apenas o bastante para ver a tatuagem.

Era no quadril esquerdo.

Fechou o saco outra vez e estava a ponto de abrir a porta quando estacou de repente. Voltando-se, olhou para a sala refrigerada.

Teria ouvido algo?

O ventilador voltou a funcionar, soprando ar frio pelos dutos. Sim, foi isso, pensou. O ventilador. Ou o compressor do refrigerador. Ou a água nos canos. Era hora de ir para casa. Estava tão cansada que começava a imaginar coisas.

Novamente se voltou para sair.

Novamente estacou. Voltando-se, olhou para a fileira de sacos de cadáver. Seu coração batia tão forte agora que tudo o que conseguia ouvir então era o pulsar do sangue em suas veias.

Alguma coisa se moveu aqui. Estou certa disso.

Ela abriu o primeiro saco e olhou para um homem cujo peito fora suturado. Já necropsiado, pensou. Definitivamente morto.

Qual deles? Qual deles fez barulho?

Ela abriu o saco seguinte e topou com um rosto amassado, um crânio rompido. *Morto.*

Com mãos trêmulas, abriu o terceiro saco. O plástico se abriu e ela viu o rosto de uma jovem pálida com cabelos pretos e lábios azulados. Abrindo o saco, expôs uma blusa molhada, o tecido grudado à pele branca, que brilhava coberta de gotículas de água gelada. Ela abriu a blusa e viu seios fartos e uma cintura fina. O tórax, ainda intacto, não fora cortado pelo bisturi do patologista. Os dedos estavam roxos; os braços, com manchas azuis.

Ela apertou os dedos contra o pescoço da mulher e sentiu a pele gelada. Aproximando-se dos lábios dela, verificou se havia algum alento, o mais tênue sopro de ar contra seu rosto.

O cadáver abriu os olhos.

Maura afastou-se, assustada. Colidiu com a maca atrás de si e quase caiu quando as rodas se moveram. Voltou a ficar de pé e viu que os olhos da mulher ainda estavam abertos, embora não parecessem estar vendo com clareza. Os lábios azulados balbuciavam palavras silenciosas.

Tire-a do refrigerador! Aqueça-a!

Maura tentou empurrar a maca para a porta, mas ela não se moveu. Em seu pânico, esquecera-se de destravar as rodas. Baixou a alavanca e empurrou de novo. Desta vez a maca rolou, saindo da sala refrigerada e ganhando a área de carga, que estava mais aquecida.

Os olhos da mulher voltaram a se fechar. Aproximando-se, Maura não sentiu a respiração da mulher. *Ah, meu Deus. Não posso perdê-la agora.*

Nada sabia sobre aquela estranha: seu nome, seu histórico médico. Ela podia estar contaminada por vírus, mas Maura apertou os lábios contra os dela e quase vomitou ao sentir o gosto da carne fria. Soprou três vezes, e então pressionou o pescoço com os dedos buscando o pulsar da carótida.

Estarei imaginando coisas? Será o meu próprio pulso que sinto em meus dedos?

Ela pegou o telefone da parede e discou 911.

— Emergência.

— Aqui é a Dra. Isles, do laboratório de perícia médica. Preciso de uma ambulância. Há uma mulher aqui com parada respiratória...

— Desculpe, você disse laboratório de perícia médica?

— Sim! Estou nos fundos do edifício, na área de carga. Ficamos na Albany Street, do outro lado do centro médico!

— Estou enviando uma ambulância agora mesmo.

Maura desligou. Mais uma vez, ela conteve o nojo e pressionou os lábios contra os da mulher. Soprou mais três vezes, então seus dedos voltaram à carótida.

Sentiu-a pulsar. Definitivamente ela tinha pulso!

Subitamente ouviu um chiado, uma tosse. A mulher estava respirando agora, e o muco lhe obstruía a garganta.

Fique comigo. Respire, senhora. Respire!

Uma sirene anunciou a chegada da ambulância. Ela abriu as portas dos fundos e foi ofuscada pelas luzes do veículo. Dois paramédicos saltaram carregando suas maletas.

— Ela está aqui! — chamou Maura.

— Ainda em parada respiratória?

— Não, agora ela está respirando. E posso sentir o pulso.

Os dois homens entraram no prédio e pararam, olhando para a mulher na maca.

— Meu Deus — murmurou um deles. — Isso é um saco de *cadáver*?

— Achei-a na geladeira — disse Maura. — A essa altura, ela provavelmente deve estar com hipotermia.

— Ora essa, se este não é o seu pior pesadelo.

Surgiram máscaras de oxigênio, tubos de soro e contatos de ECG. No monitor, uma linha pulsava, como a caneta de um desenhista preguiçoso. A mulher tinha batimentos cardíacos e respirava, embora parecesse morta.

Atando um torniquete a um braço flácido, o paramédico perguntou:

— Qual o histórico dela? Como chegou aqui?

— Não sei nada sobre ela — disse Maura. — Desci para ver outro corpo na geladeira e ouvi este se mover.

— Isso, hã, acontece com freqüência por aqui?

— Para mim foi a primeira vez.

E esperava que fosse a última.

— Há quanto tempo ela está na geladeira?

Maura consultou o fichário pendurado, onde eram registradas as entregas do dia, e viu que certa Maria Ninguém chegara ao necrotério por volta do meio-dia. *Há oito horas. Oito horas fechada em uma mortalha. E se tivesse parado na minha mesa? E se eu tivesse aberto o seu tórax?* Remexendo a cesta de entrada, encontrou o envelope contendo a papelada da mulher.

— Os bombeiros de Weymouth a trouxeram — disse ela. — Aparentemente foi um afogamento...

— Calma, garota! — O paramédico havia acabado de introduzir uma agulha em uma veia e a paciente subitamente voltou à vida, o tórax curvando-se na maca. O lugar onde estava a agulha magicamente ficou azul quando a veia furada vazou sangue sob a pele.

— Merda, perdi a veia. Ajudem-me a controlá-la!

— Cara, essa garota vai se levantar e ir embora.

— Ela está realmente lutando. Não consigo introduzir a agulha de soro.

— Vamos simplesmente colocá-la na maca e levá-la.

— Para onde a estão levando? — perguntou Maura.

— Para o outro lado da rua. Para a emergência do hospital. Se tiver alguma papelada, vão querer uma cópia.

Ela meneou a cabeça e disse:

— Encontro vocês lá.

Uma longa fila de pacientes esperava para se registrar no guichê da emergência, e a enfermeira da triagem por trás do balcão recusava-se a corresponder aos olhares de Maura. Naquela noite tumultuada, seria preciso um membro amputado e jorrando sangue para alguém conseguir furar a fila, mas Maura ignorou os olhares furiosos dos outros pacientes, foi direto ao guichê e bateu no vidro.

— Terá de esperar a vez — disse a enfermeira da triagem.

— Sou a Dra. Isles. Tenho os papéis de transferência de uma paciente. O médico vai precisar deles.

— Qual paciente?

— A mulher que acabaram de trazer do outro lado da rua.

— Refere-se à mulher do necrotério?

Maura fez uma pausa, subitamente ciente de que os outros pacientes da fila estavam ouvindo.

— Sim — foi tudo o que disse.

— Pode passar. Querem falar com você. Estão tendo problemas com ela.

A tranca da porta se abriu, Maura entrou na área de tratamento e viu imediatamente o que a enfermeira da triagem queria dizer com *problemas.* Maria Ninguém ainda não havia sido levada a uma sala de tratamento. Ainda estava no corredor, o corpo envolto em um cobertor elétrico. Os dois paramédicos e uma enfermeira lutavam para controlá-la.

— Apertem esta correia!

— Droga... a mão dela está solta outra vez.

— Esqueça a máscara de oxigênio. Ela não precisa disso.

— Cuidado com a agulha! Vamos perder a veia!

Maura correu até a maca e agarrou o pulso da paciente antes que ela pudesse arrancar o cateter endovenoso. Longos cabelos negros golpearam o rosto de Maura enquanto a mulher tentava se livrar. Havia apenas vinte minutos, aquele era um corpo de lábios azuis em um saco de cadáver. Agora mal conseguiam contê-la à medida que a vida voltava aos seus membros.

— Segurem. Segurem este braço!

O som começou no fundo da garganta da mulher. Era o gemido de um animal ferido. Sua cabeça se curvou para trás e seu grito se avolumou em um berro sobrenatural. Não era humano, pensou Maura, enquanto os cabelos de sua nuca ficavam arrepiados. *Meu Deus, o que foi que eu trouxe de volta à vida?*

— Ouça. *Ouça!* — exigiu Maura. Ela pegou a cabeça da mulher e olhou para um rosto contorcido de pânico. — Não vou deixar que nada de mal aconteça com você. Prometo. Você tem de nos deixar ajudá-la.

Ao ouvir o som da voz de Maura, a mulher se acalmou. Olhos azuis fitaram-na de volta, pupilas dilatadas em duas imensas piscinas negras.

Uma das enfermeiras começou a atar uma correia ao redor da mão da mulher.

Não, pensou Maura. Não faça isso.

Quando a correia roçou o pulso da paciente, ela se contorceu como se tivesse sido queimada. Ela agitou o braço e Maura tropeçou para trás, a face dolorida pelo golpe.

— Ajudem! — gritou a enfermeira. — Alguém poderia chamar o Dr. Cutler?

Maura recuou, o rosto dolorido, quando um médico e outra enfermeira emergiram de uma das salas de tratamento. Aquela agitação atraíra a atenção de pacientes na sala de espera. Maura os viu olhando ansiosamente através da divisória de vidro, observando uma cena que era melhor do que qualquer episódio de *Plantão médico.*

— Sabemos se ela tem alguma alergia? — perguntou o médico.

— Nenhum antecedente médico — disse a enfermeira.

— O que está acontecendo aqui? Por que ela está fora de controle?

— Não temos idéia.

— Tudo bem, tudo bem, vamos tentar cinco miligramas de Haldol endovenoso.

— Estamos sem o cateter!

— Dêem intramuscular. Apenas dêem! E também vamos lhe dar algum Valium antes que ela se machuque.

A mulher deu outro grito quando a agulha furou-lhe a pele.

— Sabemos alguma coisa sobre esta mulher? Quem ela é? — O doutor subitamente percebeu Maura a alguns metros dali. — Você é parente?

— Eu chamei a ambulância. Sou a Dra. Isles.

— Médica dela?

Antes que Maura pudesse responder, um dos paramédicos disse:

— Ela é patologista. Esta é a paciente que despertou no necrotério.

O doutor olhou para Maura.

— Está brincando...

— Eu a encontrei se mexendo na sala refrigerada — disse Maura.

O doutor deu uma risada de descrédito.

— Quem atestou a morte dela?

— Os bombeiros de Weymouth a trouxeram.

Ele olhou para a paciente.

— Bem, ela está definitivamente viva agora.

— Dr. Cutler, a sala dois vagou — avisou uma enfermeira. — Podemos transportá-la para lá.

Maura seguiu-os enquanto moviam a maca até uma sala de tratamento. A luta da mulher diminuíra, a força cedendo sob efeito do Haldol e do Valium. As enfermeiras tiraram sangue e religaram os contatos do ECG. O ritmo cardíaco começou a piscar no monitor.

— Tudo bem, Dra. Isles — disse o médico da emergência ao iluminar os olhos da mulher com uma caneta de luz. — Fale mais.

Maura abriu o envelope contendo a papelada que acompanhava o corpo.

— Deixe-me dizer o que consta dos documentos de transferência — disse ela. — Às oito da manhã, os bombeiros de Weymouth responderam a uma chamada do Sunrise Yatch Club, onde marinheiros encontraram o corpo flutuando na baía Hingham. Quando foi tirada da água, não tinha pulso ou respiração. E nenhum documento de identidade. Um investigador da polícia estadual foi chamado ao lugar e achou que provavelmente fora uma morte acidental. Ela foi transferida ao nosso escritório ao meio-dia.

— E ninguém no seu laboratório percebeu que ela estava viva?

— Ela chegou quando estávamos cheios de trabalho. Houve um acidente na I-95. E ainda estávamos sobrecarregados da noite anterior.

— Já são quase nove da noite. Ninguém verificou esta mulher?

— Os mortos não têm pressa.

— Vocês simplesmente os deixam na geladeira?

— Até podermos atendê-los.

— E se você não a tivesse ouvido se mexer hoje à noite? — Ele se voltou para olhar para ela. — Quer dizer que ela seria deixada ali até amanhã de manhã?

Maura sentiu-se corar.

— Sim — admitiu.

— Dr. Cutler, a UTI tem uma cama disponível — disse uma enfermeira. — É lá que a quer?

— Sim. Não fazemos idéia de quais drogas ela tomou, de modo que a quero monitorada. — Ele olhou para a paciente, que agora estava de olhos fechados. Seus lábios continuavam a se mover, como em uma reza silenciosa. — Essa pobre mulher já morreu uma vez. Não deixemos acontecer de novo.

Maura podia ouvir o telefone tocando dentro de casa enquanto remexia as chaves, tentando abrir a porta. Quando entrou na sala de estar, o telefone parou de tocar. Quem quer que tenha ligado, não deixou mensagem. Ela verificou os números mais recentes no identificador de chamadas, mas não reconheceu o nome da última pessoa que ligou: ZOE FOSSEY. Teria sido engano?

Eu me recuso a me preocupar com isso, pensou ela, e caminhou até a cozinha.

Agora seu telefone celular estava tocando. Ela o tirou da bolsa e viu no mostrador digital que quem estava ligando era o seu colega de trabalho, o Dr. Abe Bristol.

— Olá, Abe?

— Maura, poderia me dizer o que houve na emergência hoje à noite?

— Já soube?

— Já recebi três ligações. O *Globe*, o *Herald*. E uma estação de tevê local.

— O que os repórteres estão dizendo?

— Todos perguntam sobre o cadáver que despertou. Dizem que ela acabou de ser admitida no centro médico. Não faço idéia do que estavam falando.

— Oh, meu Deus. Como a imprensa descobriu tão rápido?

— Então é verdade?

— Eu ia ligar para você... — Ela parou de falar. O telefone estava tocando na sala. — Tenho de atender outra chamada. Posso voltar a ligar para você, Abe?

— Desde que prometa que vai me contar o que está acontecendo.

Ela correu para a sala de estar e atendeu o telefone.

— Dra. Isles.

— Aqui é Zoe Fossey, do noticiário do Canal Seis. Gostaria de comentar a respeito de...

— São quase dez horas — interrompeu Maura. — Este é meu telefone residencial. Se quiser falar comigo, terá de ligar para o meu escritório, em horário comercial.

— Soubemos que uma mulher despertou no necrotério esta noite.

— Sem comentários.

— As fontes nos dizem que um investigador da polícia estadual e uma equipe de bombeiros em Weymouth a declararam morta. Alguém no seu escritório declarou o mesmo?

— O laboratório de perícia médica nada tem a ver com esta declaração.

— Mas a mulher estava sob a sua custódia, certo?

— Ninguém em nosso laboratório declarou a sua morte.

— Está dizendo que foi culpa dos bombeiros de Weymouth e da polícia estadual? Como alguém pode cometer um erro assim? Não é bastante óbvio quando alguém está vivo?

Maura desligou.

Quase imediatamente o telefone tocou. Um número diferente apareceu na tela do identificador de chamadas.

Ela atendeu.

— Dra. Isles.

— Aqui é Dave Rosen, da Associated Press. Perdoe incomodá-la, mas soubemos que uma jovem foi levada ao laboratório de perícia médica e despertou em um saco de cadáver. É verdade?

— Como vocês descobrem essas coisas? Esta é a segunda chamada que recebo.

— Suspeito de que receberá muito mais chamadas.

— E o que sabe a respeito?

— Que ela foi trazida ao necrotério esta tarde, pelo corpo de bombeiros de Weymouth. Que você a encontrou viva e chamou a ambulância. Já falei com o hospital, e eles definem a sua condição como grave embora estável. Confere?

— Sim, mas...

— Ela estava realmente *dentro* do saco de cadáver quando a encontrou? Estava fechada com zíper lá dentro?

— Você está tornando isso muito sensacionalista.

— Alguém em seu laboratório verifica os corpos quando chegam? Apenas para se certificar?

— Terei uma declaração para vocês pela manhã. Boa noite.

Desligou. Antes do telefone tocar outra vez, ela o desligou da tomada. Seria o único meio de conseguir dormir naquela noite. Olhando para o telefone, então silencioso, ela se perguntou: como as notícias se espalham tão rapidamente?

Depois, pensou em todas as testemunhas na sala de emergência: os atendentes, enfermeiras, auxiliares. Os pacientes na sala de espera, olhando através da divisória de vidro. Qualquer um deles poderia pegar o telefone e ligar. Uma simples ligação, e a notícia se espalharia. Nada se espalha mais rapidamente do que uma fofoca macabra. Amanhã, pensou ela, será um inferno e é melhor eu estar preparada.

Usou o celular para ligar para Abe.

— Temos um problema — disse ela.

— Imaginei.

— Não fale com a imprensa. Vou fazer uma declaração. Desliguei o telefone de casa esta noite. Se precisar me encontrar, estou no celular.

— Está preparada para lidar com tudo isso?

— Quem mais o faria? Fui eu quem a encontrou.

— Você sabe que irá para o noticiário nacional, Maura.

— A AP já me ligou.

— Oh, meu Deus. Você falou com o Departamento de Segurança Pública? Eles estão encarregados da investigação.

— São os próximos em minha lista de chamadas.

— Precisa de ajuda para redigir a declaração?

— Precisarei de algum tempo para trabalhar nisso. Chegarei mais tarde amanhã. Apenas segure as pontas até eu chegar.

— Provavelmente haverá uma ação judicial.

— Somos inocentes, Abe. Nada fizemos de errado.

— Não importa. Prepare-se.

3

— Você jura solenemente que o testemunho que está a ponto de fornecer à corte sobre este caso agora em audiência será a verdade, toda a verdade, nada mais do que a verdade, que Deus a ajude?

— Juro — disse Jane Rizzoli.

— Obrigado. Pode se sentar.

Jane sentiu todos os olhos do tribunal se voltarem para ela quando se sentou pesadamente na banco das testemunhas. Eles a estavam olhando desde o momento em que entrou na sala, os tornozelos inchados, a barriga proeminente sob a bata volumosa. Agora ela se remexia na cadeira, tentando se acomodar, tentando transmitir alguma aparência de autoridade, mas a sala estava quente, e ela já podia sentir o suor na testa. Uma policial suada, inquieta e grávida. Sim, que figura autoritária.

Gary Spurlock, o promotor-assistente do condado de Suffolk, levantou-se para conduzir o exame direto. Jane sabia que ele era um promotor calmo e metódico, e ela não estava ansiosa para iniciar a primeira rodada de perguntas. Ela manteve os olhos em Spurlock, evitando o olhar do réu, Billy Wayne Rollo, que estava refestelado atrás de sua advogada, encarando Jane. Ela sabia que Rollo estava tentando intimidá-la com o olhar. Perturbe a policial, desequilibre-a. Era igual a muitos outros babacas que ela conhecia, e seu olhar não era nada de novo. Apenas o último recurso de um perdedor.

— Poderia dizer à corte o seu primeiro nome e soletrar o seu sobrenome, por favor? — disse Spurlock.

— Detetive Jane Rizzoli. R-I-Z-Z-O-L-I.

— E sua profissão?

— Sou detetive da Homicídios, Departamento de Polícia de Boston.

— Poderia descrever a sua educação e seus antecedentes para nós?

Ela se remexeu outra vez, as costas começando a doer por conta da cadeira dura.

— Formei-me em direito criminal no Massachusetts Bay Community College. Após o meu treinamento na Academia de Polícia de Boston, fui patrulheira em Back Bay e Dorchester. — Jane fez uma careta quando o bebê chutou forte dentro de sua barriga. *Fique quieto aí. Mamãe está no tribunal.* Spurlock ainda esperava o resto de sua resposta. Ela prosseguiu: — Trabalhei como detetive da Narcóticos durante dois anos. Há dois anos e meio, fui transferida para a Homicídios, que é onde estou atualmente.

— Obrigado, detetive. Agora gostaria de lhe perguntar sobre os eventos ocorridos em três de fevereiro deste ano. No cumprimento do dever, você visitou uma residência em Roxbury. Correto?

— Sim, senhor.

— O endereço era Malcolm X Boulevard, 4280, correto?

— Sim. Um prédio de apartamentos.

— Conte-nos sobre aquela visita.

— Aproximadamente às duas e meia da tarde, nós, ou seja, meu parceiro, o detetive Barry Frost, e eu, chegamos a esse endereço para entrevistar um inquilino no apartamento dois-B.

— Com que objetivo?

— Tratava-se de uma investigação de homicídio. O sujeito do dois-B era conhecido da vítima.

— Então ele, ou ela, não era suspeito neste caso em particular?

— Não, senhor. Não a considerávamos suspeita.

— E o que aconteceu então?

— Havíamos acabado de bater à porta do dois-B quando ouvimos uma mulher gritar. Vinha do apartamento do outro lado do corredor. O dois-E.

— Poderia descrever os gritos?

— Acho que os caracterizaria como gritos de grande sofrimento. Medo. E ouvimos diversos estrondos, como se estivessem derrubando móveis. Ou alguém sendo jogado no chão.

— Protesto! — disse a advogada de defesa, uma loura alta que se levantou da cadeira. — Pura especulação. Ela não estava no apartamento para ver isso.

— Aceito — disse o juiz. — Detetive Rizzoli, por favor, evite especular a respeito de eventos que não poderia ter visto.

Mesmo não sendo uma maldita especulação? Por que era exatamente isso o que estava acontecendo. Billy Wayne Rollo estava batendo a cabeça da namorada no chão.

Jane engoliu a irritação e corrigiu seu depoimento.

— Ouvimos estrondos no apartamento.

— E o que fez a seguir?

— O detetive Frost e eu imediatamente batemos à porta do dois-E.

— Vocês se identificaram como policiais?

— Sim, senhor.

— E o que aconteceu?

— Esta é uma maldita mentira — disse o réu. — Eles não disseram que eram policiais!

Todos olharam para Billy Wayne Rollo, que olhava apenas para Jane.

— Permaneça em silêncio, Sr. Rollo — ordenou o juiz.

— Mas ela está mentindo.

— Ou a defesa controla o seu cliente ou ele será expulso do recinto.

— Cale-se, Billy — murmurou a advogada de defesa. — Isso não está ajudando.

— Tudo bem — disse o juiz. — Sr. Spurlock, pode continuar.

O promotor-assistente meneou a cabeça e voltou-se para Jane.

— O que aconteceu depois que bateram à porta do dois-E?

— Não houve resposta. Mas ainda ouvíamos os gritos. Os estrondos. Concluímos que havia uma vida em perigo e que precisávamos entrar no apartamento com ou sem consentimento.

— E vocês entraram?

— Sim, senhor.

— Eles derrubaram a merda da minha porta! — disse Rollo.

— Silêncio, Sr. Rollo! — disse o juiz, e o réu se refestelou na cadeira, o olhar fixo em Jane.

Olhe para mim o quanto quiser, babaca. Acha que me assusta?

— Detetive Rizzoli, o que viu dentro do apartamento? — perguntou Spurlock.

Jane voltou a atenção para o promotor-assistente.

— Vimos um homem e uma mulher. A mulher estava deitada de costas, com o rosto muito machucado e o lábio sangrando. O homem estava agachado sobre ela. Tinha ambas as mãos ao redor do pescoço da mulher.

— É aquele homem ali sentado?

— Sim, senhor.

— Por favor, aponte-o.

Ela apontou para Billy Wayne Rollo.

— O que houve a seguir?

— O detetive Frost e eu tiramos o Sr. Rollo de cima da mulher. Ela ainda estava consciente. O Sr. Rollo resistiu e, na luta, o detetive

Frost levou um soco forte no abdome. O Sr. Rollo fugiu do apartamento. Fui atrás e segui-o pela escadaria. Ali pude prendê-lo.

— Sozinha?

— Sim, senhor. — Ela fez uma pausa mas acrescentou a seguir, sem nenhuma intenção de fazer graça: — Depois que ele caiu da escada. Parecia estar bastante bêbado.

— Ela me *empurrou*, merda! — disse Rollo.

O juiz bateu o martelo.

— Já ouvi o *bastante* de você! Oficial de justiça, retire o réu do recinto, por favor.

— Meritíssimo — disse a advogada de defesa, erguendo-se. — Eu o manterei sob controle.

— Por enquanto não tem conseguido, Srta. Quinlan.

— Ele vai ficar quieto agora. — Ela olhou para seu cliente. — *Não vai?*

Rollo resmungou, indignado.

Spurlock disse:

— Sem perguntas, meritíssimo. — E sentou-se.

O juiz olhou para a advogada de defesa.

— Srta. Quinlan?

Victoria Quinlan levantou-se para iniciar o interrogatório. Jane nunca lidara com aquela advogada em particular e não estava certa do que esperar. Quando Quinlan se aproximou, Jane pensou: você é jovem, loura e linda. O que faz defendendo esse cretino? A mulher se movia como um modelo na passarela, pernas longas enfatizadas por uma saia curta e saltos altos pontudos. Só de olhar para aqueles sapatos Jane já sentia os pés doerem. Uma mulher como Quinlan provavelmente sempre fora o centro das atenções, e ela se aproveitava disso agora enquanto caminhava diante da testemunha, claramente ciente de que todos os homens do júri provavelmente estavam olhando para a sua bunda firme.

— Bom dia, detetive — disse Quinlan. Docemente. Muito docemente. Mas a qualquer momento aquela loura mostraria as garras.

— Bom dia, senhora — disse Jane, absolutamente neutra.

— Você disse estar lotada na Homicídios.

— Sim, senhora.

— E quais casos está investigando agora?

— No momento, não tenho casos novos. Mas continuo acompanhando o...

— Contudo você é uma detetive do Departamento de Polícia de Boston. E, neste momento, não há casos de homicídios que exijam vigorosa investigação?

— Estou afastada.

— Oh. Você está afastada. Então, atualmente, não está trabalhando na unidade.

— Estou executando tarefas administrativas.

— Mas deixemos isso bem claro. Você não é uma detetive na *ativa*. — Quinlan sorriu. — No momento.

Jane sentiu o rosto corar.

— Como disse, estou afastada. Até mesmo os policiais têm filhos — acrescentou, com uma nota de sarcasmo, e imediatamente se arrependeu. *Não faça o jogo dela. Mantenhas a calma.* Mas era mais fácil falar do que fazer. O tribunal estava um forno. O que havia de errado com o ar-condicionado? Por que ninguém mais parecia estar incomodado com o calor?

— Para quando é o bebê, detetive?

Jane fez uma pausa, perguntando-se onde a outra queria chegar.

— Devia ter nascido na semana passada — disse afinal. — Está atrasado.

— Então, em três de fevereiro, quando conheceu o meu cliente, o Sr. Rollo, você estava... o quê? Grávida de três meses?

— Protesto — disse Spurlock. — Isto é irrelevante.

— Advogada, qual o objetivo de sua pergunta? — perguntou o juiz.

— Tem a ver com o testemunho que ela deu anteriormente, meritíssimo. Que a detetive Rizzoli era de algum modo capaz de, sozinha, subjugar e prender o meu cliente na escadaria.

— E o estado de sua gravidez tem exatamente o que a ver com isso?

— Uma mulher grávida de três meses teria dificuldade em...

— Ela é uma policial, Srta. Quinlan. Prender gente faz parte do trabalho.

Boa, juiz! Mostre para ela.

Victoria Quinlan corou e voltou atrás.

— Pois bem, meritíssimo. Retiro a pergunta. — Ela se virou outra vez para Jane, observando-a um instante enquanto considerava o próximo movimento. — Você disse que você e seu parceiro, o detetive Frost, estavam no local. Que a decisão de entrar no apartamento dois-B foi tomada por vocês dois?

— Não era o apartamento dois-B, senhora. Era o apartamento dois-E.

— Ah sim, claro. Erro meu.

É, claro. Como se não estivesse tentando me pegar.

— Você disse que bateu à porta e anunciou que eram policiais — disse Quinlan.

— Sim, senhora.

— E essa interação nada tinha a ver com o que os levou originalmente àquele prédio.

— Não, senhora. Foi apenas uma coincidência estarmos ali. Mas quando vemos um cidadão em perigo é nosso dever intervir.

— E foi por isso que bateram à porta do apartamento dois-B.

— Dois-E.

— E, quando ninguém respondeu, arrombaram a porta.

— Sentimos que a vida de uma mulher estava ameaçada com base nos gritos que ouvimos.

— Como soube que eram gritos de sofrimento? Não podiam ser sons de, digamos, um casal fazendo amor apaixonadamente?

Jane quis rir da pergunta, mas não o fez.

— Não foi o que ouvimos.

— E você tomou isso como fato? Sabe a diferença?

— Uma mulher com o lábio partido é uma prova e tanto.

— O problema é que você não sabia disso *naquela hora.* Não deu ao meu cliente a chance de atender a porta. Vocês avaliaram com rapidez e simplesmente invadiram.

— Interrompemos um espancamento.

— Sabe que a suposta vítima recusou-se a prestar queixa contra o Sr. Rollo? Que ainda estão juntos e apaixonados?

Jane engoliu em seco.

— Isso é decisão dela. — *Embora seja uma decisão idiota.* — Mas o que vi naquele dia no apartamento dois-E foi claramente um abuso. Havia sangue.

— Como se o *meu* sangue não contasse? — disse Rollo. — Você me empurrou, madame! Ainda tenho a cicatriz aqui no queixo!

— Silêncio, Sr. Rollo — ordenou o juiz.

— Olhe! Vê onde bati no último degrau? Precisei levar pontos!

— Sr. Rollo!

— Você *empurrou* o meu cliente escada abaixo, detetive? — perguntou Quinlan.

— Protesto — disse Spurlock.

— Não, não empurrei — disse Jane. — Ele estava bêbado o bastante para cair da escada sozinho.

— Ela está mentindo! — disse o réu.

O martelo bateu outra vez.

— *Quieto, Sr. Rollo!*

Mas Billy Wayne Rollo estava cada vez mais exaltado.

— Ela e o parceiro me arrastaram até a escadaria de modo que ninguém visse o que estavam fazendo. Acha que *ela* poderia me prender sozinha? Essa *menininha* grávida? Ela está contando um monte de merda para vocês!

— Sargento Givens, retire o réu do recinto.

— É um caso de brutalidade policial! — Rollo gritava enquanto o oficial de justiça o erguia. — Ei, pessoal do júri, vocês são idiotas? Não vêem que tudo isso é um bando de mentiras de merda? Esses dois tiras me empurraram da porra da escada!

O martelo voltou a soar.

— Vamos entrar em recesso. Por favor, escoltem os jurados para fora.

— Ah, claro! Vamos entrar em *recesso*! — Rollo riu e empurrou o oficial de justiça. — Justo quando finalmente estão ouvindo a verdade!

— Tire-o daqui, sargento Givens.

Givens agarrou o braço de Rollo. Furioso, Rollo voltou-se e atacou-o, batendo com a cabeça na barriga do oficial de justiça. Ambos caíram no chão e começaram a se engalfinhar. Victoria Quinlan olhava, boquiaberta, enquanto seu cliente e Givens se atracavam a apenas alguns centímetros de seu Manolo Blahniks de salto alto.

Ah, meu Deus. Alguém tem de dar um jeito nessa bagunça.

Jane ergueu-se. Afastando a atônita Quinlan, pegou as algemas que Givens deixara cair no chão durante a confusão.

— Ajudem! — gritou o juiz, batendo com o martelo. — Precisamos de outro oficial de justiça aqui!

O sargento Givens estava deitado de costas no chão, imobilizado debaixo de Rollo, que erguia o punho direito para socá-lo. Neste instante, Jane agarrou o pulso erguido de Rollo e fechou um dos lados da algema.

— Que merda é essa? — disse Rollo.

Jane cravou o pé nas costas de Rollo, dobrou o braço dele para trás e empurrou-o para baixo, contra Givens. Outro clique e o outro lado da algema se fechou sobre o pulso esquerdo.

— Saia de cima de mim, sua vaca filha-da-puta! — gritou Rollo. — Está quebrando as minhas costas!

O sargento Givens, preso no fundo da pilha, parecia estar a ponto de sufocar com o peso.

Jane tirou o pé das costas de Rollo. Subitamente, um fluxo de líquido quente jorrou por entre as suas pernas, encharcando Rollo e Givens. Ela tropeçou para trás e olhou atônita para a bata ensopada. Para o fluido que pingava de suas coxas no chão do tribunal.

Rollo virou de lado e olhou para ela. Subitamente, ele riu. Não conseguia parar de rir enquanto se virava de costas.

— Ei — disse ele. — Vejam só! A piranha acabou de mijar no vestido!

4

Maura estava parada em um sinal de Brookline Village quando Abe Bristol ligou para o seu telefone celular.

— Viu a tevê esta manhã? — perguntou ele.

— Não me diga que a história já chegou aos noticiários.

— Canal Seis. O nome da repórter é Zoe Fossey. Falou com ela?

— Rapidamente, ontem à noite. O que ela disse?

— Resumindo? "Mulher encontrada viva em saco de cadáver. Patologista culpa o corpo de bombeiros de Weymouth e a polícia estadual por erro ao decretarem a morte da vítima."

— Oh, meu Deus. Eu não disse isso.

— Sei que não. Mas agora temos um chefe dos bombeiros danado da vida em Weymouth. E a polícia estadual também não está muito contente. Louise já está atendendo telefonemas deles.

O sinal de trânsito ficou verde. Ao atravessar o cruzamento, ela subitamente desejou poder dar meia-volta e voltar para casa. Desejou poder evitar os aborrecimentos que estavam por vir.

— Você está no escritório? — perguntou Maura.

— Cheguei às sete. Achei que você já estaria aqui.

— Estou no meu carro. Precisei de algumas horas extras esta manhã para preparar aquela declaração.

— Bem, devo adverti-la: ao chegar aqui, será emboscada no estacionamento.

— Estão por aí?

— Repórteres, vans de emissoras de tevê. Estão estacionados na Albany. Correndo para lá e para cá entre o nosso prédio e o hospital.

— Que conveniente para eles. Um prato feito para a imprensa.

— Ouviu algo mais sobre a paciente?

— Liguei para o Dr. Cutler esta manhã. Ele disse que o exame toxicológico deu positivo para barbitúricos e álcool. Ela devia estar muito drogada.

— Isso provavelmente explica por que caiu na água. E com barbitúricos envolvidos, não é de estranhar que tenham tido dificuldade em identificar os seus sinais vitais.

— Por que todo esse barulho?

— Porque é o tipo de assunto privilegiado pelas revistas de fofocas como a *National Enquirer*. O morto que se levanta da tumba. Afora isso, ela é jovem, não é?

— Diria ter os seus vinte anos.

— É atraente?

— Que diferença isso faz?

— Ora, vamos — disse Abe, rindo. — Você *sabe* que faz diferença.

Maura suspirou.

— Sim — admitiu. — É muito atraente.

— É, bem, aí está. Jovem, sensual e quase aberta viva.

— Ela não foi aberta.

— Só estou advertindo, é assim que o público vai ver a coisa.

— Posso alegar estar doente hoje? Talvez pegar o próximo vôo para as Bermudas?

— E me deixar aqui com essa confusão? Não ouse.

Quando ela entrou na Albany Street, vinte minutos depois, viu duas vans de canais de tevê estacionadas perto da entrada do prédio. Como Abe a advertira, os repórteres estavam prontos para atacar.

Ela saiu do seu Lexus refrigerado em uma manhã já grossa de umidade, e repórteres correram em sua direção.

— Dra. Isles! — gritou um. — Sou do *Boston Tribune.* Podemos trocar algumas palavras sobre a Maria Ninguém?

Em resposta, Maura tirou de sua pasta algumas cópias do que escrevera pela manhã. Era um resumo objetivo dos eventos da noite anterior, e como reagira a eles. Ela distribuiu as cópias.

— Esta é a minha declaração — disse ela. — Nada mais tenho a acrescentar.

Aquilo não interrompeu a inundação de perguntas.

— Como alguém comete um erro desses?

— Já sabem o nome da mulher?

— Soubemos que o corpo de bombeiros de Weymouth decretou a morte. Pode dar nomes?

Maura disse:

— Terão de falar com o porta-voz deles. Não posso responder em seu nome.

Uma mulher tomou a palavra:

— Tem de admitir, Dra. Isles, que isso claramente é um caso de incompetência da parte de *alguém.*

Maura reconheceu a voz. Ela se voltou e viu uma loura que abriu caminho até a frente da multidão.

— Você é aquela repórter do Canal Seis.

— Zoe Fossey. — A mulher começou a sorrir, gratificada por ter sido reconhecida, mas o olhar que Maura lhe devolveu a fez parar de sorrir.

— Você me citou incorretamente — disse Maura. — Nunca disse que culpava o corpo de bombeiros ou a polícia estadual.

— Alguém deve ter errado. Se não foram eles, quem foi? Você é responsável, Dra. Isles?

— Certamente não.

— Uma mulher foi fechada ainda viva dentro de um saco de cadáver. Ficou presa na geladeira de um necrotério durante oito horas. E não é culpa de ninguém? — Fossey fez uma pausa. — Não acha que alguém deva ser demitido por causa disso? Digamos, aquele investigador da polícia estadual?

— Você é bem rápida ao atribuir culpas.

— Aquele erro poderia ter matado a mulher.

— Mas não a matou.

— Não é um erro básico? — disse Fossey, rindo. — Quero dizer, qual a dificuldade de ver que alguém não está morto?

— É mais difícil do que você pensa — rebateu Maura.

— Você os está defendendo.

— Dei-lhes o meu depoimento. Não posso comentar atos de outras pessoas.

— Dra. Isles? — Era o homem do *Boston Tribune* outra vez. — Você disse que determinar a morte não é necessariamente fácil. Sei que erros semelhantes foram cometidos em outros necrotérios do país. Poderia nos ensinar por que às vezes é difícil determinar a morte de uma pessoa? — Ele falou com respeito. Não um desafio, mas uma pergunta pensada que merecia uma resposta.

Ela observou o homem um instante. Viu olhos inteligentes, cabelos levados pelo vento e uma barba aparada que a fazia pensar em um jovem professor universitário. Sua boa aparência certamente inspiraria incontáveis paixões escolares.

— Qual o seu nome? — perguntou Maura.

— Peter Lukas. Escrevo uma coluna semanal para o *Tribune.*

— Falarei com você, Sr. Lukas. E apenas com você. Entre.

— Espere — protestou Fossey. — Alguns de nós estão esperando aqui há muito mais tempo.

Maura lançou-lhe um olhar devastador.

— Neste caso, Srta. Fossey, não é o primeiro pássaro que fica com a minhoca e, sim, o mais educado. — Ela deu-lhe as costas e caminhou para o edifício, o repórter do *Tribune* bem atrás dela.

Sua secretária, Louise, estava ao telefone. Tapando o fone com a mão, ela sussurrou para Maura, um tanto desesperada:

— Não pára de tocar. O que digo a eles?

Maura pousou uma cópia de sua declaração na escrivaninha de Louise.

— Mande isso para eles por fax.

— É tudo o que quer que eu faça?

— Evite qualquer telefonema da imprensa. Concordei em conversar com o Sr. Lukas e ninguém mais. Nada de entrevistas.

A expressão de Louise ao olhar para o repórter era fácil de decifrar. *Vejo que escolheu um repórter bonitão.*

— Não vamos demorar — disse Maura. Em seguida, conduziu Lukas até o seu escritório, fechou a porta e apontou-lhe uma cadeira.

— Obrigado por falar comigo — disse ele.

— Você foi o único lá fora que não me irritou.

— Isso não quer dizer que eu não seja irritante.

Ela sorriu.

— Isso é apenas uma estratégia de autodefesa — disse ela. — Se eu o atender, talvez todo mundo se volte para você. Vão me deixar em paz e passar a incomodá-lo.

— Lamento, mas isso não funciona assim. Ainda continuarão a caçá-la.

— Há tantas matérias melhores que você poderia estar escrevendo agora, Sr. Lukas. Matérias mais importantes. Por que esta?

— Porque esta nos atinge no nível mais visceral. Remete aos nossos maiores temores. Quantos de nós não morrem de medo de ser declarados mortos quando de fato não estamos? De ser acidentalmente enterrado vivo? O que, incidentalmente, *aconteceu* algumas vezes no passado.

— Houve alguns casos historicamente documentados — concordou Maura. — Mas anteriores aos tempos da embalsamação.

— E despertar no necrotério? Isso não é apenas histórico. Soube de diversos casos em anos recentes.

Ela hesitou.

— Acontece.

— Mais freqüentemente do que o público se dá conta. — Ele abriu um bloco de notas. — Em 1984, houve um caso em Nova York. Um homem estava deitado na mesa de necropsia. O patologista pegou o bisturi e estava a ponto de fazer a primeira incisão quando o cadáver despertou e agarrou-o pela garganta. O médico caiu, morto por um ataque cardíaco. — Lukas ergueu a cabeça. — Ouviu falar deste caso?

— Você está citando o exemplo mais sensacionalista.

— Mas é verdade, não é?

Ela suspirou.

— Sim. Conheço este caso em particular.

Ele virou a página de seu bloco de notas.

— Springfield, Ohio, 1989. Uma mulher em um asilo foi declarada morta e transferida para uma funerária. Ela está deitada na mesa e o agente funerário está a ponto de embalsamá-la. De repente, o corpo começou a falar.

— Você parece bem familiarizado com o assunto.

— Porque é fascinante. — Ele folheou as páginas de seu bloco de notas. — Na noite passada, pesquisei caso a caso. Uma menina em Dakota do Sul que despertou no caixão aberto. Um homem em Des Moines cujo tórax fora aberto. Somente então os patologistas se deram conta de que o coração *ainda batia*. — Lukas olhou para ela. — Essas não são lendas urbanas. São casos documentados, e há vários deles.

— Veja, não estou dizendo que não aconteça, porque evidentemente acontece. Cadáveres já despertaram nos necrotérios. Túmulos antigos foram exumados e descobriram-se marcas de arranhões por dentro da tampa do caixão. As pessoas têm tanto medo dessa possibilidade que alguns caixões são dotados de transmissores de emergência para pedir ajuda. Para o caso de alguém ser enterrado vivo.

— Que reconfortante.

— Portanto, sim, pode acontecer. Estou certa de que já ouviu a teoria sobre Jesus. Que a ressurreição de Cristo não foi realmente uma ressurreição. Foi apenas um caso de funeral prematuro.

— Por que é tão difícil determinar que alguém está morto? Não devia ser óbvio?

— Às vezes não é. Pessoas congeladas, por meio da exposição ao frio ou afogamento em águas muito frias, podem parecer mortas. Nossa paciente foi encontrada nessas circunstâncias. E há certas drogas que podem mascarar os sinais vitais e tornar difícil a detecção da respiração ou do pulso.

— Romeu e Julieta. A poção que Julieta bebeu para parecer morta.

— Sim. Não sei que poção era aquela, mas a situação não é impossível.

— Quais drogas podem causar esse efeito?

— Barbitúricos, por exemplo. Podem deprimir a respiração e dificultar que se perceba que a pessoa está respirando.

— Foi o que deu no exame toxicológico de nossa Maria Ninguém, não é mesmo? Fenobarbital.

Ela franziu as sobrancelhas.

— Onde ouviu isso?

— Fontes. É verdade, não é?

— Sem comentários.

— Teria uma história psiquiátrica? Por que ela tomaria uma overdose de fenobarbital?

— Não sabemos o nome da mulher, muito menos a sua história psiquiátrica.

Ela o estudou um instante, o olhar penetrante demais para ser reconfortante. Esta entrevista é um erro, pensou Maura. Havia alguns instantes, Peter Lukas pareceu-lhe educado e sério, o tipo de jornalista que abordaria o assunto com respeito. Mas as perguntas dele a deixaram inquieta. Ele viera para aquela conversa completamente preparado e bem-informado sobre aqueles detalhes que ela justamente desejava evitar, detalhes que atrairiam a atenção do público.

— Soube que a mulher foi tirada da baía de Hingham ontem pela manhã — disse ele. — O corpo de bombeiros de Weymouth foi o primeiro a chegar.

— Isso é correto.

— Por que um representante do laboratório de perícia médica não foi chamado?

— Não temos pessoal suficiente para visitar cada lugar onde se encontra um cadáver. Afora isso, este estava em Weymouth, e não havia qualquer indício óbvio de violência.

— E isso foi determinado pela polícia estadual?

— O detetive deles achou que parecia ser acidental.

— Ou uma possível tentativa de suicídio? Considerando os resultados do exame toxicológico dela?

Ela não viu por que negar aquilo que ele já sabia.

— Ela pode ter tomado uma overdose, sim.

— Uma overdose de barbitúrico. E um corpo gelado pela água. Duas razões para dificultarem a determinação da morte. Isso não deveria ter sido levado em conta?

— É... sim, é algo que devemos considerar.

— Mas nem o detetive da polícia estadual nem o corpo de bombeiros de Weymouth consideraram isso. O que me soa como um erro.

— Pode acontecer. É tudo o que posso dizer.

— Alguma vez já cometeu um erro, Dra. Isles? Declarou a morte de alguém que estivesse vivo?

Ela fez uma pausa, pensando em seus anos como interna. Em uma chamada noturna que a despertou de um sono profundo. A paciente da cama 336A acabara de falecer, dissera-lhe uma enfermeira. Poderia a interna vir atestar a morte da mulher? Enquanto Maura caminhava para o quarto da paciente, não sentiu ansiedade e nenhuma crise de confiança. Na faculdade de medicina não havia aulas específicas sobre como determinar a morte de alguém. Esperava-se que um médico reconhecesse a morte ao vê-la. Naquela noite, Maura atravessou o corredor do hospital pensando em fazer aquilo o mais rapidamente possível e depois voltar para a cama. Aquela morte não era inesperada. A paciente estava no estágio terminal de um câncer, e sua ficha dizia claramente SEM CÓDIGO. Ou seja, sem ressuscitação.

Ao entrar no quarto 336, assustou-se ao encontrar a cama cercada por parentes chorosos que se reuniram ali para dizer adeus. Maura tinha uma platéia. Aquela não era a esperada calma comunhão com a falecida. Tinha a desconfortável sensação de olhos voltados para ela enquanto se desculpava pela intromissão e aproximava-se da beirada da cama. A paciente estava deitada, o rosto em paz. Maura pegou o estetoscópio, introduziu o diafragma sob a camisola hospitalar e pousou-o sobre o peito frágil. Ao se curvar sobre o corpo, sentiu a família se comprimir ao seu redor e a pressão de sua atenção sufocante. Não ouviu tempo suficiente. As enfermeiras já haviam determinado a morte da mulher. Chamar o médico para fazer o pronunciamento era mero protocolo. Uma nota em uma tabela, uma assinatura de médico, era tudo de que precisavam para transferi-la para o necrotério. Curvada sobre o peito da paciente, ouvindo ao silêncio, Maura não via a hora de escapar dali. Ela se ergueu, o rosto adequadamente simpático, e focou a atenção no homem que acreditou ser o marido da mulher. Estava a ponto de murmurar *lamento mas ela morreu*, quando um fio de respiração a conteve.

Atônita, olhou para a paciente e viu seu peito se mover. Viu a mulher respirar outra vez e, então, ficar imóvel. Era um padrão de respiração agônica — não um milagre, apenas os últimos impulsos elétricos do cérebro, a contração final do diafragma. Todos os membros da família se sobressaltaram.

— Ah, meu Deus — disse o marido. — Ela ainda está viva.

— Ela... não vai durar muito — foi tudo o que Maura conseguiu dizer antes de sair do quarto, abalada por ver quão perto estivera de cometer um erro. Nunca mais ela seria tão displicente ao atestar uma morte.

Ela olhou para o jornalista.

— Todos cometem erros — disse ela. — Mesmo algo básico como atestar uma morte não é tão simples quanto parece.

— Então está defendendo os bombeiros e a polícia estadual?

— Estou dizendo que erros acontecem. Isso é tudo. — *E Deus sabe que eu mesma cometi alguns.* — Vejo como pode ter acontecido. A mulher foi encontrada em águas frias. Tinha barbitúricos na corrente sangüínea. Esses fatores podem tê-la feito parecer morta. Sob tais circunstâncias, um erro não é tão implausível. As pessoas envolvidas estavam apenas tentando fazer o seu trabalho, e espero que seja justo com elas ao escrever a sua matéria. — Ela se levantou, sinal de que a entrevista acabara.

— Sempre tento ser justo — disse ele.

— Nem todo jornalista pode fazer tal alegação.

Ele também se levantou e olhou-a do outro lado da escrivaninha.

— Diga-me se consegui após ler a minha matéria.

Ela o levou até a porta e observou enquanto ele passava pela escrivaninha de Louise e saía do escritório.

Louise ergueu a cabeça do teclado.

— Como foi?

— Não sei. Talvez não devesse ter falado com ele.

— Logo saberemos — disse Louise, os olhos de volta à tela do computador. — Quando a sua coluna sair no *Tribune* na sexta-feira.

5

Jane não sabia dizer se as notícias eram boas ou más. A Dra. Stephanie Tam inclinou-se para a frente, atenta ao estetoscópio Doppler, e seu cabelo negro e brilhante caía-lhe sobre o rosto, de modo que Jane não conseguia decifrar sua expressão. Deitada de costas, Jane observou a ponta do estetoscópio Doppler percorrer seu ventre dilatado. A Dra. Tam tinha mãos bonitas, mãos de cirurgiã, e guiava o instrumento com a mesma delicadeza que alguém usaria para tocar uma harpa. Subitamente, aquela mão parou e Tam baixou ainda mais a cabeça, concentrada. Jane olhou para o marido, Gabriel, que estava sentado bem ao seu lado, e leu a mesma ansiedade nos olhos dele.

Nosso bebê está bem?

Finalmente, a Dra. Tam ergueu-se e olhou para Jane com um sorriso.

— Ouça — disse ela, e aumentou o volume no Doppler.

Ouviu-se um batimento no alto-falante, constante e vigoroso.

— São fortes batimentos cardíacos fetais — disse Tam.

— Então meu bebê está bem?

— O bebê está bem até agora.

— Até agora? O que quer dizer com isso?

— Bem, ele não pode ficar aí dentro mais tempo. — Tam enrolou o estetoscópio e guardou-o na maleta. — Uma vez que o saco amniótico se rompe, o trabalho de parto geralmente começa sozinho.

— Mas nada aconteceu. Não estou sentindo contrações.

— Exato. Seu bebê está se recusando a cooperar. Você tem uma criança muito teimosa aí dentro, Jane.

Gabriel suspirou.

— Igual à mãe. Brigando com marginais até o último minuto. Poderia, por favor, dizer à minha mulher que ela agora está *oficialmente* afastada do trabalho?

— Você está definitivamente afastada e em licença-maternidade de agora — disse Tam. — Vou levá-la ao ultra-som, de modo que possamos dar uma olhada lá dentro. Acho que será hora de induzir o parto.

— Não vai começar sozinho? — perguntou Jane.

— Sua bolsa d'água estourou. Você tem um canal aberto para infecções. Já se passaram duas horas e nada aconteceu. Hora de apressar o nosso bebê. — Tam foi até a porta. — Vamos lhe aplicar um soro. Vou verificar com o laboratório de diagnóstico por imagem se podemos levá-la para lá agora. Precisaremos tirar esse bebê daí, de modo que você finalmente se torne mãe.

— Está tudo acontecendo tão rápido...

Tam riu.

— Você teve nove meses para pensar a respeito. Não devia ser uma *completa* surpresa — disse ela antes de sair do quarto.

Jane olhou para o teto.

— Não estou certa de estar pronta para isso.

Gabriel apertou-lhe a mão.

— Já estou pronto há um tempão. Parece uma eternidade. — Ele ergueu a camisola hospitalar e apertou o ouvido contra a barriga da esposa. — Alô, criança! — gritou. — Papai está ficando impaciente, portanto deixe de moleza.

— Ai! Você se barbeou muito mal esta manhã.

— Vou me barbear outra vez, só para você. — Ele se ergueu e seus olhares se encontraram. — Estou falando sério, Jane — disse ele. — Desejei isso durante um longo tempo. Minha pequena família.

— Mas se não for tudo o que você espera?

— E o que acha que espero?

— Você sabe. A criança perfeita. A mulher perfeita.

— Agora me diga, por que eu iria querer a mulher perfeita quando tenho você? — disse ele, rindo e esquivando-se do soco que ela fingiu que ia lhe dar.

Mas eu consegui o marido perfeito, pensou ela, olhando para os olhos sorridentes de Gabriel. Ainda não sei como tive tanta sorte. Não sei como uma menina que cresceu com o apelido de Cara de Sapo se casa com um homem que podia virar a cabeça de qualquer mulher apenas entrando na sala.

Ele se inclinou e disse baixinho:

— Você ainda não acredita em mim, não é mesmo? Posso repetir mil vezes, e você nunca acreditará e mim. Você é exatamente do que preciso, Jane. Você e o bebê. — Ele a beijou na ponta do nariz. — Agora, o que devo trazer para você, mamãe?

— Ah, não me chame assim. *Não* é sensual.

— Na verdade, acho que é *muito* sensual.

Rindo, ela deu-lhe um tapinha na mão.

— Vamos. Vá comer alguma coisa. E me traga um hambúrguer com fritas.

— Contra as ordens médicas. Sem comida.

— Ela não precisa saber.

— Jane.

— Tudo bem, tudo bem. Vá para casa e busque a mala que fiz para trazer para o hospital.

Gabriel fez continência para a mulher.

— Ao seu comando. Foi por isso mesmo que tirei um mês de licença.

— E podia tentar falar com os meus pais outra vez? Ainda não estão atendendo ao telefone. Ah, e traga o meu laptop.

Ele suspirou e balançou a cabeça.

— O quê? — disse ela.

— Está a ponto de ter um bebê e quer que eu traga seu laptop?

— Tenho de me livrar de muita papelada.

— Você não tem jeito, Jane.

Ela enviou um beijo para Gabriel.

— Você sabia disso quando se casou comigo.

— Sabe — disse Jane, olhando para a cadeira de rodas. — Eu podia simplesmente *caminhar* até o laboratório se me disser onde fica.

A voluntária balançou a cabeça e travou o freio das rodas da cadeira.

— Regras do hospital, senhora, sem exceções. Os pacientes devem ser transportados em cadeira de rodas. Não queremos que escorregue e caia ou algo assim, certo?

Jane olhou para a cadeira de rodas, e então para a voluntária grisalha que a empurraria. Pobre senhora, pensou, era eu quem deveria estar empurrando *ela.* Relutante, levantou-se da cama e acomodou-se na cadeira enquanto a voluntária transferia o frasco de soro. Pela manhã, Jane lutara com Billy Wayne Rollo. Agora, estava sendo levada para cima e para baixo como a rainha de Sabá. Que embaraçoso. Enquanto atravessavam o corredor, ela ouvia a mulher arfando e sentiu cheiro de cigarro no seu hálito. E se a enfermeira caísse? E se precisasse de ressuscitação cardiopulmonar? *Neste caso eu poderia me levantar ou também seria contra as regras?* Ela se curvou ainda mais na cadeira de rodas, evitando os olhares daqueles que passavam pelo corredor. Não olhem para mim, pensou. Estou envergonhada de fazer esta pobre vovozinha trabalhar tão pesado.

A voluntária empurrou a cadeira de rodas de Jane para dentro do elevador e a estacionou ao lado de outro paciente. Era um homem grisalho, que murmurava para si mesmo. Jane percebeu a camisa-de-força que prendia o tórax do homem à cadeira e pensou: Amigo, eles são realmente severos com esse negócio de cadeira de rodas por aqui. Se tentar se levantar, eles amarram você.

O velho se voltou para ela:

— O que diabos está olhando, senhora?

— Nada — disse Jane.

— Então pare de olhar.

— Está bem.

O auxiliar de enfermagem negro que estava ao lado do homem sorriu.

— O Sr. Bodine fala assim com todo mundo, senhora. Não se aborreça com isso.

Jane deu de ombros.

— Sou muito mais maltratada em meu trabalho — *para não falar das balas envolvidas.* Ela olhou direto em frente, observando a passagem dos andares, cuidadosamente evitando contato visual com o Sr. Bodine.

— Muita gente neste mundo não cuida de seus próprios assuntos — disse o velho. — Um bando de intrometidos. Não param de olhar.

— Mas, Sr. Bodine, ninguém está olhando para o senhor agora — disse o auxiliar.

— *Ela* estava.

Não me admiro que esteja amarrado, seu bode velho, pensou Jane.

O elevador chegou ao térreo, e a voluntária empurrou Jane. Quando atravessavam o saguão em direção ao laboratório de diagnóstico por imagem, ela podia sentir os olhares das pessoas ao redor. Gente capaz fisicamente, sobre dois pés, olhando para a inválida barriguda com seu bracelete hospitalar de plástico. Ela se perguntou: Será que é assim para todo mundo confinado em uma cadeira de rodas? Sempre objeto de olhares de simpatia?

Atrás dela, ouviu uma voz familiar:

— O que diabos está olhando, senhor?

Oh, por favor, ela pensou. Que o Sr. Bodine não seja levado também ao laboratório de diagnóstico por imagem. Mas ela continuou a ouvi-lo resmungando mais atrás quando entraram na área de recepção.

A voluntária estacionou Jane na sala de espera e deixou-a lá, sentada ao lado do velho. Não olhe para ele, pensou. Nem mesmo olhe na direção dele.

— Que foi, é metida demais para falar comigo? — disse ele.

Finja que ele não está aí.

— Agora está fingindo que não estou aqui.

Ela ergueu a cabeça, aliviada, quando uma porta se abriu e uma mulher com avental azul entrou na sala de espera.

— Jane Rizzoli?

— Sou eu.

— A Dra. Tam vai descer em alguns minutos. Vou levá-la para a sala agora.

— E quanto a mim? — reclamou o velho.

— Ainda não estamos prontos para o senhor, Sr. Bodine — disse a mulher, enquanto empurrava a cadeira de rodas de Jane. — Seja paciente.

— Mas quero mijar, droga.

— Sim, eu sei, eu sei.

— Você não sabe coisa alguma.

— Sei o bastante para não perder tempo com conversa fiada — murmurou a mulher, enquanto empurrava a cadeira de Jane pelo corredor.

— Vou molhar o seu tapete! — ele gritou.

— Um de seus pacientes favoritos? — perguntou Jane.

— Oh, sim — disse a mulher, suspirando. — É o favorito de todos.

— Acha que ele realmente quer fazer xixi?

— Todo o tempo. Tem uma próstata do tamanho do meu punho e não deixa o cirurgião tocar nela.

A mulher levou Jane até uma sala de procedimentos e travou a cadeira de rodas no lugar.

— Deixe-me ajudá-la a se deitar na mesa.

— Posso me virar sozinha.

— Querida, com uma barriga desse tamanho você devia aceitar ajuda. — A mulher pegou o braço de Jane e a levantou da cadeira. Ficou por perto quando Jane subiu à mesa. — Agora, apenas relaxe, está bem? — disse ela, voltando a pendurar o frasco de soro. — Quando a Dra. Tam descer, vamos começar o seu sonograma. — A mulher saiu, deixando Jane sozinha na sala. Não havia nada para ver afora o equipamento. Sem janelas, sem cartazes nas paredes, sem revistas. Nem mesmo uma revista chata sobre golfe.

Jane acomodou-se na mesa e olhou para o teto. Pousando as mãos sobre o imenso abdome, esperou sentir o golpe familiar de um pezinho ou cotovelo, mas nada sentiu. Vamos lá, bebê, pensou. Fale comigo. Diga-me que está bem.

O ar-condicionado estava frio, e ela tremia sob a fina camisola. Olhou para o relógio e descobriu-se olhando, em vez disso, para a tira de plástico ao redor do pulso. Nome da paciente: Rizzoli, Jane. Bem, esta paciente não é exatamente paciente, pensou. Vamos com isso, gente!

Sentiu uma fisgada na pele de seu abdome e sentiu o útero se contrair. Os músculos se retraíram um pouco, mantiveram-se assim um instante, depois relaxaram. Finalmente, uma contração.

Ela olhou para o relógio: 11h50.

6

Ao meio-dia, a temperatura passava dos 32 graus, transformando as calçadas em assadeiras, e uma neblina estival sulfurosa pairava sobre a cidade. Do lado de fora do laboratório de perícia médica, não havia mais repórteres no estacionamento. Maura conseguiu atravessar a Albany Street sem ser assediada e entrou no centro médico. Compartilhou o elevador com meia dúzia de internos novatos, agora em seu primeiro rodízio mensal, e lembrou-se do que aprendera na escola de medicina: *não adoeça em julho.* São todos muito jovens, pensou, olhando para aqueles rostos sem vincos, cabelos ainda não listrados de cinza. Ultimamente ela parecia estar prestando mais atenção naquilo, em quão jovens pareciam os policiais e os médicos. E o que aqueles internos vêem quando olham para mim? Apenas uma mulher de meia-idade, sem uniforme, sem crachá de médico na lapela. Talvez achassem que ela era parente de algum paciente, mal merecedora de um breve olhar. Outrora ela já fora como aqueles internos, jovem e confiante dentro de uma roupa branca. Antes de ter aprendido as lições da derrota.

O elevador abriu as portas e ela seguiu os internos até a unidade médica. Passaram pelo posto das enfermeiras, intocáveis em seus jalecos. Foi Maura, em roupas civis, a quem a atendente imediatamente parou com um franzir de sobrancelhas e uma pergunta ríspida:

— Perdão, está procurando alguém?

— Estou aqui para visitar uma paciente — disse Maura. — Ela foi admitida na emergência ontem à noite. Soube que saiu do CTI esta manhã.

— Nome da paciente?

Maura hesitou.

— Acho que ainda está registrada como Maria Ninguém. O Dr. Cutler me disse que ela está no quarto 431.

Os olhos da recepcionista se estreitaram.

— Perdão. Recebemos ligações de repórteres o dia inteiro. Não podemos responder a mais perguntas sobre aquela paciente.

— Não sou uma repórter. Sou a Dra. Isles, do laboratório de perícia médica. Eu disse ao Dr. Cutler que viria até aqui ver a paciente.

— Posso ver algum documento?

Maura procurou na bolsa e pousou a sua carteira de identidade sobre o balcão. Isso é o que eu ganho por sair sem o meu uniforme, pensou, enquanto via os internos atravessando o corredor, livres e desimpedidos, como um bando de gansos brancos e orgulhosos.

— Você podia ligar para o Dr. Cutler — sugeriu Maura. — Ele sabe quem eu sou.

— Bem, *acho* que está tudo bem — disse a recepcionista, devolvendo o documento a Maura. — Houve muita confusão por causa dessa paciente. Mandaram até um guarda de segurança. — Quando Maura encaminhou-se para o corredor, a recepcionista gritou: — Provavelmente ele também vai querer ver seus documentos!

Preparada para enfrentar outra rodada de perguntas, Maura manteve a identidade em mãos enquanto caminhava até o quarto 431, mas não encontrou o guarda do lado de fora da porta fechada.

Apenas quando estava a ponto de bater ouviu um estrondo dentro do quarto, e um clangor metálico.

Maura entrou e encontrou um quadro confuso. Havia um médico ao pé da cama, tentando alcançar o frasco de soro. Do outro lado, um guarda de segurança inclinava-se sobre a paciente, tentando conter-lhe os pulsos. Uma mesinha-de-cabeceira fora derrubada e o chão estava molhado.

— Precisa de ajuda? — disse Maura.

O médico olhou para ela por sobre o ombro, e Maura viu um relance de olhos azuis e cabelo louro cortado rente.

— Não, estamos bem. Nós a controlamos — disse ele.

— Deixe-me atar aquela correia — prontificou-se Maura, e foi até o lado da cama onde estava o guarda. Justo quando estava a ponto de pegar a correia para atar o pulso livre, viu a mão da mulher se soltar e ouviu o guarda emitir um grunhido de alerta.

A explosão fez Maura esquivar-se. Ela sentiu um calor molhado espalhando-se pelo seu rosto, e o guarda subitamente cambaleou para o lado, vindo ao seu encontro. Ela tombou sob o seu peso, caindo de costas embaixo dele. A água fria do chão molhado infiltrou-se por sua blusa enquanto sentia o calor líquido do sangue vindo de cima. Tentou afastar o corpo que a apertava contra o chão, mas era pesado, tão pesado que impedia que ela respirasse.

O corpo do guarda começou a estremecer, tomado de espasmos agônicos. O sangue espalhava-se pelo rosto e pela boca de Maura, que engasgou ao sentir-lhe o gosto. *Estou me afogando.* Com um grito, ela o empurrou, e o corpo escorregou de cima dela.

Ela se ergueu com dificuldade e olhou para a mulher, que agora estava livre. Somente então viu o que ela agarrava com ambas as mãos.

Uma arma. Ela está com a arma do guarda.

O médico desaparecera. Maura estava sozinha com Maria Ninguém, e, enquanto se olhavam, cada detalhe do rosto da mulher se destacava com terrível clareza. O cabelo preto despenteado, o olhar selvagem. A tensão inexorável dos tendões de seus braços enquanto apertava o cabo da arma.

Meu Deus, ela vai puxar o gatilho.

— Por favor — murmurou Maura. — Só quero ajudá-la.

O som de gente correndo fez a atenção da mulher se desviar para o lado. A porta se abriu e uma enfermeira olhou boquiaberta para a carnificina no interior do quarto.

Súbito, Maria Ninguém pulou da cama. Aconteceu tão rápido que Maura não teve tempo de reagir. Ficou estática quando a mulher agarrou seu braço e pressionou o cano da arma contra o seu pescoço. Coração acelerado, Maura deixou-se levar porta afora, o metal frio apertado contra a sua pele. A enfermeira recuou, aterrorizada demais para dizer qualquer coisa. Maura foi forçada a sair da sala e passou para o corredor. Onde estava a segurança? Alguém pediria ajuda? Continuaram a se mover em direção ao posto das enfermeiras, o corpo suado da mulher apertado contra o dela. A mulher estava em pânico, respirando ruidosamente no ouvido de Maura.

Alguém gritou:

— Cuidado! Abram caminho, ela está armada!

Maura avistou o grupo de internos que vira momentos antes. Não muito confiantes agora em seus jalecos brancos, recuavam, olhos arregalados. Tantas testemunhas. Tanta gente inútil.

Alguém me ajude, droga!

Maria Ninguém e sua refém passaram pelo posto das enfermeiras, e as mulheres atônitas por trás do balcão observaram o seu progresso, silenciosas como um grupo de figuras de cera. O telefone tocava, sem ser atendido.

O elevador ficava bem em frente.

A mulher apertou o botão de descer. A porta se abriu, e a mulher empurrou Maura para dentro do elevador, entrou atrás dela e apertou UM.

Quatro andares. *Ainda estarei viva quando esta porta voltar a se abrir?*

A mulher recuou para a parede oposta do elevador. Corajosamente, Maura a encarou. *Force-a a ver quem você é. Faça-a olhar nos seus olhos quando puxar o gatilho.* O elevador estava gelado e Maria Ninguém estava nua sob a frágil camisola hospitalar. O suor brilhava em seu rosto e sua mão tremia segurando a arma.

— Por que está fazendo isso? — perguntou Maura. — Eu nunca a feri! Na noite passada, tentei ajudá-la. Fui eu quem a *salvou*.

A mulher nada disse. Não pronunciou palavra, nenhum som. Tudo o que Maura ouvia era a sua respiração, breve e profunda, por causa do medo.

A campainha do elevador tocou e o olhar da mulher voltou-se para a porta. Desesperadamente, Maura tentou se lembrar da disposição do saguão do hospital. Lembrou-se de um quiosque de informações perto da porta da frente, ocupado por um voluntário grisalho. Uma loja de presentes. Uma fileira de telefones.

A porta se abriu. A mulher agarrou o braço de Maura e empurrou-a na sua frente, para fora do elevador. Outra vez, a arma estava encostada na jugular de Maura, que tinha a garganta seca como cinza quando emergiram no saguão. Ela olhou para a esquerda, então para a direita, mas não viu ninguém. Sem testemunhas. Então viu o solitário guarda de segurança, escondido atrás do quiosque de informações. Ao olhar para o seu cabelo grisalho, Maura decepcionou-se. Aquilo não era o seu salvador. Era apenas um velho assustado dentro de um uniforme. Um sujeito capaz de balear um refém.

Lá fora, ouvia-se uma sirene que se aproximava, como um arauto da morte.

A cabeça de Maura foi puxada para trás pelos cabelos, e ambas ficaram tão perto uma da outra que ela pôde sentir a respiração da mulher em sua nuca e o cheiro pungente de medo que exalava.

Foram em direção à saída do saguão, e ela viu um relance de pânico nos olhos do guarda idoso agachado atrás do balcão. Viu balões prateados na vitrine da loja de presentes, e um telefone pendurado pelo fio. Então, foi forçada a sair no calor da tarde.

Um carro-patrulha da polícia de Boston parou junto ao meio-fio cantando pneus, e dois policiais desembarcaram empunhando as armas, olhos fixos em Maura, que agora bloqueava a sua linha de tiro.

Ouviu-se outra sirene.

A respiração da mulher tornou-se um ofegar desesperado ao confrontar as suas opções, cada vez mais limitadas. Não podendo avançar, puxou Maura de volta para dentro do prédio, recuando para o saguão.

— Por favor — sussurrou Maura ao ser empurrada em direção ao corredor. — Não há saída! Apenas abaixe a arma e saímos juntas, certo? Vamos caminhar até eles, não vão feri-la...

Ela viu os dois policiais avançarem passo a passo, seguindo-as, Maura ainda bloqueando a sua linha de tiro. Nada podiam fazer a não ser observar, impotentes, a mulher recuar para o saguão empurrando sua refém. Com o canto dos olhos, Maura viu diversas pessoas ao redor, chocadas e imóveis.

— Afastem-se todos! — gritou um dos policiais. — Abram caminho!

É aqui que isso termina, pensou Maura. Estou encurralada com uma louca que não pode ser convencida a se render. Ela ouvia a respiração da mulher, então transformada em gemidos frenéticos, sentia o medo fluindo no braço dela, como a corrente dentro de um cabo de alta voltagem. Sentiu-se arrastada inexoravelmente em direção a uma conclusão sangrenta, e quase conseguia ver aquilo nos olhos dos policiais que agora avançavam lentamente: o estrondo da arma da seqüestradora, o sangue jorrando da cabeça da refém. A inevitável chuva de balas que finalmente acabaria com aquilo. Até então, a polícia estava de mãos atadas. E Maria Ninguém, tomada de pânico, era incapaz de mudar o curso dos acontecimentos.

Sou a única que pode mudar as coisas. Agora é hora de fazê-lo.

Maura inspirou profundamente e expirou a seguir. À medida que o ar saía de seus pulmões, relaxou os músculos. Suas pernas se dobraram e ela se deixou cair.

A mulher resmungou, surpresa, lutando por manter Maura de pé. Mas um corpo flácido é pesado, e o escudo humano de sua refém escorregava para o chão. Subitamente, Maura estava livre, rolando de lado. Ela protegeu a cabeça com as mãos e enrodilhou-se como uma bola, esperando o tiroteio. Mas tudo o que ouviu foram passos e gritos.

— Merda. Não consigo uma boa posição de tiro!

— Todos vocês, saiam daqui!

Maura sentiu alguém segurar a sua mão e balançá-la.

— Você está bem? Você está *bem*?

Trêmula, ela finalmente ergueu a cabeça para olhar para o policial. Ouviu estática de rádio e sirenes que soavam como carpideiras chorando pelos mortos.

— Vamos, você tem de sair daqui. — O policial segurou-lhe o braço e a ergueu. Ela tremia tão violentamente que mal conseguia ficar de pé, de modo que ele a enlaçou pela cintura e guiou-a até a saída.

— Todos vocês! — gritou ele para quem estava à sua volta. — Saiam do prédio *agora*.

Maura olhou para trás e não viu Maria Ninguém.

— Consegue andar? — perguntou o policial.

Incapaz de dizer uma palavra, ela simplesmente meneou a cabeça.

— Então vá! Precisamos que todos evacuem o prédio. Você não vai querer estar aqui.

Não quando o sangue está a ponto de correr.

Ela deu alguns passos à frente. Olhou para trás uma última vez e viu que o policial já estava atravessando o corredor. Uma placa sinalizava a ala que Maria Ninguém estava a ponto de transformar em seu último refúgio.

Diagnóstico por imagem.

Jane Rizzoli despertou e piscou, momentaneamente confusa, olhando para o teto. Não esperava cochilar, mas a mesa de exame era surpreendentemente confortável, e ela estava cansada. Não andava dormindo bem ultimamente. Olhou para o relógio na parede e deu-se conta de que fora deixada a sós por mais de meia hora. Quanto tempo mais teria de esperar? Passaram mais cinco minutos, a irritação aumentando.

Tudo bem, chega. Vou ver por que está demorando tanto. E não vou esperar pela cadeira de rodas.

Ela desceu da mesa e seus pés descalços tocaram o chão frio. Deu dois passos e percebeu que seu braço ainda estava ligado ao frasco de soro. Ela moveu o frasco para um suporte móvel e rolou-o até a porta. Ao olhar para o corredor, não viu ninguém. Nenhuma enfermeira, auxiliar de enfermagem ou técnico.

Bem, *isso* é reconfortante. Esqueceram de mim.

Foi até o corredor sem janelas, puxando o soro atrás de si, as rodas tremendo ao percorrerem o chão de linóleo. Passou por uma porta, outra porta, e viu mesas de procedimento, salas desertas. Para onde fora todo mundo? No breve período em que adormecera, todos haviam desaparecido.

Teria sido apenas meia hora?

Fez uma pausa no corredor vazio, tomada pela súbita idéia à moda da série *Além da imaginação* de que, enquanto estivera dormindo, todo mundo havia desaparecido. Olhou para o corredor, tentando se lembrar do caminho de volta à sala de espera. Não prestara atenção quando o técnico a levou para até a sala de procedimentos. Abrindo uma porta, encontrou um escritório. Ao abrir outra, encontrou uma sala de arquivo.

Ninguém.

Começou a caminhar mais rapidamente através dos corredores, o suporte do soro chacoalhando atrás dela. Mas que tipo de hospital era aquele, que abandonava uma pobre mulher grávida? Ela reclamaria. Com certeza reclamaria. Podia estar em trabalho de parto! Podia estar morrendo! Em vez disso, estava muito danada da vida, e aquele *não* era o estado de espírito que se esperava de uma mulher grávida. Não *daquela* mulher grávida.

Finalmente viu uma placa indicando a saída e, já com as palavras escolhidas na ponta da língua, abriu a porta. Ao olhar para a sala de espera, não compreendeu a situação imediatamente. O Sr. Bodine ainda estava estacionado a um canto, atado à sua cadeira de rodas. O técnico e a recepcionista estavam sentados em um dos sofás. No outro sofá, a Dra. Tam repousava ao lado do auxiliar negro. O que era aquilo, uma festinha? O que sua médica estava fazendo descansando naquele sofá enquanto ela permanecia esquecida na sala dos fundos?

Então viu a prancheta da médica caída no chão, viu a caneca derrubada, o café derramado sobre o tapete. E deu-se conta de que a Dra. Tam não estava descansando. Suas costas estavam rígidas, os músculos da face, tensos de medo. Seus olhos não estavam voltados para Jane e, sim, para algo além.

Foi quando compreendeu. *Há outra pessoa bem atrás de mim.*

7

Maura estava sentada dentro do trailer de comando de operações móveis, cercada de telefones, tevês e laptops. O ar-condicionado não funcionava, e fazia mais de 30 graus dentro do trailer. O policial Emerton, que monitorava o rádio, abanou-se enquanto bebia de uma garrafa de água. Mas o capitão Hayder, comandante de operações especiais do Departamento de Polícia de Boston, parecia bastante tranqüilo enquanto estudava as plantas que eram exibidas no monitor do computador. Atrás dele estava o gerente de instalações do hospital, apontando aspectos relevantes do projeto.

— A área onde ela está encurralada é o laboratório de diagnóstico por imagem — disse o gerente. — Era a antiga ala de radiografia do hospital, antes que a mudássemos para o novo anexo. Temo que isso apresente um grande problema para vocês, capitão.

— Qual problema? — perguntou Hayder.

— As paredes externas são revestias de chumbo, e naquela ala não há janelas ou portas que dêem para fora. Vocês não poderão invadir nem atirar uma bomba de gás lacrimogêneo.

— E o único acesso ao lugar é através da porta interna do corredor?

— Correto. — O gerente olhou para Hayder. — Ela trancou a porta?

— Sim — disse Hayder. — O que quer dizer que ela está presa ali. Recuamos os nossos homens de volta ao corredor, de modo a não ficarem na linha de fogo caso ela decida fugir.

— Ela não tem alternativa. A única saída é passando por seus homens. No momento, está bem trancada. Mas, por outro lado, vocês terão um trabalhão para *entrar.*

— Então, estamos em um impasse.

O gerente clicou o mouse, fechando em uma seção da planta.

— Agora, *há* uma possibilidade aqui, dependendo de onde ela escolheu para se esconder nesta ala em particular. O escudo de chumbo protege toda a área do laboratório. Mas aqui, na sala de espera, as paredes não são blindadas.

— Que tipo de material de construção foi usado?

— Placas de gesso. Você pode furar este teto facilmente a partir do andar de cima. — O gerente de instalações olhou para Hayder. — Mas aí tudo o que ela teria de fazer seria recuar para a área blindada e ficar intocável.

— Desculpe — intrometeu-se Maura.

Hayder voltou-se para ela, os olhos azuis repletos de irritação.

— Sim? — disse ele.

— Posso ir embora agora, capitão Hayder? Não há nada mais que eu possa dizer.

— Ainda não.

— Quanto tempo mais?

— Terá de esperar aqui até o nosso negociador a entrevistar. Ele quer que todas as testemunhas sejam detidas até sua chegada.

— Ficarei feliz em falar com ele, mas não há motivo para eu ficar sentada aqui. Meu escritório fica do outro lado da rua. Você sabe onde me encontrar.

— Não é perto o bastante, Dra. Isles. Precisamos mantê-la conosco. — Hayder já voltava a atenção para a tela, indiferente ao protesto de Maura. — As coisas estão acontecendo rapidamente e não podemos perder tempo rastreando testemunhas que fogem.

— Não vou fugir. E não sou a única testemunha. Havia enfermeiras tomando conta dela.

— Também as detivemos. Falaremos com todas vocês.

— E havia aquele médico, no quarto dela. Ele estava lá quando tudo aconteceu.

— Capitão Hayder? — disse Emerton, voltando-se do rádio. — Os quatro andares de cima foram evacuados. Não foi possível remover os pacientes muito doentes para os andares superiores, mas tiramos todo o pessoal não-essencial do edifício.

— Nossos perímetros?

— O interno já está estabelecido. Já montaram barricadas no corredor. Ainda estamos esperando mais pessoal para fortalecer o perímetro externo.

A tevê sobre a cabeça de Hayder estava sintonizada sem som em uma estação local de Boston. Transmitia notícias ao vivo e as imagens na tela eram incrivelmente familiares. Esta é a Albany Street, pensou Maura. E lá está o trailer de comando onde, neste momento, estou prisioneira. Enquanto a cidade de Boston observava o drama em suas telas de tevê, ela estava presa no centro da crise.

O súbito oscilar do trailer a fez voltar-se para a porta e então viu um homem entrar. Outro policial, pensou, ao notar a arma que trazia à cintura, mas aquele homem era mais baixo e bem menos imponente do que Hayder. O suor grudava mechas esparsas de cabelo castanho contra o seu couro cabeludo vermelho-claro.

— Meu Deus, está ainda mais quente aqui dentro — disse o homem. — Seu ar-condicionado não está ligado?

— Está — disse Emerton. — Mas não vale nada. Não tivemos tempo de mandar consertar. Está um inferno no departamento de equipamentos eletrônicos.

— Para não mencionar as pessoas — disse o homem, o olhar voltado para Maura. Ele estendeu-lhe a mão. — Você é a Dra. Isles, certo? Sou o tenente Leroy Stillman. Eles me chamaram para tentar acalmar as coisas. Ver se podemos resolver esta situação sem violência.

— Você é o negociador de reféns.

Ele deu de ombros com modéstia.

— É como me chamam.

Apertaram-se as mãos. Talvez tenha sido a sua aparência despretensiosa — a expressão tímida, a cabeça com pouco cabelo — que a tranqüilizou. Diferente de Hayder, que parecia movido por pura testosterona, aquele outro homem a encarava com um sorriso calmo e paciente. Como se tivesse todo o tempo do mundo para conversar com ela. Ele olhou para Hayder.

— Este trailer é insuportável. Ela não devia estar aqui.

— Você nos pediu para deter as testemunhas.

— Sim, mas pedi que as detivessem vivas. — Ele abriu a porta. — Qualquer lugar seria mais confortável do que aqui.

Eles saíram e Maura inspirou profundamente, agradecida por ter saído daquela caixa asfixiante. Ali, ao menos, soprava uma brisa. No tempo em que fora seqüestrada, a Albany se transformara em um mar de carros de polícia. O acesso de veículos do laboratório de perícia médica do outro lado da rua estava lotado, e ela não sabia como tiraria seu carro do estacionamento. A distância, além das barricadas policiais, viu as antenas de satélite sobre as vans das equipes de jornalismo. Perguntou-se se as equipes de tevê sentiam-se tão infelizes e com tanto calor dentro de seus veículos quanto ela se sentira no trailer de comando. Esperava que sim.

— Obrigado por esperar — disse Stillman.

— Não tive escolha.

— Sei que é desagradável, mas temos de deter as testemunhas até entrevistá-las. Agora a situação está controlada, e preciso compreender o que está acontecendo. Não sabemos os motivos dela. Não sabemos quantas pessoas estão ali dentro com ela. Preciso saber com quem estamos lidando, de modo que possa escolher a abordagem correta quando ela começar a conversar conosco.

— Ainda não falou?

— Não. Isolamos as três linhas telefônicas da ala do hospital onde ela está, de modo que controlamos toda a sua comunicação com o exterior. Tentamos ligar uma meia dúzia de vezes, mas ela continua desligando na nossa cara. Mas vai acabar querendo se comunicar. Eles quase sempre querem.

— Você parece pensar que ela é como outro seqüestrador qualquer.

— Pessoas que fazem isso tendem a se comportar de modo semelhante.

— E quantos seqüestradores do sexo feminino você conhece?

— É incomum, devo admitir.

— Alguma vez já lidou com uma seqüestradora?

Ele hesitou.

— Na verdade, é a minha primeira vez — disse ele. — Para todos nós. Estamos confrontando uma rara exceção aqui. Mulheres não fazem reféns.

— Esta fez.

Ele meneou a cabeça e disse:

— E até eu saber mais, devo abordar isso do modo como abordaria qualquer outra crise com reféns. Antes de negociar, preciso saber o máximo possível sobre ela. Quem é e por que está fazendo isso.

Maura balançou a cabeça.

— Não sei se poderei ajudá-lo com isso.

— Você foi a última pessoa a ter algum contato com ela. Diga-me tudo de que se lembra. Cada palavra que ela tenha dito, cada espasmo muscular.

— Fiquei pouco tempo com ela. Apenas alguns minutos.

— Vocês conversaram?

— Eu tentei.

— O que disse para ela?

Maura sentiu as palmas das mãos ficarem úmidas outra vez ao se lembrar daquele passeio de elevador. Como as mãos da mulher tremiam enquanto segurava a arma.

— Tentei acalmá-la, tentei argumentar com ela. Disse que só queria ajudar.

— Como ela respondeu?

— Não disse coisa alguma. Ficou completamente calada. Foi a parte mais assustadora. — Ela olhou para Stillman. — Seu silêncio absoluto.

Ele franziu as sobrancelhas.

— Ela reagiu de algum modo às suas palavras? Tem certeza de que ela podia ouvi-la?

— Ela não é surda. Reage aos sons. Sei que ouviu as sirenes dos carros de polícia.

— Ainda assim, nada disse? — Ele balançou a cabeça. — Isso é estranho. Estaremos lidando com uma barreira de idioma? Isso vai dificultar as negociações.

— De qualquer modo, ela não me pareceu aberta a negociações.

— Comece do princípio, Dra. Isles. Tudo o que ela fez, tudo o que você fez.

— Já disse tudo isso ao capitão Hayder. Fazer-me as mesmas perguntas repetidas vezes não esclarecerá coisa alguma.

— Sei que estará se repetindo. Mas algo de que se lembre pode ser um detalhe vital. Um trunfo que poderei usar.

— Ela estava apontando uma arma para a minha cabeça. Tinha dificuldade em me concentrar em outra coisa que não fosse a minha sobrevivência.

— Você esteve com ela. Você sabe qual o seu estado de espírito mais recente. Faz alguma idéia de por que ela fez isso? Acha que pode fazer mal a algum refém que esteja mantendo?

— Ela já matou um homem. Isso não lhe diz alguma coisa?

— Mas não ouvimos tiros desde então, de modo que passamos os primeiros trinta minutos críticos, que é o período mais perigoso, momento em que o atirador ainda está com medo e mais propenso a matar um refém. Já passou quase uma hora, e ela não fez mais nenhum movimento. E, até onde sabemos, não feriu ninguém mais.

— Então, o que ela faz aqui?

— Não temos idéia. Ainda estamos destrinçando a informação. A Homicídios está verificando como ela acabou no necrotério, e levantamos o que acreditamos ser suas impressões digitais no quarto de hospital. Desde que ninguém saia ferido, o tempo está do nosso lado. Quanto mais tempo isso durar, mais informações teremos sobre ela. E mais chances teremos de resolver isso sem derramamento de sangue, sem heroísmos. — Ele olhou para o hospital. — Vê aqueles policiais ali? Provavelmente estão loucos para invadir o prédio. Se isso acontecer, então teremos falhado. Minha regra para incidentes com reféns é simples: atrase as coisas. Nós a temos fechada em uma ala sem janelas, sem saída, portanto ela não tem como escapar. Ela não tem mobilidade. Portanto, vamos deixá-la sentar e pensar em sua situação. Ela vai se dar conta de que não tem escapatória a não ser se render.

— Se for racional o bastante para compreender isso.

Ele a olhou um instante. Um olhar que gentilmente sondava o significado do que ela acabara de dizer.

— Você acha que ela é racional?

— Acho que ela está apavorada — disse Maura. — Quando estávamos a sós naquele elevador, eu vi em seus olhos. O pânico.

— Foi por isso que ela disparou a arma?

— Ela deve ter se sentido ameaçada. Havia três de nós ao redor de sua cama, tentando contê-la.

— Três de vocês? A enfermeira com quem falei disse que, ao entrar no quarto, só viu você e o guarda.

— Havia um médico também. Um jovem louro.

— A enfermeira não o viu.

— Oh, ele correu. Depois do disparo, fugiu dali como um coelho. — Ela fez uma pausa, ainda amargando a deserção do colega. — Fiquei presa naquele quarto.

— Por que acha que a paciente atirou apenas no guarda? Se havia três de vocês ao redor dela?

— Ele estava curvado sobre ela. Estava mais próximo.

— Ou teria sido o uniforme?

Ela franziu as sobrancelhas.

— O que quer dizer?

— Pense a respeito. Um uniforme é um símbolo de autoridade. Ela pode ter pensado que ele era um policial. Isso me faz pensar se ela não tem uma ficha criminal.

— Muita gente tem medo da polícia. Você não precisa ser criminoso para isso.

— Por que ela não atirou no médico?

— Já disse, ele correu. Saiu dali.

— Ela também não atirou em você.

— Porque precisava de um refém. Eu era o corpo ainda quente mais próximo.

— Acha que ela a mataria se tivesse oportunidade?

Maura encarou-o.

— Acho que ela faria qualquer coisa para continuar viva.

A porta do trailer subitamente se abriu. O capitão Hayder enfiou a cabeça para fora e disse para Stillman:

— Você devia entrar e ouvir isso, Leroy.

— O que é?

— Está no rádio.

Maura seguiu Stillman de volta ao trailer, que ficara ainda mais abafado no curto espaço de tempo em que estiveram do lado de fora.

— Repita a transmissão — disse Hayder para Emerton.

No alto-falante ouviu-se uma excitada voz masculina:

— ...estão ouvindo a KBUR, e aqui é Rob Roy, seu anfitrião nesta estranha tarde. Temos uma situação *bizarra* aqui, pessoal. Neste exato momento temos uma mulher na linha que alega ser aquela que está resistindo a toda a nossa equipe local da SWAT no centro médico. Não acreditei a princípio, mas nossos produtores conversaram com ela. Achamos que está falando a verdade...

— Que diabos é isso? — perguntou Stillman. — Tem de ser uma farsa. Nós isolamos as linhas telefônicas.

— Apenas ouça — disse Hayder.

— ...então... olá, senhora? — disse o locutor. — Fale conosco. Diga-nos o seu nome.

Uma voz rouca respondeu:

— Meu nome não é importante.

— Tudo bem. Certo, por que diabos está fazendo isso?

— A sorte foi lançada. É tudo o que tenho a dizer.

— O que isso significa?

— Diga a eles. Diga. A sorte foi lançada.

— Tudo bem, certo. O que quer que seja, toda a cidade de Boston ouviu. Pessoal, se estiverem ouvindo, a sorte foi lançada. Aqui é Rob Roy da KBUR, e estamos ao telefone com a mulher que está causando todo esse tumulto no...

— Diga para a polícia se afastar — disse a mulher. — Tenho seis pessoas nesta sala. E balas para todas.

— Ei, senhora! Precisa se acalmar. Não há razão para ferir alguém.

O rosto de Stillman ficou vermelho de raiva. Ele se voltou para Hayder.

— Como isso aconteceu? Achei que tínhamos isolado essas linhas telefônicas.

— Isolamos. Ela está usando um telefone celular.

— Telefone celular de quem?

— O número pertence a certa Stephanie Tam.

— Sabemos quem é?

— ...Opa! Pessoal, estou com problemas aqui — disse Rob Roy. — Meu produtor acaba de me dizer que recebi ordens para interromper a chamada e parar de falar com essa pessoa. A polícia de Boston vai nos desligar, amigos, e logo vou ter de interromper a conversa. Ainda está aí, senhora? Alô? — Uma pausa. — Parece que a linha caiu. Bem, espero que ela se acalme. Senhora, se ainda está me ouvindo, por favor não machuque ninguém. Podemos ajudá-la, está bem? E, para todos os meus ouvintes, vocês ouviram na KBUR: "A sorte está lançada..."

Emerton interrompeu a gravação.

— É isso — disse ele. — Foi o que registramos. Interrompemos a chamada imediatamente, assim que ouvimos com quem o locutor estava falando. Mas aquele trecho da conversa foi ao ar.

Stillman pareceu atônito. Ele olhou para o equipamento de áudio, agora silencioso.

— O que diabos ela está fazendo, Leroy? — perguntou Hayder. — Será apenas um apelo por atenção? Estará tentando atrair a simpatia do público?

— Não sei. Foi estranho.

— Por que ela não fala *conosco*? Por que ligou para uma estação de rádio? Tentamos falar com ela e ela desligou na nossa cara!

— Ela tem sotaque — Stillman olhou para Hayder. — Definitivamente, ela não é americana.

— E o que foi aquilo que ela disse? *A sorte está lançada?* O que isso quer dizer? Jogo feito?

— É uma citação de Júlio César — disse Maura.

Todos olharam para ela.

— O quê?

— Foi o que César disse à margem do Rubicão. Se cruzasse o rio, significaria que ele estava declarando guerra civil contra Roma. Ele sabia que, se o fizesse, não teria como voltar atrás.

— O que Júlio César tem a ver com isso? — perguntou Hayder.

— Só estou dizendo de onde vem a frase. Quando César ordenou que as suas tropas atravessassem aquele rio, ele sabia que ultrapassaria um ponto sem retorno. Era um jogo, mas ele era um jogador, e gostava de jogar dados. Quando ele fez a sua escolha, disse: "A sorte está lançada." — Ela fez uma pausa. — E marchou para a história.

— Então foi isso que representou a travessia do Rubicão — disse Stillman.

Maura meneou a cabeça e disse:

— Nossa seqüestradora fez uma escolha. Ela acaba de nos dizer que não voltará atrás.

— Temos uma informação sobre aquele telefone celular — disse Emerton. — Stephanie Tam é uma das médicas do departamento de obstetrícia e ginecologia do centro médico. Não responde ao bipe, e da última vez que alguém a viu, ia para o laboratório de diagnóstico por imagem para ver uma paciente. O hospital está verificando o seu quadro de funcionários para identificar aqueles que estão desaparecidos.

— Parece que agora temos o nome de ao menos um dos reféns — disse Stillman.

— E quanto ao telefone celular? Tentamos ligar para lá, mas ela desliga. Devemos deixá-lo operante?

— Se interrompermos o serviço, ela poderá ficar furiosa. No momento, deixe-a com a linha. Vamos monitorar suas chamadas. — Stillman fez uma pausa e pegou um lenço para limpar o suor da testa. — Ao menos ela está se comunicando... embora não seja conosco.

Ainda está abafado aqui dentro, pensou Maura, olhando para o rosto afogueado de Stillman. E o dia ainda ficaria mais quente. Ela se sentiu tonta e percebeu que não conseguiria ficar naquele trailer mais tempo.

— Preciso de ar fresco — disse ela. — Posso ir embora?

Stillman olhou-a, distraído.

— Sim. Sim, pode ir. Espere... temos suas informações de contato?

— O capitão Hayder tem o número de meu telefone de casa e do celular. Você pode me encontrar 24 horas por dia.

Ela saiu e fez uma pausa, piscando sob o sol do meio-dia. Através de olhos ofuscados, viu o caos instalado na Albany. Era a mesma rua que ela cruzava ao ir para o trabalho todos os dias, a mesma vista que tinha todas as manhãs ao se aproximar do acesso de carros do prédio do laboratório de perícia médica. Fora transformada numa confusão de veículos, tomada por todo um regimento de policiais da Divisão de Operações Especiais em uniformes negros. Todo mundo esperava o próximo movimento da mulher que acendera o pavio daquela crise. Uma mulher cuja identidade ainda era um mistério para todos.

Ela seguiu para o prédio além das radiopatrulhas estacionadas e agachou-se sob uma faixa de isolamento da polícia. Só quando voltou a se aprumar viu a figura familiar se aproximando dela. Nos dois anos em que conhecia Gabriel Dean, ela nunca o vira agitado ou demonstrando alguma emoção profunda. Mas o homem que ela agora via trazia estampada no rosto uma expressão de puro pânico.

— Já ouviu algum nome? — perguntou ele.

Maura balançou a cabeça, confusa.

— Nome?

— Os reféns. Quem está no prédio?

— Só ouvi mencionarem um nome. Uma médica.

— *Qual?*

Ela fez uma pausa, atônita com a rispidez de suas perguntas.

— Uma certa Dra. Tam. Seu telefone celular foi usado para entrar em contato com uma estação de rádio.

Ele se voltou e olhou para o hospital.

— Ah, meu Deus!

— O que houve?

— Não consigo encontrar Jane. Ela não foi evacuada com os outros pacientes de seu andar.

— Quando ela foi internada no hospital?

— Esta manhã, depois que sua bolsa d'água se rompeu. — Ele olhou para Maura. — Foi a Dra. Tam quem a internou.

Maura olhou para ele, subitamente lembrando-se do que acabara de ouvir no trailer de comando. A Dra. Tam descera para o laboratório de diagnóstico por imagem para ver uma paciente.

Jane. A médica desceu para ver Jane.

— Acho que é melhor você vir comigo — disse Maura.

8

Venho ao hospital ter um bebê e, em vez disso, estou a ponto de levar um tiro na cabeça.

Jane estava sentada no sofá, entre a Dra. Tam, à sua direita, e o negro auxiliar de enfermagem à esquerda. Ela podia senti-lo tremer ao seu lado, a pele fria e úmida na sala refrigerada. A Dra. Tam estava absolutamente imóvel, o rosto uma máscara de pedra. No outro sofá, a recepcionista estava sentada, abraçando a si mesma, e ao lado dela, a técnica chorava em silêncio. Ninguém ousava dizer uma palavra. O único som vinha da televisão da sala de espera, que funcionava continuamente. Jane olhou ao redor para os nomes nos crachás. Mac. Domenica. Glenna. Dra. Tam. Olhou para a pulseira de paciente que usava. RIZZOLI, JANE. Todos estamos perfeitamente etiquetados para o necrotério. Sem problemas de identificação aqui, pessoal. Ela pensou nos cidadãos de Boston abrindo os jornais na manhã seguinte e vendo aqueles mesmos nomes impressos em preto e branco na primeira página. VÍTIMAS ASSASSINADAS NO CERCO AO HOSPITAL. Pensou nos leitores passando os olhos pelo seu nome "Rizzoli, Jane", e depois voltando a atenção para a página de esportes.

É assim que vai acabar? Algo estúpido como estar no lugar errado na hora errada? Ei, espere, ela quis gritar. Estou grávida! No cinema, ninguém atira em reféns grávidas!

Mas ali não era o cinema, e ela não podia prever o que faria a louca com a arma. Foi assim que Jane a apelidou: a Louca. Como chamar uma mulher que anda para cima e para baixo brandindo uma arma? Apenas ocasionalmente a mulher parava para olhar para a tevê, ligada no Canal Seis. Cobertura ao vivo da situação dos reféns do centro médico. Olhe, mamãe, estou na tevê, pensou Jane. Sou um dos afortunados reféns presos naquele edifício. É como o programa *No limite*, só que com balas.

E sangue de verdade.

Jane percebeu que a Louca usava uma pulseira de paciente, como a dela. Será que escapou da unidade de psicóticos? Quero ver fazerem *ela* sentar obediente em uma cadeira de rodas. A mulher estava descalça, a bunda bem-formada despontando da parte de trás da camisola hospitalar. Tinha pernas longas, coxas musculosas, e uma crina luxuriante de cabelo negro. Vista-a com uma roupa de couro sensual e ela pareceria Xena, a Princesa Guerreira.

— Preciso fazer xixi — disse o Sr. Bodine.

A Louca nem sequer olhou para ele.

— Ei! Alguém está me ouvindo? Eu disse que tenho de fazer *xixi*!

Ai, caramba, apenas faça, velho, pensou Rizzoli. Mije em sua cadeira de rodas. Não provoque alguém com uma arma.

Na tevê, uma repórter loura apareceu. Zoe Fossey, falando da Albany.

— Ainda não sabemos quantos reféns estão presos na ala do hospital. A polícia isolou o prédio. Até agora temos apenas uma fatalidade, um guarda de segurança que foi baleado e morto ao tentar conter a paciente.

A Louca parou, o olhar grudado na tela. Um de seus pés descalços pousou sobre uma pasta caída no chão. Somente então Jane viu o nome na etiqueta da pasta, escrito em tinta preta.

Rizzoli, Jane.

O noticiário terminou e a Louca voltou a caminhar a esmo pela sala, os pés descalços pisando ocasionalmente na pasta. Era o arquivo de Jane, que a Dra. Tam provavelmente trazia em mãos quando entrou no laboratório de diagnóstico por imagem. Agora, estava aos pés da Louca. Tudo o que ela tinha de fazer era se curvar, abrir a capa e ler a primeira página, que continha informações sobre a paciente. Nome, data de nascimento, estado civil, número da assistência social.

E ocupação. *Detetive, Homicídios. Departamento de Polícia de Boston.*

Aquela mulher estava sob o cerco da equipe da SWAT do Departamento de Polícia de Boston, pensou Jane. Quando ela descobrir que também sou uma policial...

Jane não quis completar o pensamento; sabia aonde aquilo chegaria. Olhou outra vez para o próprio braço, para a pulseira de identificação do hospital impressa com o nome: RIZZOLI, JANE. Se conseguisse tirar aquilo, poderia enfiar entre as almofadas, e a Louca não seria capaz de ligá-la ao arquivo. Era aquilo que ela devia fazer, livrar-se daquela perigosa pulseira de identificação. Deste modo, seria apenas uma outra grávida no hospital. Não uma policial, não uma ameaça.

Enfiou um dedo sob a pulseira e puxou, mas o plástico não cedeu. Forçou ainda mais, porém não conseguiu quebrá-la. De que era feita, afinal? Titânio? Mas claro que tinha de ser forte. Você não desejaria velhos confusos como o Sr. Bodine arrancando as suas identificações e vagando anônimos pelos corredores. Ela forçou o plástico ainda mais, dentes trincados, os músculos tensos. Terei de roê-la, pensou. Quando a Louca não estiver olhando, posso... Subitamente, Rizzoli ficou paralisada ao dar-se conta de que a mulher estava de pé diante dela, um pé descalço outra vez sobre a ficha médica. Lentamente, Jane ergueu a cabeça para fitar a mulher. Até então evitara olhar para a sua seqüestradora, com medo de atrair a atenção dela. Agora, para seu pavor, viu que a mulher se concentrava nela — apenas nela — e sentiu-se como a gazela do bando escolhida para a matança. A mulher chegava a *parecer* um felino, membros longos e graciosos, o cabelo negro brilhante como o pêlo de uma pantera. Seus olhos azuis eram tão intensos quanto refletores, agora focados sobre Jane.

— É isso que eles fazem — disse a mulher, olhando para a pulseira de Jane. — Põe rótulos em você. Como num campo de concentração. — Ela mostrou a própria pulseira, impressa com os nomes NINGUÉM, MARIA. Que nome original, pensou Jane, e quase quis rir. Sou refém de Maria Ninguém. É Jane contra Maria. A verdadeira contra a falsa. O hospital não sabia quem era aquela mulher ao admiti-la? A julgar pelas poucas palavras que proferiu, obviamente não era americana. Europa Oriental. Russa, talvez.

A mulher arrancou a própria pulseira e jogou-a de lado. Agarrou o pulso de Jane e puxou a pulseira. Esta se partiu.

— Pronto. Sem rótulos — disse a mulher. Ela olhou para a pulseira de Jane. — Rizzoli. Isso é italiano.

— Sim. — Jane manteve o olhar no rosto da mulher, com medo de olhar para baixo e atrair a atenção dela para a pasta sob seus pés descalços. A mulher tomou seu contato visual constante como um sinal de ligação entre ambas. Até então, a Louca mal dissera uma palavra para qualquer um deles. Agora, estava falando. Isso é bom, pensou Jane. Uma tentativa de conversação. Tente se comunicar com ela, estabelecer uma relação. Seja amiga dela. Ela não mataria uma amiga, certo?

A mulher olhava para a barriga grávida de Jane.

— É meu primeiro filho — disse Jane.

A mulher olhou para o relógio na parede. Esperava por alguma coisa. Contava os minutos à medida que passavam.

Jane decidiu se aventurar em águas mais profundas.

— Qual... qual o seu nome? — arriscou.

— Por quê?

— Gostaria de saber — *Assim, posso parar de chamá-la de Louca.*

— Não faz diferença. Já estou morta mesmo. — A mulher olhou para ela. — Você também.

Jane olhou para aqueles olhos ferozes, e por um momento assustador pensou: E se for verdade? E se *estivermos* mesmo mortos, e esta for apenas uma versão do inferno?

— Por favor — murmurou a recepcionista. — Por favor, deixe-nos ir. Você não precisa de nós. Deixe-nos abrir a porta e sair.

A mulher voltou a vagar pela sala, os pés descalços ocasionalmente pisando na pasta caída.

— Acha que a deixarão viver? Depois de ter estado comigo? Todo mundo que anda comigo morre.

— Do que ela está falando? — sussurrou a Dra. Tam.

Ela é paranóica, pensou Jane. Tem delírios persecutórios.

A mulher subitamente parou e olhou para a pasta perto de seu pé.

Não abra. Por favor, não abra.

A mulher pegou a pasta, olhando o nome da capa.

Distraia ela agora!

— Desculpe — disse Rizzoli. — Eu realmente... realmente preciso usar o banheiro. Estou grávida, entende? — E apontou para o banheiro da sala de espera. — Por favor, posso ir?

A mulher deixou cair a pasta sobre a mesinha de centro, longe do alcance de Jane.

— Não tranque a porta.

— Não. Eu prometo.

— Vá.

A Dra. Tam tocou a mão de Jane.

— Precisa de ajuda? Quer que eu vá com você?

— Não. Estou bem — disse Jane ao se erguer sobre pernas instáveis. Desejou desesperadamente poder pegar a pasta ao passar pela mesa de centro, mas a Louca a observou todo o tempo. Ela foi até o banheiro, acendeu a luz e fechou a porta. Sentiu alívio ao se ver sozinha, sem ser obrigada a olhar para uma arma.

Eu podia trancar a porta. Podia apenas ficar aqui até tudo isso acabar.

Mas pensou na Dra. Tam, no auxiliar, e em Glenna e Domenica sentadas lado a lado no sofá. Se eu contrariasse a Louca, eles sofreriam. Eu seria uma covarde, escondida por trás de portas fechadas.

Ela usou a privada e lavou as mãos. Bebeu água, porque não sabia quando teria outra chance de fazê-lo. Enxugando o queixo molhado, correu os olhos pelo pequeno reservado, procurando algo que pudesse usar como arma, mas tudo o que via eram toalhas de papel, um recipiente de sabão e uma lata de lixo de aço inoxidável.

A porta subitamente se abriu. Ela se voltou e viu sua seqüestradora olhando para ela. *Ela não confia em mim. Claro que não confia.*

— Terminei — disse Jane. — Estou saindo.

Saiu do banheiro e voltou para o sofá. Viu que a pasta ainda repousava sobre a mesa de centro.

— Agora, nos sentamos e esperamos — disse a mulher, e acomodou-se em uma cadeira, arma no colo.

— O que estamos esperando? — perguntou Jane.

A mulher olhou para ela e disse calmamente:

— O fim.

Jane sentiu um calafrio. Ao mesmo tempo, sentiu algo mais: um aperto no abdome, como uma mão lentamente se fechando em punho. Prendeu a respiração quando a contração ficou dolorosa e o suor porejou em sua testa. Cinco segundos. Dez. Lentamente a dor arrefeceu e ela se recostou no sofá, respirando profundamente.

A Dra. Tam franziu as sobrancelhas.

— Algo errado?

Jane engoliu em seco.

— Acho que estou em trabalho de parto.

— Temos uma policial lá dentro? — perguntou o capitão Hayder.

— Você não pode deixar isso vazar — disse Gabriel. — Não quero que *ninguém* saiba qual o trabalho dela. Se a seqüestradora souber que tem uma policial... — Gabriel inspirou profundamente antes de dizer baixinho: — Não pode ser divulgado pela mídia. Isso é tudo.

— Não permitiremos que aconteça — concordou Leroy Stillman. — Depois do que houve com aquele guarda de segurança... — Ele parou de falar. — Precisamos manter as coisas em sigilo.

Hayder disse:

— Ter uma policial lá dentro pode ser uma vantagem a nosso favor.

— Como é? — disse Maura, pasma por Hayder fazer tal observação diante de Gabriel.

— A detetive Rizzoli tem a cabeça no lugar. E sabe usar uma arma. Ela pode fazer a diferença no desenlace de tudo isso.

— Também está com nove meses de gravidez e pronta a ter o filho a qualquer momento. O que exatamente espera que ela faça?

— Só estou dizendo que ela tem instintos de policial. Isso é bom.

— Neste exato momento — disse Gabriel —, o único instinto que quero que minha mulher siga é o de autopreservação. Quero-a viva e em segurança. Não conte com atos heróicos da parte dela. Apenas tire-a de lá.

— Nada faremos que ponha a vida de sua mulher em risco, agente Dean — disse Stillman. — Eu prometo.

— Quem é esta seqüestradora?

— Ainda estamos tentando identificá-la.

— O que ela quer?

Hayder intrometeu-se:

— Talvez o agente Dean e a Dra. Isles devessem sair do trailer e nos deixar voltar ao trabalho.

— Não, está bem — disse Stillman. — Ele precisa saber. Claro que precisa saber. — Ele olhou para Gabriel. — Estamos indo devagar, dando-lhe a chance de se acalmar e começar a falar. Desde que ninguém se machuque, temos tempo.

— É assim que tem de ser — concordou Gabriel. — Sem balas, sem invasões. Apenas mantenha-os vivos.

— Capitão, temos a lista — disse Emerton. — Nomes de funcionários e pacientes ainda desaparecidos.

Stillman pegou a folha de papel assim que saiu da impressora e olhou os nomes.

— Ela está aí? — perguntou Gabriel.

Após uma pausa, Stillman meneou a cabeça e disse:

— Lamento que sim. — Ele entregou a lista para Hayder. — Seis nomes. Foi o que a seqüestradora disse no rádio. Que tinha seis reféns. — Evitou contar o que ela dissera em seguida: *E tenho balas para todos.*

— Quem viu esta lista? — perguntou Gabriel.

— O administrador do hospital — disse Hayder. — Afora quem o ajudou a compilá-la.

— Antes de divulgá-la, tire o nome de minha mulher daí.

— São apenas nomes. Ninguém sabe...

— Qualquer repórter pode descobrir em dez segundos que Jane é policial.

— Ele está certo — disse Maura. — Todos os repórteres policiais de Boston a conhecem pelo nome.

— Tire o nome dela dessa lista, Mark — disse Stillman. — Antes que alguém mais veja.

— E quanto à nossa equipe de invasão? Se entrarem, precisarão saber quem está lá dentro. Quantas pessoas estão resgatando.

— Se fizerem o seu trabalho direito, não haverá necessidade de uma equipe de invasão — disse Gabriel. — Apenas falem com a mulher lá dentro.

— Bem, não temos tido muita sorte neste aspecto, não é mesmo? — Hayder olhou para Stillman. — Sua menina se recusa até mesmo a dizer olá.

— Só se passaram três horas — disse Stillman. — Precisamos dar tempo a ela.

— E depois de seis horas? Doze? — Hayder olhou para Gabriel. — Sua mulher dará à luz a qualquer momento.

— Acha que não estou considerando isso? — rebateu Gabriel. — Não é apenas a minha mulher, também é meu filho quem está lá. A Dra. Tam pode estar com eles, mas se algo der errado no parto, não há equipamento, nenhuma sala de cirurgia. Portanto, sim, quero que isso acabe o quanto antes. Mas não se houver a chance de vocês transformarem isto em um banho de sangue.

— *Ela* começou com tudo. Ela escolheu o que acontecerá em seguida.

— Então não a pressione. Você tem um negociador aqui, capitão Hayder. *Use-o*. E mantenha a sua equipe da SWAT longe de minha mulher. — Gabriel voltou-se e saiu do trailer.

Lá fora, Maura o alcançou na calçada. Teve de chamá-lo duas vezes antes que Gabriel parasse e se voltasse para ela.

— Se eles estragarem tudo, se invadirem logo... — murmurou Gabriel.

— Você ouviu o que Stillman disse. Assim como você, ele quer ir devagar com as coisas.

Gabriel olhou para três policiais com uniformes da SWAT, reunidos à entrada do saguão.

— Olhe para eles. Estão excitados, ansiosos por ação. Sei como é, porque já estive ali. Senti isso eu mesmo. Você fica cansado de esperar a negociação interminável. Eles só querem acabar com aquilo, porque é para isso que são treinados. Não conseguem esperar a hora de puxar o gatilho.

— Stillman acha que pode convencê-la a sair.

Ele olhou para Maura.

— Você esteve com a mulher. Ela o ouvirá?

— Não sei. A verdade é que nada sabemos sobre ela.

— Soube que ela foi resgatada dentro d'água e trazida ao necrotério por uma equipe de resgate.

Maura confirmou:

— Foi um aparente afogamento. Foi encontrada na baía Hingham.

— Quem a encontrou?

— Alguns sujeitos do iate clube de Weymouth. O Departamento de Polícia de Boston já tem uma equipe da Homicídios trabalhando no caso.

— Mas eles não sabem de Jane.

— Ainda não.

Para eles, faria diferença, pensou Maura. Afinal, um dos seus era refém. Quando a vida de outro policial está em jogo, sempre há diferença.

— Qual iate clube? — perguntou Gabriel.

9

Mila

Há grades nas janelas. Esta manhã, o gelo formou uma teia de aranha cristalizada sobre o vidro. Do lado de fora há árvores, tantas que não sei o que há além. Tudo que conheço é este quarto e esta casa, que se transformou em nosso único universo desde a noite em que a van nos trouxe para cá. O sol brilha sobre o gelo do lado de fora da janela. Esta floresta é linda, e me imagino caminhando entre as árvores. As folhas farfalhantes, o gelo brilhando nos galhos. Um paraíso frio e puro.

Nesta casa, é o inferno.

Vejo o seu reflexo nos rostos das outras meninas, que agora dormem em camas dobráveis imundas. Seis de nós compartilhamos este quarto. Olena está aqui há mais tempo. Em seu rosto há uma ferida grave, lembrança deixada por um cliente que gostava de jogar pesado. Ainda assim, Olena às vezes reage. É a única entre nós que o faz, a única que eles não conseguem controlar, apesar de suas drogas calmantes e injeções. Apesar de seus espancamentos.

Ouço um carro chegar e espero amedrontada a campainha tocar. É como um choque de um fio desencapado. As meninas despertam todas ao ouvirem o som e se sentam na cama, agarrando os cobertores contra o peito. Sabemos o que acontecerá a seguir. Ouvimos a chave na fechadura, e nossa porta se abre.

A Mãe aparece à porta como uma cozinheira gorda, escolhendo implacavelmente qual cordeiro será abatido. Como sempre, faz isso friamente, o rosto esburacado sem denunciar qualquer emoção enquanto observa o rebanho. Seu olhar vaga pelas meninas encolhidas em suas camas e então se volta para a janela, onde estou.

— Você — diz ela em russo. — Eles querem algo novo.

Olho para as outras meninas. Tudo o que vejo em seus rostos é alívio por não terem sido escolhidas para o sacrifício.

— O que está esperando? — diz a Mãe.

Minhas mãos ficam geladas. Já sinto a náusea se acumulando no estômago.

— Eu... não estou me sentindo bem. E ainda estou machucada lá...

— Sua primeira semana e já está machucada? — debocha a Mãe. — Acostume-se.

Todas as outras meninas estão olhando para o chão, ou para as mãos, evitando meu olhar. Apenas Olena olha para mim, e em seus olhos vejo compaixão.

Timidamente, sigo a Mãe para fora do quarto. Já sei que resistir quer dizer ser punida, e ainda tenho as marcas da última vez em que protestei. A Mãe aponta a sala no fim do corredor.

— Há um vestido na cama. Vista-o.

Entro no quarto e ela fecha a porta atrás de mim. A janela é voltada para o acesso de veículos, onde há um carro azul estacionado. Há grades nas janelas aqui também. Olho para a grande cama de bronze, e o que vejo não é um móvel, mas o instrumento de minha tortura. Pego o vestido. É branco, com babados na bainha, como uma roupa de boneca. Imediatamente sei o que aquilo significa, e minha náusea se transforma em medo. Quando pedem que finja ser criança, Olena me advertiu, quer dizer que querem que fique com medo. Querem que você grite. E gostam quando você sangra.

Não quero vestir aquela roupa, mas tenho medo de não fazê-lo. Quando ouço passos se aproximando do quarto, já estou vestida, preparando-me para o que vem a seguir. A porta se abre, e dois homens entram. Eles me olham um instante, e espero que se desapontem, que pensem que sou muito magra ou sem curvas, que se virem e vão embora. Mas eles fecham a porta e vêm em minha direção, como lobos.

Você precisa aprender a flutuar. Foi isso que Olena me ensinou, pairar acima da dor. Tento fazer isso quando os homens rasgam o vestido de boneca, quando suas mãos ásperas se fecham ao redor de meus pulsos, enquanto me forçam a ceder. Eles pagaram por minha dor, e não se satisfazem até eu berrar, até o suor e as lágrimas escorrerem pelo meu rosto. *Ah, Ânia, que sorte você tem por estar morta!*

Quando acaba e manquejo de volta ao quarto, Olena senta-se ao meu lado na cama e acaricia o meu cabelo.

— Agora, você precisa comer — diz ela.

Balanço a cabeça em negativa.

— Só quero morrer.

— Se você morrer, então eles venceram. Não podemos deixá-los vencer.

— Eles já venceram. — Viro de lado e abraço os joelhos junto ao queixo, enroscando-me em uma bola apertada que nada pode penetrar. — Eles já venceram...

— Mila, olhe para mim. Você acha que desisti? Você acha que já estou morta?

Limpo as lágrimas dos olhos.

— Não sou tão forte quanto você.

— Não é força, Mila. É ódio. Isso a mantém viva.

Ela se aproxima e seu longo cabelo é uma cascata de seda negra. O que vejo nos olhos dela me assusta. Um fogo queima lá dentro. Ela não está normal.

É assim que Olena sobrevive, com as drogas e a loucura.

A porta volta a se abrir, e todas nos encolhemos quando a Mãe olha ao redor do quarto. Ela aponta para uma das meninas.

— Você, Katya. Este é seu.

Katya apenas olha de volta, imóvel.

Em duas passadas, a Mãe se aproxima e dá um tapa na orelha dela.

— Vá — ela ordena, e Katya tropeça quarto afora. A Mãe tranca a porta.

— Lembre-se, Mila — sussurra Olena. — Lembre-se do que a mantém viva.

Olho nos olhos dela e vejo. *Ódio.*

10

— Não podemos deixar a informação vazar — disse Gabriel. — Isso pode matá-la.

O detetive da Homicídios Barry Frost reagiu com um olhar atônito. Estavam no estacionamento do Sunrise Iate Clube. Não soprava uma brisa e, na baía Hingham, os veleiros estavam à deriva, parados sobre a água. Sob o brilho do sol da tarde, o suor colara finos cachos de cabelo à testa pálida de Frost. Em uma sala cheia de gente, Barry Frost certamente seria aquele em quem você não prestaria atenção, o homem que silenciosamente se recolheria a um canto onde ficaria, sorridente e esquecido. Seu gênio calmo o ajudou a temperar a sua parceria ocasionalmente tempestuosa com Jane, uma parceria que, nos últimos dois anos e meio, desenvolvera profundas raízes de confiança. Agora, os dois homens que se preocupavam com ela, o marido e o parceiro de Jane, olhavam-se com apreensão.

— Ninguém nos disse que ela estava lá dentro — disse Frost.

— Não podemos deixar a imprensa descobrir.

Frost suspirou, chocado.

— Isso seria um desastre.

— Diga-me quem é Maria Ninguém. Diga-me tudo o que sabe.

— Acredite, vamos descobrir tudo. Você tem de confiar em nós.

— Não posso ficar de fora. Preciso saber tudo.

— Você não pode ser objetivo. Ela é sua mulher.

— Exato. Ela é a minha *mulher.* — A voz de Gabriel denunciou uma nota de pânico. Ele fez uma pausa para controlar o nervosismo e murmurou: — O que faria se fosse Alice quem estivesse presa lá dentro?

Frost olhou-o durante um momento. Finalmente concordou.

— Entre. Estamos falando com o comodoro. Foi ele quem a tirou da água.

Saíram do sol forte e penetraram a penumbra do iate clube. Lá dentro, o cheiro era igual ao de qualquer bar de beira de praia em que Gabriel já estivera, o cheiro de maresia misturado com frutas cítricas e álcool. Era um prédio decrépito, empoleirado sobre um cais de madeira voltado para a baía Hingham. Duas unidades portáteis de ar-condicionado chacoalhavam nas janelas, abafando o tilintar dos copos e o murmúrio das conversas. O chão rangia enquanto atravessavam o saguão.

Gabriel reconheceu os dois detetives do Departamento de Polícia de Boston em pé junto ao bar, conversando com um homem careca. Darren Crowe e Thomas Moore eram colegas de Jane na Homicídios. Ambos cumprimentaram Gabriel, surpresos.

— Ei — disse Crowe. — Não sabia que o FBI estava nessa.

— FBI? — perguntou o careca. — Uau, isso deve estar ficando bem sério. — Ele estendeu a mão para Gabriel. — Skip Boynton. Sou o comodoro do clube.

— Agente Gabriel Dean — disse Gabriel, apertando a mão do homem e tentando, o melhor que podia, manter a formalidade. Mas podia sentir o olhar intrigado de Thomas Moore. Moore podia ver que algo não estava certo ali.

— É, eu estava justamente dizendo aos detetives como a encontramos. Tremendo choque, se me permitem dizer, ver um corpo boiando na água. — Ele fez uma pausa. — Quer um drinque, agente Dean? É por conta do clube.

— Não, obrigado.

— Oh, certo. Em serviço, hein? — Skip riu com simpatia. — Vocês realmente seguem a cartilha, não é mesmo? Ninguém bebe. Bem, que se danem, eu vou beber. — Ele se agachou atrás do bar, jogou alguns cubos de gelo em um copo e derramou vodca por cima. Gabriel ouviu o gelo tilintando em outros copos e olhou para a dezena de membros do clube sentados no saguão, quase todos homens. Será que algum deles de fato veleja?, perguntou-se Gabriel. Ou só vêm aqui para beber?

Skip saiu de trás do balcão, vodca na mão.

— Não é o tipo de coisa que acontece todo dia — disse ele. — Ainda estou meio abalado com isso.

— Você estava nos dizendo que viu o corpo — disse Moore.

— Oh, sim. Perto das oito da manhã. Cheguei cedo para mudar a minha vela balão. Temos uma regata daqui a duas semanas, e vou estrear uma nova. Pintei um logotipo nela. Um dragão verde, realmente impressionante. De qualquer modo, saí da doca carregando a minha nova vela balão, e vi o que parecia ser um manequim flutuando na água, meio agarrado nas pedras. Peguei meu bote a remo para ver mais de perto e, que diabos, se não era uma mulher! E bonita. Gritei para outros rapazes, e três de nós a tiramos da água. Ligamos para o 911. — Ele tomou um gole de vodca e respirou fundo. — Nunca nos ocorreu que ainda estivesse viva. Quero dizer, droga, ela realmente parecia morta para nós.

— E deve ter parecido morta para os bombeiros também — disse Crowe.

Skip riu.

— E, supostamente, são profissionais. Se eles não conseguem ver, quem consegue?

— Mostre-nos onde a encontrou — disse Gabriel.

Todos foram até a porta do saguão e saíram a caminhar sobre o cais. A água aumentava o brilho do sol e, ofuscado, Gabriel teve de forçar os olhos para ver as rochas para as quais Skip apontava.

— Vê aquele baixio ali? Nós o marcamos com bóias, pois é um perigo para a navegação. Na maré cheia, tem apenas alguns centímetros de profundidade, e você não o vê. Muito fácil de encalhar.

— A que horas foi a maré cheia de ontem? — perguntou Gabriel.

— Não sei. Umas dez da manhã, por aí.

— O baixio estava exposto?

— Estava. Se eu não a tivesse visto naquela hora, algumas horas depois o corpo teria derivado para o mar.

Os homens ficaram em silêncio um instante, olhando para a baía Hingham com olhos ofuscados. Um iate motorizado passou agitando as águas, fazendo os barcos balançarem em seus ancoradouros e os cabos se chocarem contra os mastros.

— Você já havia visto aquela mulher antes? — perguntou Moore.

— Não.

— Tem certeza?

— Uma mulher como ela? Certamente teria me lembrado.

— E ninguém no clube a reconheceu?

Skip riu.

— Ninguém que o admitisse.

Gabriel olhou para ele.

— E por que não admitiriam?

— Bem, você sabe.

— Por que não me diz?

— Esses caras no clube... — Skip riu, nervoso. — Quero dizer, vê todos aqueles barcos ancorados ali? Quem você acha que os navega? Não são as mulheres deles. São os homens que cobiçam barcos, não as mulheres. E são homens que se reúnem aqui. Um barco é seu lar fora de casa. — Skip fez uma pausa. — Em todos os aspectos.

— Você acha que ela era namorada de alguém? — perguntou Crowe.

— Não sei. Apenas ocorreu-me a possibilidade. Você sabe, alguém traz uma garota aqui tarde da noite. Brincam no barco, ficam um pouco bêbados. É fácil cair da borda.

— Ou ser empurrado.

— Ei, agora espere um instante. — Skip pareceu alarmado. — Não pule para *esta* conclusão. Os caras aqui do clube são gente boa.

Que levam garotas para transar nos seus barcos, pensou Gabriel.

— Lamento ter mencionado a possibilidade — disse Skip. — Isso não quer dizer que as pessoas não bebam e não caiam dos barcos todo o tempo. Pode ter sido de qualquer barco, não apenas de um dos nossos. — Ele apontou para a baía Hingham, onde um iate atravessava a água ofuscante.

— Vê todo aquele tráfego? Ela pode ter caído de algum barco a motor e vindo parar aqui por causa da maré.

— Ainda assim precisaremos de uma lista de todos os seus sócios — disse Moore.

— É realmente necessário?

— Sim, Sr. Boynton — disse Moore com calma, embora autoritário. — É necessário.

Skip bebeu o resto de sua vodca. O calor fizera o seu couro cabeludo ficar vermelho e ele afastou o suor.

— Os sócios vão *adorar*. Aqui cumprimos nosso dever cívico e empurramos uma mulher na água. Agora somos todos suspeitos?

Gabriel voltou-se para a rampa de barcos, onde um caminhão dava marcha a ré para lançar uma lancha na água. Três outros veículos de reboque estavam alinhados na área de estacionamento, esperando a vez.

— Como é a sua segurança à noite, Sr. Boynton? — perguntou.

— Segurança? — Skip deu de ombros. — Trancamos as portas à meia-noite.

— E o cais? Os barcos? Não há guarda de segurança?

— Nunca tivemos invasões. Os barcos são todos trancados. Afora isso, é tranqüilo aqui. Perto da cidade há muita gente ao longo da linha costeira a noite inteira. Mas aqui é um clubinho especial. Um lugar para se afastar de tudo isso.

Um lugar onde você poderia chegar de carro à noite, pensou Gabriel. Você poderia dar marcha a ré na rampa até a água, e ninguém o veria abrir o porta-malas. Ninguém o veria tirar um corpo e jogá-lo na baía Hingham. Se fosse a maré certa, aquele corpo derivaria para além das ilhas em direção ao mar alto, direto para a baía de Massachusetts.

Mas não se a maré estivesse enchendo.

Seu telefone celular tocou. Ele se afastou dos outros e caminhou alguns passos em direção ao cais antes de atender.

Era Maura.

— Acho que você gostaria de estar aqui — disse ela. — Estamos a ponto de fazer a necropsia.

— Em quem?

— No guarda de segurança do hospital.

— A causa da morte é evidente, certo?

— Outra questão surgiu.

— Qual?

— Não sabemos quem é esse homem.

— Alguém no hospital não pode identificá-lo? Ele era seu empregado.

— Esse é o problema — disse Maura. — Não era.

Eles ainda não haviam despido o corpo.

Gabriel não ignorava os horrores da sala de necropsia, e a visão daquela vítima, no âmbito de sua experiência, não era particularmente chocante. Ele via apenas um ferimento de entrada, na face esquerda. De resto, seus traços estavam intactos. Era um homem de cerca de 30 anos, com cabelo escuro bem-cortado e uma mandíbula poderosa. Seus olhos castanhos, expostos ao ar por pálpebras parcialmente abertas, já estavam baços. Um crachá com o nome PERRIN estava pregado no bolso do uniforme. Olhando para a mesa, o que mais perturbou Gabriel não foi o sangue ou os olhos embaçados. Era saber que a mesma arma que acabara com a vida daquele homem agora ameaçava Jane.

— Esperamos você — disse o Dr. Abe Bristol. — Maura achou que você gostaria de ver isso desde o início.

Gabriel olhou para Maura, que já estava de avental e máscara, mas ao pé da mesa, não em seu lugar de sempre, no lado direito do cadáver. Todas as vezes em que estivera naquele laboratório, era ela quem estava no comando, empunhando o bisturi. Ele não estava acostumado a vê-la ceder o controle na sala onde geralmente reinava.

— Não vai fazer essa necropsia? — perguntou.

— Não posso. Sou testemunha da morte deste homem — disse Maura. — Abe terá de fazer.

— E ainda não têm idéia de quem ele é?

Ela balançou a cabeça.

— Não há empregado no hospital com nome Perrin. E o chefe da segurança veio ver o corpo e não reconheceu este homem.

— Digitais?

— Mandamos as suas impressões para o Sistema Automático de Identificação de Impressões Digitais. Ainda não recebemos resposta. Nem da pessoa que atirou nele.

— Então vocês têm um João Ninguém e uma Maria Ninguém? — Gabriel olhou para o corpo. — Quem são essas pessoas?

— Vamos despi-lo — disse Abe para Yoshima.

Os dois homens removeram os sapatos e as meias do corpo, soltaram-lhe o cinto e tiraram-lhe as calças, pousando as peças de roupa sobre um lençol limpo. Com mãos enluvadas, Abe revistou os bolsos das calças mas encontrou-os vazios. Sem pente, carteira ou chaves.

— Nem mesmo dinheiro de bolso — observou.

— Era de esperar encontrar uns dez ou vinte centavos — disse Yoshima.

— Estes bolsos estão vazios — observou Abe. — O uniforme é novo?

Voltaram a atenção para a camisa. O tecido agora estava endurecido de sangue seco, e eles tiveram de arrancá-la do peito, revelando peitorais musculosos e um denso emaranhado de cabelo escuro. E cicatrizes. Grossa como uma corda torcida, havia uma cicatriz sob o mamilo direito. Outra atravessava diagonalmente do abdome ao quadril esquerdo.

— Não são cicatrizes cirúrgicas — disse Maura, franzindo as sobrancelhas.

— Diria que esse cara esteve envolvido em uma briga das boas — disse Abe. — Parecem antigos ferimentos de faca.

— Quer que corte as mangas? — perguntou Yoshima.

— Não, dá para tirar. Vamos virá-lo.

Rolaram o corpo para a esquerda para livrar a manga. Ao olhar para as costas do cadáver, Yoshima disse:

— Uau! Deviam ver isso.

A tatuagem cobria todo o ombro esquerdo. Maura inclinou-se para ver e quase recuou diante da imagem, como se estivesse viva, o ferrão venenoso pronto para atacar. A carapaça era de um azul brilhante. As pinças gêmeas se estendiam em direção ao pescoço do sujeito. Circundado pela cauda enrolada via-se o número 13.

— Um escorpião — murmurou Maura.

— Um impressionante carimbo de carne — disse Yoshima.

Maura franziu as sobrancelhas.

— O quê?

— Era como chamávamos essas coisas no exército. Vi verdadeiras obras de arte quando trabalhava no necrotério. Cobras, tarântulas. Um deles tinha o nome da namorada tatuado no... — Yoshima fez uma pausa. — Jamais deixaria uma agulha chegar perto do *meu.*

Eles livraram a outra manga e voltaram a deitar de costas o corpo agora nu. Embora ainda fosse um homem jovem, sua carne já tinha o seu registro de traumas. As cicatrizes, a tatuagem. E agora o insulto final: o ferimento de bala na face esquerda.

Abe moveu a lupa sobre o ferimento.

— Vejo uma marca de queimado ao redor. — Ele olhou para Maura. — Estavam próximos?

— Ele estava inclinado sobre a cama dela, tentando contê-la, quando ela disparou.

— Podemos ver as radiografias do crânio?

Yoshima tirou os filmes de um envelope e afixou-os na caixa de luz. Havia duas visões, uma ântero-posterior e uma lateral. Abe manobrou a cintura volumosa ao redor da mesa para ter uma visão melhor das sombras espectrais produzidas pelo crânio e pelos ossos da face. Por um instante, nada disse. Então se voltou para Maura.

— Quantos tiros você disse que ela disparou? — perguntou.

— Um.

— Quer dar uma olhada aqui?

Maura foi até a caixa de luz.

— Não compreendo — ela murmurou. — Eu estava lá quando aconteceu.

— Definitivamente, há duas balas ali.

— Eu *sei* que aquela arma disparou uma única vez.

Abe voltou para a mesa e olhou para a cabeça da vítima, para o buraco de bala, com seu halo oval de área queimada ao redor.

— Há apenas um ferimento de entrada. Se a arma disparou duas vezes, em rápida sucessão, aquilo explicaria um único ferimento.

— Não foi o que ouvi, Abe.

— Com toda a confusão, você pode ter deixado de perceber o fato de que dois tiros foram disparados.

Seu olhar ainda estava voltado para as radiografias. Gabriel nunca vira Maura parecer tão incerta. Naquele momento, ela evidentemente estava tentando reconciliar o que se lembrava com a prova inquestionável que agora brilhava na caixa de luz.

— Descreva o que aconteceu naquele quarto, Maura — disse Gabriel.

— Havia três de nós tentando contê-la — disse ela. — Não a vi pegar a arma do guarda. Estava concentrada na correia do pulso, tentando amarrá-la. Havia acabado de segurar a correia quando a arma disparou.

— E a outra testemunha?

— Era um médico.

— Do que ele se lembra? Um tiro ou dois?

Ela se voltou, buscando os olhos de Gabriel.

— A polícia não falou com ele.

— Por que não?

— Porque ninguém sabe quem ele é. — Pela primeira vez, ele notou um tom de apreensão na voz dela. — Sou a única que parece se lembrar dele.

Yoshima voltou-se para o telefone.

— Vou ligar para a Balística — disse ele. — Eles devem saber quantas cápsulas foram encontrados na cena do crime.

— Vamos começar — disse Abe, e pegou um bisturi na mesa de instrumentos.

Sabiam muito pouco sobre aquela vítima. Não conheciam o seu nome real, sua história ou como acabou ali, na hora e no lugar de sua morte. Mas quando aquela necropsia terminasse, eles o conheceriam mais intimamente do que qualquer outra pessoa jamais conheceu.

Ao primeiro corte, Abe se apresentou.

Sua lâmina cortou pele e músculos e roçou algumas costelas quando fez a incisão em Y, os cortes diagonais vindo dos ombros para se juntarem no apêndice xífóide, seguidos de um simples corte abdome abaixo, com apenas um ligeiro desvio ao redor do umbigo. Ao contrário das dissecações hábeis e elegantes de Maura, Abe trabalhava com eficiência brutal, as mãos enormes movendo-se como as de um açougueiro, os dedos gordos demais para serem graciosos. Ele afastou a carne dos ossos, então pegou a pesada tesoura de jardinagem. A cada aperto, partia uma costela. Um homem pode passar anos desenvolvendo o físico, como aquela vítima certamente o fez, exercitando-se com polias e halteres. Mas todos os corpos, musculosos ou não, cedem a uma faca e uma tesoura de jardim.

Abe cortou a última costela e ergueu o triângulo do esterno. Privado de seu escudo ósseo, o coração e os pulmões estavam agora expostos à sua lâmina, e ele estendeu a mão para eviscerá-los, o braço afundando profundamente na cavidade torácica.

— Dr. Bristol? — disse Yoshima, desligando o telefone. — Acabei de falar com a Balística. Eles dizem que a UCC só encontrou uma cápsula.

Abe se empertigou, as luvas manchadas de sangue.

— Não encontraram uma segunda cápsula?

— Foi tudo o que receberam no laboratório. Apenas uma.

— Foi o que ouvi, Abe — disse Maura. — Um único tiro.

Gabriel foi até a caixa de luz. Olhou para os filmes com uma sensação crescente de aflição. Um tiro, duas balas, pensou. Isso pode mudar tudo. Ele se voltou e olhou para Abe.

— Preciso ver estas balas.

— Espera encontrar algo em particular?

— Acho que sei por que há duas balas.

Abe meneou a cabeça e disse:

— Deixe-me acabar aqui primeiro. — Rapidamente, sua lâmina cortou vasos e ligamentos. Ele ergueu o coração e os pulmões, para que fossem pesados e inspecionados posteriormente, então se moveu para o abdome.

Tudo parecia normal. Eram os órgãos saudáveis de um homem cujo corpo ainda lhe serviria durante décadas.

Voltou-se, afinal, para a cabeça.

Gabriel observou, sem piscar, quando Abe cortou o couro cabeludo e puxou-o para a frente, sobre a face, expondo o crânio.

Yoshima ligou a serra.

Mesmo ouvindo o ruído da serra e do osso sendo cortado, Gabriel manteve-se concentrado, aproximando-se ainda mais para ter a primeira visão da cavidade. Yoshima tirou o tampo do crânio e o sangue escorreu. Abe pegou o bisturi para livrar o cérebro. Ao tirá-lo da cavidade craniana, Gabriel estava bem ao lado dele, segurando uma bacia para aparar a primeira bala.

Examinou-a sob a lupa e então disse:

— Preciso ver a outra.

— O que tem em mente, agente Dean?

— Apenas encontre a outra bala. — Seu pedido brusco pegou a todos de surpresa, e ele viu Abe e Maura trocarem olhares assustados. Ele estava impaciente. Precisava saber.

Abe pousou o cérebro eviscerado na mesa de corte. Estudando a radiografia, ele descobriu a localização da segunda bala e a encontrou no primeiro corte, enterrada em um bolsão de tecido ensangüentado.

— O que está procurando? — perguntou Abe, enquanto Gabriel rodava ambas as balas sob a lupa.

— Mesmo calibre, ambas com cerca de oito gramas.

— Têm de ser iguais. Foram disparadas pela mesma arma.

— Mas não são idênticas.

— O quê?

— Veja como esta segunda bala se equilibra sobre a base. É sutil, mas dá para ver.

Abe aproximou-se, franzindo as sobrancelhas.

— Está um tanto inclinada.

— Exato, está em ângulo.

— O impacto pode tê-la deformado.

— Não, foi fabricada assim. Com uma inclinação de nove graus, para seguir em uma trajetória ligeiramente diferente da primeira. Dois mísseis, projetados para dispersão controlada.

— Havia apenas uma cápsula.

— E apenas um orifício de entrada.

Maura olhava atentamente as radiografias do crânio na caixa de luz. Para as duas balas, destacando-se contra o brilho mais fraco dos ossos do crânio.

— Uma carga dupla — disse ela.

— Por isso só ouviu um disparo — disse Gabriel. — Porque houve apenas *um* tiro.

Maura ficou em silêncio um instante, o olhar nas radiografias do crânio. Por mais esclarecedoras que fossem, não revelavam a trilha de devastação que aquelas duas balas deixaram no tecido macio. Vasos rompidos, massa cinzenta lacerada. Uma vida inteira de memórias atomizadas.

— Cargas duplas são projetadas para infligir o maior dano possível — disse ela.

— É o seu argumento de venda.

— Por que um guarda de segurança usaria balas assim em sua arma?

— Acho que já determinamos que esse homem não era empregado do hospital. Ele entrou com um uniforme falso, um crachá falso, armado com balas projetadas não para ferir, mas para matar. Só consigo chegar a uma única boa explicação.

Maura murmurou:

— Ele queria matar a mulher.

Ninguém falou durante algum tempo.

Foi a voz da secretária de Maura que subitamente quebrou o silêncio.

— Dra. Isles? — disse ela no interfone.

— Sim, Louise?

— Desculpe incomodá-la, mas acho que você e o agente Dean deviam saber...

— O que foi?

— Algo está acontecendo do outro lado da rua.

11

Eles correram para fora, em meio a um calor tão denso que Gabriel achou ter mergulhado em uma banheira de água quente. A Albany Street estava um caos. O oficial que liderava a barreira policial gritava:

— Afastem-se! Afastem-se! — Enquanto isso, os repórteres avançavam, uma ameba determinada ameaçando atravessar as defesas de um organismo. Os policiais de operações táticas fechavam o perímetro, e um deles olhou para trás, para a multidão. Gabriel viu a expressão de confusão em seu rosto.

Aquele policial também não sabe o que está acontecendo.

Ele se voltou para uma mulher que estava a alguns metros dali.

— O que houve?

Ela balançou a cabeça.

— Não sei. Os policiais ficaram muito agitados e correram em direção ao prédio.

— Houve tiroteio? Você ouviu tiros?

— Não ouvi coisa alguma. Estava caminhando até a clínica quando todos começaram a gritar.

— Está uma loucura isso aqui — disse Abe. — Ninguém sabe coisa alguma.

Gabriel correu para o trailer de comando, mas um bando de repórteres bloqueou o seu caminho. Frustrado, pegou o braço de um operador de câmera e puxou.

— O que houve?

— Ei, cara. Larga.

— Apenas me diga o que aconteceu!

— Havia uma brecha. Passou através do cerco.

— A atiradora *escapou*?

— Não. Alguém *entrou.*

Gabriel olhou-o.

— Quem?

— Ninguém sabe quem é.

Metade dos funcionários do laboratório de perícia médica estava reunida na sala de conferências, assistindo à tevê. O aparelho estava ligado nas notícias locais. Na tela, havia uma repórter loura chamada Zoe Fossey, bem em frente à barreira policial. Ao fundo, os policiais se aglomeravam entre os veículos estacionados e ouviam-se gritos confusos. Gabriel olhou para a Albany através da janela e viu a mesma cena que agora viam na tevê.

— ...extraordinário acontecimento, obviamente algo que ninguém esperava. O homem atravessou esta barreira policial bem atrás de mim, e caminhou completamente despreocupado através daquela área controlada, como se fizesse parte do cenário. Talvez tenha sido isso que pegou a polícia de surpresa. Além do mais, o homem estava muito bem armado e usava um uniforme preto muito parecido com esses que vêem atrás de mim. Seria fácil confundi-lo com um desses agentes de operações táticas...

Abe Bristol riu com desdém e uma expressão de *dá para acreditar numa coisa dessas?*.

— O cara simplesmente entra e eles o deixam passar!

— ...soubemos que há também uma barreira policial interna. Mas fica dentro do saguão, que não podemos ver daqui. Não sabemos se esse homem penetrou o segundo perímetro. Mas, a julgar pela facilidade com que atravessou a barreira externa, é de imaginar que também deva ter pego de surpresa a polícia de dentro do prédio. Estou certo de que estavam concentrados em cercar uma seqüestradora com reféns. Provavelmente não esperavam que um atirador *entrasse*.

— Deviam saber — disse Gabriel, olhando para a tevê com descrédito. — Deviam ter esperado por isso.

— ...faz vinte minutos agora, e o homem ainda não reapareceu. Houve uma especulação inicial de que fosse alguém metido a Rambo tentando fazer sozinho uma operação de resgate. Desnecessário dizer, as conseqüências podiam ser desastrosas. Mas até agora não ouvimos tiros, e não temos indício de violência nesta invasão do edifício.

O âncora interveio:

— Zoe, vamos passar o trecho novamente, de modo que os telespectadores que acabaram de ligar possam ver este incrível incidente. Aconteceu há uns vinte minutos. Nossas câmeras filmaram tudo ao vivo...

A imagem de Zoe Fossey foi substituída por um trecho em videoteipe. Era uma tomada da Albany, quase a mesma vista que tinham da janela da sala de reunião. A princípio, Gabriel nem sabia no que deveria se concentrar. Uma seta apareceu na tela, um auxílio gráfico acrescentado pela emissora de tevê, apontando uma figura escura se movendo na borda inferior da tela. O homem caminhou decidido diante dos carros de polícia e do trailer de comando. Nenhum dos policiais ali perto tentou detê-lo, embora um tenha olhado com incerteza em direção ao intruso.

— Aqui ampliamos a imagem para termos uma visão melhor deste sujeito — disse o âncora. A câmera fechou sobre ele e a imagem foi congelada, as costas do intruso preenchendo toda a tela. —

Ele parece estar portanto um rifle, assim como algum tipo de mochila. Aquelas roupas escuras se misturam com as dos outros policiais, motivo pelo qual, a princípio, nosso operador de câmera não se deu conta do que estava vendo. À primeira vista, parece que ele está vestindo um uniforme da equipe de operações táticas. Mas, analisando melhor, dá para ver que não há qualquer insígnia nas costas para indicar que faça parte da equipe.

O filme andou mais alguns quadros e voltou a congelar, desta vez no rosto do homem, quando este se voltou para olhar sobre os ombros. Tinha cabelo escuro e ralo, e um rosto fino, quase esquálido. Um Rambo improvável. Aquele quadro tirado de longa distância era o único relance que a câmera conseguira pegar de suas feições. No quadro seguinte, já estava de costas para a câmera outra vez. O filme continuou, seguindo o progresso do homem em direção ao prédio, até ele desaparecer através das portas do saguão.

Zoe Fossey estava de volta à tela, microfone em mãos.

— Tentamos obter alguma declaração oficial do que está acontecendo aqui, mas ninguém quer falar, Dave.

— Acha que a polícia está embaraçada com o incidente?

— Para dizer o mínimo. Para piorar o seu embaraço, ouvi dizer que o FBI acabou de entrar no caso.

— Uma pista nem tão sutil assim de que as coisas podem ser mais bem administradas?

— Bem, as coisas estão bem caóticas por aqui neste momento.

— Alguma confirmação do número de reféns?

— Na ligação telefônica que fez para a estação de rádio, a seqüestradora alegou estar detendo seis pessoas. Ouvi de fonte segura que o número é correto. Três funcionários do hospital, uma médica e dois pacientes. Estamos tentando levantar os seus nomes agora...

Gabriel ficou tenso, olhando com raiva para o aparelho de tevê, para aquela mulher que estava tão ansiosa por revelar a identidade de Jane, o que inadvertidamente poderia condená-la à morte.

— ...como podem ver sobre o meu ombro, está uma balbúrdia isso aqui. Um bocado de gente exaltada com esse calor. Outro operador de câmera foi jogado ao chão quando tentou se aproximar da barreira policial. Uma pessoa sem autorização já conseguiu entrar e a polícia não quer que aconteça outra vez. Mas é como fechar a porta do curral depois que os cavalos saíram. Ou, neste caso, *entraram.*

— Alguma idéia de quem seja este Rambo?

— Como disse, ninguém está falando. Mas ouvimos dizer que a polícia está verificando um carro ilegalmente estacionado a duas quadras daqui.

— Acham que é o carro do Rambo?

— Aparentemente. Uma testemunha disse que o viu sair do carro. Acho que até mesmo Rambo precisa de transporte.

— Mas qual a sua motivação?

— Você tem de considerar duas possibilidades. Uma, de que o homem está tentando se tornar um herói. Talvez conheça um dos reféns e esteja lançando a sua própria operação de resgate.

— E a segunda possibilidade?

— A segunda possibilidade é assustadora: a de que esse homem é um reforço. Ele teria vindo para se juntar à seqüestradora.

Gabriel recostou-se na cadeira, atônito com aquilo que subitamente se tornou óbvio para ele.

— Era isso que ela queria dizer — murmurou. — *A sorte está lançada.*

Abe rodou na cadeira para olhar para ele.

— Quer dizer alguma coisa?

Gabriel se levantou.

— Preciso ver o capitão Hayder.

— É um código de ativação — disse Gabriel. — Maria Ninguém ligou para aquela estação de rádio para transmitir a frase. Para que se tornasse pública.

— Um código de ativação para quê? — perguntou Hayder.

— Um chamado às armas. Reforços.

Hayder riu com desdém.

— Por que ela simplesmente não disse: *Me ajudem aqui, rapazes?* Por que usar um código?

— Você não estava preparado, certo? Nenhum de vocês estava. — Gabriel olhou para Stillman, cujo rosto brilhava de suor no trailer escaldante. — Aquele homem atravessou a sua barreira policial, carregando uma mochila com sabe-se lá quais armas dentro. Vocês não estavam preparados para ele porque não esperavam que um atirador *entrasse* no prédio.

— Sabemos que sempre existe a possibilidade — disse Stillman. — Por isso fazemos barreiras.

— Então por que aquele homem entrou?

— Porque ele sabia exatamente como. Suas roupas, seu equipamento. Foi tudo muito bem pensado, agente Dean. Aquele homem estava pronto.

— E o Departamento de Polícia de Boston não estava. Por isso usaram um código. Para pegá-los de surpresa.

Hayder olhou com frustração para a porta aberta do trailer de comando. Embora tivessem trazido dois ventiladores giratórios e a rua estivesse imersa pela penumbra do entardecer, ainda era um veículo insuportavelmente quente. Lá fora, na Albany, os policiais estavam com os rostos vermelhos e suados, e os repórteres voltavam para as suas vans com ar-condicionado. Todos esperavam que algo acontecesse. A calma antes da próxima tempestade.

— Isso começa a fazer sentido — disse Stillman. O negociador ouvia o raciocínio de Gabriel com um franzir de sobrancelhas cada vez mais profundo. — Considere a seqüência de eventos: Maria Ninguém se recusa a negociar comigo. Ela nem mesmo fala comigo. Isso é porque não está pronta: precisa ter cobertura. Precisa fortalecer sua posição. Ela liga para a emissora de rádio e eles transmitem o código de ativação. Cinco horas depois, o sujeito com a mochila aparece. Ele apareceu porque foi convocado.

— E alegremente ingressou em uma missão suicida? — perguntou Hayder. — Alguém tem algum amigo que seja *tão* leal assim?

— Um fuzileiro naval dá a vida por sua companhia — disse Gabriel.

— Como na minissérie *Band of Brothers*? É, claro.

— Vejo que nunca serviu.

Hayder ficou ainda mais corado do que já estava por causa do calor.

— Está me dizendo que isso é algum tipo de operação militar? Qual a próxima etapa? Se isso é tão lógico, diga-me o que vem a seguir na agenda deles.

— Negociações — disse Gabriel. — Os seqüestradores agora solidificaram a sua posição. Acho que logo estarão ouvindo notícias deles.

Uma nova voz intrometeu-se na conversa:

— Previsão razoável, agente Dean. Você provavelmente está certo.

Todos se voltaram para o homem corpulento que acabara de entrar no trailer. Como de hábito, o agente John Barsanti usava uma gravata de seda e uma camisa social. Como sempre, suas roupas não lhe caíam bem. Ele respondeu ao olhar surpreso de reconhecimento que lhe lançou Gabriel com um sóbrio menear de cabeça.

— Lamento quanto a Jane — disse ele. — Disseram-me que vocês estavam envolvidos nessa bagunça.

— Ninguém me disse que você estava aqui, John.

— Apenas monitorando os eventos. Pronto para ajudar, se for preciso.

— Por que mandar alguém de Washington? Por que não usar a sucursal de Boston?

— Porque isso vai redundar em negociações. Faz sentido mandar alguém experiente.

Os dois olharam um para o outro em silêncio. Experiência, pensou Gabriel, não podia ser o único motivo por John Barsanti ter aparecido. O FBI normalmente não mandaria alguém do escritório do vice-diretor para supervisionar uma negociação de reféns local.

— Quem está encarregado das negociações? — perguntou Gabriel. — O FBI? Ou o Departamento de Polícia de Boston?

— Capitão Hayder! — chamou Emerton. — Temos uma ligação chegando do hospital! Está em uma das linhas!

— Estão prontos para negociar — disse Gabriel. Exatamente como ele previra.

Stillman e Barsanti olharam-se.

— Atenda, tenente — disse Barsanti.

Stillman meneou a cabeça e foi até o telefone.

— Ouvirei no alto-falante — disse Emerton.

Stillman inspirou profundamente e apertou o botão.

— Alô — disse calmamente. — Aqui é Leroy Stillman.

Um homem respondeu com a mesma calma. Uma voz nasalada, com um toque de sotaque sulista.

— Você é policial?

— Sim. Sou o tenente Stillman, Departamento de Polícia de Boston. Com quem falo?

— Você já sabe o meu nome.

— Lamento não saber.

— Por que não pergunta ao sujeito do FBI? Tem um cara do FBI aí, não tem? No trailer ao seu lado?

Stillman olhou para Barsanti com uma expressão de *como diabos ele sabe*?

— Desculpe, senhor — disse Stillman. — Realmente não sei o seu nome, e gostaria de saber com quem estou falando.

— Joe.

— Certo. Joe. — Stillman suspirou. Até agora, tudo bem. Ao menos ele tinha um nome.

— Quantas pessoas estão no trailer com você, Leroy?

— Vamos falar de você, Joe...

— Mas o FBI está aí, certo?

Stillman nada disse.

Joe riu.

— Eu sabia que apareceriam. FBI, CIA, Departamento de Defesa, Pentágono. É, todos eles sabem quem eu sou.

Gabriel podia ler a expressão no rosto de Stillman. *Estamos lidando com um homem que evidentemente tem delírios persecutórios.*

— Joe — disse Stillman —, não há motivo para levar isso adiante. Por que não falamos sobre acabar com tudo calmamente?

— Queremos uma câmera de tevê aqui. Um canal ao vivo com a mídia. Temos uma declaração a fazer e um videoteipe para mostrar.

— Devagar. Vamos nos conhecer primeiro.

— Não quero conhecer você. Mande uma câmera de tevê.

— Isso apresentará um problema. Preciso de autorização de uma instância superior.

— Eles estão bem aí, não estão? Por que não se vira e pergunta a eles, Leroy? Peça à *instância superior* para manter a bola em jogo.

Stillman fez uma pausa. Joe sabia exatamente o que estava acontecendo. O negociador disse, afinal:

— Não podemos autorizar um canal aberto com a mídia.

— Não importando o que eu lhes ofereça em troca?

— E o que seria?

— Dois reféns. Nós os deixamos sair em sinal de boa vontade. Vocês deixam entrar um operador de câmera e um repórter, e todos aparecemos ao vivo na tevê. Uma vez que nossa mensagem seja veiculada, mandaremos mais dois reféns. São quatro pessoas que lhes daremos, Leroy. Quatro vidas por dez minutos na tevê. Prometo um espetáculo que vai deixá-los malucos.

— Qual o objetivo de tudo isso, Joe?

— O ponto é que ninguém nos ouviria. Ninguém acreditaria em nós. Estamos cansados de correr, e queremos as nossas vidas de volta. É a única saída. O único meio de mostrar a este país que estamos dizendo a verdade.

Hayder passou um dedo ao longo da garganta, sinal para que a conversa fosse interrompida.

— Espere um pouco, Joe — disse Stillman, tapando o bocal do aparelho com a mão e olhando para Hayder.

— Você acha que ele tem como saber que estará ao vivo na tevê? — perguntou Hayder. — Se pudermos fazê-lo crer que entrará no ar...

— Este homem não é burro — interrompeu Gabriel. — Nem pense em jogar com ele. Vai decepcioná-lo, e ele vai ficar furioso.

— Agente Dean, poderia sair um instante?

— Eles querem atenção da mídia, isso é tudo! Deixe-os falar. Deixe-os falar com o público, se é o que desejam para acabar com isso!

A voz de Joe se fez ouvir no alto-falante:

— Quer negociar ou não, Leroy? Porque também podemos resolver isso do modo mais difícil. Em vez de reféns vivos, podemos mandar reféns mortos. Você tem dez segundos para se decidir.

— Estou ouvindo, Joe — disse Stillman. — O problema é que uma transmissão ao vivo é algo que não posso providenciar por conta própria. Preciso da cooperação de uma emissora de tevê. E se fizermos uma declaração gravada? Mandamos uma câmera para você. Você diz o que deseja, demore-se o quanto precisar...

— Aí vocês escondem a fita, que nunca será divulgada, certo?

— Esta é a minha oferta, Joe.

— Nós dois, assim como todos os outros que estão no trailer com você, sabemos que pode fazer melhor.

— Tevê ao vivo está fora de questão.

— Então nada mais temos a dizer para você. Adeus.

— Espere...

— Sim?

— Fala a sério? Sobre liberar reféns?

— Se você mantiver a sua parte no trato. Queremos um operador de câmera e um repórter para testemunhar o que acontece aqui. Um repórter *de verdade*, não algum policial com um passe de imprensa falso.

— Faça o que ele pede — disse Gabriel. — Pode ser o meio de terminar com isso.

Stillman cobriu o bocal.

— Tevê ao vivo não faz parte do trato, agente Dean. Nunca fez.

— Droga, se é o que querem, *dê* isso a eles!

— Leroy? — Era a voz de Joe outra vez. — Ainda está aí?

Stillman inspirou e disse:

— Joe, você tem de compreender. Vai levar tempo. Teremos de encontrar um repórter disposto a fazer isso. Alguém que deseje arriscar a vida...

— Só falaremos com um único repórter.

— Espere. Você não especificou ninguém.

— Ele conhece o meio. Fez o dever de casa.

— Não podemos garantir que esse repórter irá...

— Peter Lukas, *Boston Tribune*. Ligue para ele.

— Joe...

Ouviu-se um clique, então o tom de discar. Stillman olhou para Hayder.

— Não enviaremos civis. Isso só lhes dará mais reféns.

— Ele disse que libertaria duas pessoas primeiro — disse Gabriel.

— Acredita nisso?

— Um deles podia ser minha mulher.

— Como saber que esse repórter vai concordar com isso?

— Aquilo que pode ser a maior matéria da vida dele? Qualquer jornalista adoraria fazer isso.

— Acho que há outra pergunta aqui que precisa de resposta — disse Barsanti. — Quem é Peter Lukas? Um repórter do *Boston Tribune*? Por que ele em particular?

— Vamos ligar para ele — disse Stillman. — Talvez ele saiba.

12

Você ainda está viva. Tem de estar viva. Eu saberia, eu sentiria caso não estivesse.

Não sentiria?

Gabriel refestelou-se no sofá no escritório de Maura, a cabeça apoiada nas mãos, tentando pensar no que mais poderia fazer, mas o medo continuava obscurecendo a sua lógica. Como fuzileiro naval, ele nunca perdera a frieza em ação. Agora não conseguia nem se concentrar, não conseguia afastar a imagem que o assombrava desde a necropsia, a de um corpo diferente deitado sobre a mesa.

Alguma vez eu lhe disse o quanto a amo?

Ele não ouviu a porta abrir. E só levantou a cabeça quando Maura se sentou na cadeira diante dele e pousou duas canecas de café sobre a mesa. Ela está sempre tranqüila, sempre controlada, pensou, olhando para Maura. Tão diferente de sua mulher, impetuosa e temperamental. Duas mulheres tão diferentes, embora tenham forjado entre si uma amizade que ele não compreendia muito bem.

Maura apontou para o café.

— Você gosta de café preto, certo?

— Sim. Obrigado. — Ele bebeu um gole, depois pousou a caneca sobre a mesa outra vez porque realmente não queria café.

— Você almoçou alguma coisa? — perguntou ela.

Ele esfregou o rosto.

— Não estou com fome.

— Você parece exausto. Vou lhe buscar um cobertor, se quiser repousar aqui por uma hora.

— Não há como dormir. Não até ela sair de lá.

— Ligou para os pais dela?

— Oh, meu Deus — disse ele, balançando a cabeça. — Foi horrível. A pior parte foi convencê-los de que deveriam manter isso em segredo. Não podem vir até aqui, não podem ligar para os amigos. Chego a me perguntar se não deveria ter escondido isso deles.

— Os Rizzoli gostariam de saber.

— Mas não são bons para manter segredos. E se esse segredo vazar, pode matar a filha deles.

Ficaram um momento em silêncio. O único som era o sibilar do ar frio que soprava do ar-condicionado. Na parede atrás da escrivaninha havia gravuras de flores elegantemente emolduradas. O escritório refletia a mulher: organizada, precisa, cerebral.

— Jane é uma sobrevivente — murmurou ela. — Ambos sabemos disso. Ela fará o que for preciso para se manter viva.

— Só queria que ela ficasse fora da linha de tiro.

— Ela não é estúpida.

— O problema é que ela é uma policial.

— Isso não é bom?

— Quantos policiais morrem tentando virar heróis?

— Ela está grávida. Não vai se arriscar.

— Não? — Ele olhou para ela. — Você sabe como ela acabou no hospital esta manhã? Estava testemunhando no tribunal quando o réu perdeu o controle. E minha mulher, minha *brilhante* mulher, se meteu na briga para dominá-lo. Foi quando a bolsa d'água se rompeu.

Maura fingiu estar chocada com a notícia.

— Ela realmente fez isso?

— É exatamente o que se pode esperar que Jane faça.

— Creio que você está certo — disse Maura balançando a cabeça. — Esta é a Jane que ambos conhecemos e amamos.

— Uma vez, esta única vez, gostaria que ela se fizesse de covarde. Quero que ela esqueça que é policial. — Ele riu. — Como se ela alguma vez me ouvisse.

Maura também não conseguiu deixar de rir.

— Será que alguma vez ela ouviu? — Ele olhou para Maura. — Sabe como nos conhecemos, não sabe?

— Reserva Stony Brook, não foi?

— Aquela cena do crime. Demorou trinta segundos para termos a nossa primeira discussão. Uns cinco minutos antes ela me mandara sair da sua área.

— Não foi um começo promissor.

— Alguns dias depois, ela me apontou uma arma. — Ao ver a expressão atônita de Maura, acrescentou: — Ah, foi justificável.

— Estou surpresa que isso não o tenha amedrontado.

— Ela pode ser uma mulher assustadora.

— E talvez você seja o único homem que ela não aterroriza.

— Mas foi isso o que gostei nela — disse Gabriel. — Quando olha para Jane, o que você vê é honestidade e coragem. Cresci em uma família na qual ninguém dizia o que realmente pensava. Mamãe odiava papai, papai odiava mamãe. Mas tudo esteve bem, até o dia em que morreram. Acho que é assim que a maioria das pessoas passa a vida: contando mentiras. Jane, não. Ela não tem medo de dizer exatamente o que pensa, não importando o quanto isso lhe acarrete problemas. — Ele fez uma pausa e murmurou a seguir: — É o que me preocupa.

— Que ela diga algo que não deva?

— Se der um empurrão em Jane, ela empurra de volta. Estou esperando que dessa vez fique quieta. Que faça o papel da mulher grávida assustada no canto. Pode ser isso que a salve.

Seu telefone celular tocou. Ele atendeu imediatamente, e o número que viu no mostrador fez seu coração acelerar.

— Gabriel Dean — respondeu.

— Onde você está agora? — perguntou o detetive Thomas Moore.

— Estou no escritório da Dra. Isles.

— Vou encontrá-lo aí.

— Espere, Moore. O que foi?

— Sabemos quem é Joe. Seu nome completo é Joseph Roke, 39 anos. Último endereço conhecido, Purcellville, Virginia.

— Como o identificou?

— Ele abandonou o carro a duas quadras do hospital. Temos uma testemunha que viu um homem armado sair do carro, e ela confirma que ele é o sujeito no videoteipe. Suas impressões estão por todo o volante.

— Espere aí. Temos as impressões digitais de Joseph Roke em arquivo?

— Registros militares. Olhe, vou já para aí.

— O que mais sabemos? — perguntou Gabriel. Ele sentira urgência na voz de Moore e sabia que havia algo que o detetive ainda não lhe contara. — Apenas diga.

— Há uma recompensa por sua prisão.

— Qual é a acusação?

— Foi... um homicídio. Arma de fogo.

— Quem foi a vítima?

— Estarei aí em vinte minutos. Podemos falar quando eu chegar.

— Quem era a vítima? — repetiu Gabriel.

Moore suspirou.

— Um policial. Há dois meses Joseph Roke matou um policial.

— Começou com uma parada de rotina — disse Moore. — O incidente foi automaticamente gravado por uma câmera de vídeo no carro-patrulha. O Departamento de Polícia de New Haven não enviou o vídeo inteiro, mas aqui estão as imagens congeladas que me enviaram por e-mail. — Moore clicou o mouse e uma fotografia apareceu em seu laptop. Mostrava as costas de um policial de New Haven, caminhando em direção a um veículo estacionado em frente ao seu carro-patrulha. A placa traseira do outro veículo era visível. — É uma placa da Virginia — disse Moore. — Dá para ver mais claramente se ampliarmos a imagem. É o mesmo carro que encontramos esta tarde, estacionado ilegalmente na Harrison Street, a algumas quadras do centro médico. — Ele olhou para Gabriel. — Joseph Roke é o proprietário registrado.

— Você disse que ele era da Virginia.

— Sim.

— O que estava fazendo em Connecticut há dois meses?

— Não sabemos. Nem sabemos o que faz agora em Boston. Tudo o que temos sobre ele é um perfil biográfico precário que o DP de New Haven reuniu. — Ele apontou para o laptop. — E isso. Um atentado a bala registrado em vídeo. Mas isso não é a única coisa que podemos ver nessas fotografias.

Gabriel concentrou-se no veículo de Roke. Naquilo que via através do pára-brisa traseiro.

— Há um passageiro — disse ele. — Roke tem uma pessoa sentada ao seu lado.

— Sim — disse Moore. — Se ampliarmos a imagem, podemos ver claramente que este passageiro tem cabelos longos e negros.

— É ela — disse Maura, olhando para a tela. — É a Maria Ninguém.

— O que significa que estiveram juntos em New Haven há dois meses.

— Mostre-nos o resto — disse Gabriel.

— Deixe-me ir para a última imagem...

— Quero ver todas.

Moore fez uma pausa, pôs a mão sobre o mouse e olhou para Gabriel.

— Você realmente não precisa ver isso — murmurou.

— Talvez sim. Mostre-me toda a seqüência.

Após alguma hesitação, Moore clicou o mouse, avançando para a fotografia seguinte. O policial agora estava ao lado da janela de Roke, olhando para o homem que, nos próximos segundos, acabaria com sua vida. A mão do policial estava apoiada sobre a arma. Mera precaução? Ou ele já tinha a intuição de que olhava para o rosto de seu assassino?

Mais uma vez, Moore hesitou antes de avançar para a próxima imagem. Ele já havia visto aquilo e sabia os horrores que estavam por vir. Clicou o mouse.

A imagem era um instante no tempo, capturado em todos os seus detalhes macabros. O policial ainda estava de pé, a arma fora do coldre. Sua cabeça estava projetada para trás por causa do impacto da bala, seu rosto capturado em semidesintegração, a carne explodindo em uma neblina de sangue.

A quarta e última fotografia encerrava a seqüência. O corpo do policial estava agora estendido na estrada ao lado do carro do atirador. Era apenas o pós-escrito, embora aquela imagem tenha feito Gabriel subitamente se inclinar à frente. Ele olhou para o pára-brisa traseiro do carro. Para uma silhueta que não era visível nas três imagens anteriores.

Maura também viu.

— Há alguém no banco traseiro de Roke — disse ela.

— Era isso que eu queria que vocês vissem — disse Moore. — Havia uma terceira pessoa no carro de Roke. Escondida, talvez, ou dormindo no banco de trás. Não dá para ver se é um homem ou uma mulher. Tudo o que se pode ver é essa cabeça com cabelo curto que se ergue logo após o tiro. — Ele olhou para Gabriel. — Há um terceiro cúmplice que ainda não vimos e de quem não ouvimos falar. Alguém que estava com eles em New Haven. Este código de ativação pode ter sido enviado para mais de uma pessoa.

O olhar de Gabriel ainda estava fixado na tela. Naquela silhueta misteriosa.

— Você disse que ele tem antecedentes militares.

— Foi como obtivemos as digitais. Ele serviu no exército de 1990 a 1992.

— Qual unidade? — Quando Moore não respondeu imediatamente, Gabriel olhou para ele. — O que ele foi treinado para fazer?

— EDE. Especialista em explosivos. Desarmava bombas.

— Bombas? — disse Maura. Ela olhou assustada para Moore. — Se ele sabe como desarmá-las, então provavelmente sabe como construí-las.

— Você disse que ele só serviu dois anos — disse Gabriel. Sua própria voz o surpreendeu pela calma extraordinária, como se fosse um estranho alheio a tudo aquilo.

— Ele teve... problemas no exterior, quando chegou ao Kuwait — disse Moore. — Foi dispensado com desonra.

— Por quê?

— Recusou-se a obedecer ordens. Agrediu um oficial. Repetidos conflitos com outros homens de sua unidade. Havia alguma suspeita de que ele fosse emocionalmente instável. Que poderia estar sofrendo de paranóia.

As palavras de Moore pareceram um soco na boca do estômago de Gabriel.

— Meu Deus — murmurou. — Isso muda tudo.

— O que quer dizer? — perguntou Maura.

Ele olhou para ela.

— Não podemos perder mais tempo. Temos de tirá-la de lá *agora*.

— E quanto às negociações? E quanto a ir devagar?

— Isso não se aplica aqui. Esse homem não é apenas instável, ele já matou um policial.

— Ele não sabe que Jane é policial — disse Moore. — E não o deixaremos descobrir. Veja, aqui se aplicam os mesmos princípios. Quanto mais demorada é uma crise de reféns, melhor ela termina. As negociações funcionam.

Gabriel apontou para o laptop.

— Como negociar com alguém que faz uma coisa dessas?

— Pode ser feito. Tem de ser feito.

— Não é a sua mulher que está lá! — Ele viu a expressão assustada de Maura e desviou o olhar, tentando se acalmar.

Foi Moore quem falou a seguir, a voz baixa. Gentil.

— O que você está sentindo agora... o que está passando... já estive no seu lugar, sabia? Sei exatamente com o que você está lidando. Há dois anos, minha mulher, Catherine, foi seqüestrada por um homem de quem você deve se lembrar: Warren Hoyt.

O Cirurgião. Claro, Gabriel lembrava dele. O homem que, tarde da noite, invadia as casas de mulheres adormecidas, que despertavam e encontravam um monstro dentro de seus quartos. As conseqüências dos crimes de Hoyt trouxeram Gabriel a Boston pela primeira vez havia um ano. O Cirurgião, ele subitamente se deu conta, era o laço comum que os unia: Moore e Gabriel, Jane e Maura. De um ou de outro modo, todos haviam sido tocados pelo mesmo mal.

— Sabia que Hoyt estava com ela — disse Moore. — E eu nada podia fazer a respeito. Não conseguia pensar em nenhuma maneira de salvá-la. Se eu pudesse, trocaria a minha vida pela dela num piscar de olhos. Mas tudo o que podia fazer era observar o passar das horas. A pior parte era que eu *sabia* o que ele estava fazendo com ela. Vi a necropsia das outras vítimas. Vi cada corte que ele fez com seu bisturi. Portanto, sim, sei exatamente o que está sentindo. E acredite, vou fazer tudo o que puder para tirar Jane viva dali. Não apenas porque é minha colega, ou porque você é casado com ela. É porque devo minha felicidade a ela. Foi ela quem encontrou Catherine. Foi Jane quem salvou a vida de minha mulher.

Afinal, Gabriel olhou para Moore.

— Como negociamos com essa gente?

— Precisamos saber exatamente o que querem. Sabem que estão encurralados. Não têm alternativa a não ser falar conosco, portanto, continuamos a falar com eles. Você já lidou com outras situações com reféns. Portanto, conhece a cartilha do negociador. As regras não mudaram só porque você está do outro lado agora. Você tem de tirar a sua mulher e as suas emoções desta equação.

— Você conseguiu?

O silêncio de Moore respondeu à pergunta. Claro que não.

Nem eu.

13

Mila

Hoje vamos a uma festa.

A Mãe disse que gente importante vai estar lá, de modo que devemos ficar o mais bonitas possível. Ela nos deu roupas novas para a ocasião. Estou com um vestido de veludo negro com uma saia tão apertada que mal posso caminhar, e tenho de puxar a bainha até a altura dos quadris para subir na van. As outras meninas sentam-se ao meu lado em um tumulto de seda e cetim, e inalo o buquê de seus diversos perfumes. Demoramos horas passando cremes de maquiagem, batom e rímel, e agora estamos sentadas como bonecas mascaradas prontas para atuar em uma peça de teatro kabuki. Nada que se vê é real. Os cílios, os lábios vermelhos, as faces coradas. A van está fria, e trememos encostadas umas contra as outras, esperando que Olena se junte a nós.

O motorista americano grita pela janela dizendo que devemos partir agora ou então chegaremos atrasadas. Finalmente, a Mãe sai de casa, puxando Olena atrás de si. Furiosa, Olena se livra da Mãe e caminha por conta própria até a van. Está usando um longo vestido de seda verde com gola alta chinesa e uma fenda lateral que vai até a coxa. Seus cabelos negros caem livres sobre os ombros. Nunca vi uma mulher tão bonita, e eu a observo quando ela se aproxima da van. Como sempre, as drogas a acalmaram, tornando-a mais dócil, mas também a deixaram tonta, e ela cambaleia sobre os sapatos de salto alto.

— Entre, entre — ordena o motorista.

A Mãe tem de ajudar Olena a entrar na van. Olena senta-se diante de mim e imediatamente se recosta à janela. A Mãe fecha a porta e senta-se ao lado do motorista.

— Já é hora — diz ele.

E partimos.

Sei por que vamos a esta festa. Sei o que esperam de nós. Ainda assim, aquilo tem um sabor de fuga porque é a primeira vez em semanas que nos deixam sair de casa, e ansiosamente aperto o meu rosto contra o vidro quando pegamos a estrada asfaltada. Vejo a placa: DEERFIELD ROAD.

Rodamos um longo tempo.

Vejo as placas de trânsito e leio os nomes dos lugares por onde passamos. RESTON, ARLINGTON, WOODBRIDGE. Olho para as pessoas em outros carros e imagino se alguma delas consegue ler o apelo silencioso em meu rosto. Se alguma delas se importa. Uma mulher na pista ao lado olha para mim e, por um instante, nossos olhares se cruzam. Ela volta a se concentrar na estrada. O que ela realmente viu em meu rosto? Apenas uma menina ruiva em um vestido negro, saindo para se divertir. As pessoas vêem o que querem. Nunca lhes ocorre que coisas terríveis podem parecer bonitas.

Vejo uma vasta extensão de água ao longe. Quando a van finalmente pára, nos vemos em um cais onde está ancorado um grande iate. Eu não sabia que a festa de hoje à noite seria em um barco. As outras meninas torcem o pescoço para olhar, curiosas por saber como deve ser aquele enorme iate por dentro. Também sentem um pouco de medo.

A Mãe abre a porta da van.

— São homens importantes. Todas vão sorrir e parecer felizes, compreendem?

— Sim, Mãe — murmuramos.

— Saiam.

Quando saímos da van, ouço Olena dizer com a voz engrolada:

— Vá se foder, Mãe.

Mas ninguém a ouve.

Caminhamos em fila única rampa acima, equilibrando-nos nos saltos e tremendo dentro de nossos vestidos. No convés, há um homem esperando por nós. Só pelo modo como a Mãe se apressa em cumprimentá-lo, sei que esse homem é importante. Ele nos lança um olhar casual e meneia a cabeça em sinal de aprovação. Em seguida, diz em inglês para a Mãe:

— Leve-as para dentro e sirva-lhes alguns drinques. Eu as quero animadas quando chegarem os nossos convidados.

— Sim, Sr. Desmond.

O olhar do homem recai sobre Olena, que oscila sobre os sapatos de salto alto.

— Essa aí vai dar trabalho de novo?

— Ela tomou as pílulas. Vai ficar quieta.

— Bem, é melhor que fique. Não quero outro escândalo esta noite.

— Vão — disse a Mãe. — Entrem.

Entramos na cabine e, à primeira vista, fico maravilhada. Um candelabro de cristal brilha sobre as nossas cabeças. Vejo o revestimento de madeira das paredes, os sofás de camurça creme. Um barman abre uma garrafa e um garçom vestindo casaca branca nos traz taças de champanhe.

— Bebam — diz a Mãe. — Encontrem um lugar onde sentar e divirtam-se.

Cada uma de nós pega uma taça e nos espalhamos pela cabine. Olena senta-se ao meu lado, bebendo champanhe, cruzando as pernas esguias de modo que as suas coxas apareçam através da longa fenda lateral do vestido.

— Estou de olho em você — diz a Mãe para Olena, em russo.

Olena dá de ombros.

— Todos estão.

O barman anuncia:

— Eles chegaram.

A Mãe lança um último olhar ameaçador para Olena e some por uma porta.

— Vê como tem de esconder aquela cara gorda? — diz Olena. — Ninguém quer olhar para ela.

— Shhhh! — sussurro. — Não nos meta em confusão.

— Caso não tenha percebido, minha pequena e querida Mila, já estamos metidas em confusão.

Ouvimos risos e saudações calorosas entre amigos. Americanos. A porta da cabine se abre e as meninas se levantam e sorriem quando quatro homens entram. Um é o anfitrião, o Sr. Desmond, aquele que nos recebeu no convés. Seus três convidados são todos homens, todos trajando belos ternos e gravatas. Dois deles são jovens e bem-dispostos, homens que caminham com a graça confiante de atletas. Mas o terceiro é mais velho, tão velho quanto meu avô, e muito mais pesado, com óculos de armação de metal e um cabelo grisalho que cede à calvície inevitável. Os convidados olham ao redor pela sala, inspecionando-nos com evidente interesse.

— Vejo que trouxe umas novas — diz o mais velho.

— Você tem de vir à casa outra vez, Carl. Ver o que temos. — O Sr. Desmond apontou para o bar. — Algo para beber, cavalheiros?

— Uísque seria bom — diz o mais velho.

— E vocês, Phil? Richard?

— O mesmo para mim.

— Aquele champanhe vai bem.

O motor do barco está funcionando. Olho pela janela e vejo que estamos nos movendo rio abaixo. A princípio, os homens não vêm a nós. Em vez disso, ficam junto ao bar, bebericando os seus drinques, conversando apenas uns com os outros. Olena e eu sabemos falar inglês, mas as outras meninas sabem só um pouquinho, e os seus sorrisos mecânicos logo se transformam em expressões de tédio. Os homens discutem negócios. Vejo-os falar sobre contratos, ofertas de leilão, condições das estradas e acidentes com vítimas. Quem está competindo por qual contrato, e quanto oferece. Esta é a razão verdadeira da festa: negócios. Depois, diversão. Eles terminam seus drinques, e o barman serve outra rodada. Algumas gentilezas finais antes de foderem as putas. Vejo o brilho de alianças de casamento nas mãos de três convidados, e imagino esses homens fazendo amor com suas esposas em camas grandes e com lençóis limpos.

Esposas que não têm idéia do que os seus maridos fazem em outras camas com meninas como eu.

Neste instante, os homens olham para nós e minhas mãos começam a suar, antecipando a penosa experiência da noite. O mais velho continua olhando para Olena.

Ela sorri para ele, mas sussurra para mim em russo:

— Que porco. Imagino se ele grunhe quando goza.

— Ele pode ouvi-la — sussurro.

— Mas não entende nada.

— Você não sabe se ele entende.

— Olhe, ele está sorrindo. Está pensando que estou comentando o quanto ele é bonito.

O homem deixa o copo vazio sobre o bar e vem em nossa direção. Acho que ele deseja ficar a sós com Olena, de modo que me levanto para abrir espaço para ele no sofá. Mas é o meu pulso que ele agarra, impedindo-me de ir embora.

— Olá — diz ele. — Você fala inglês?

Concordo com um menear de cabeça. Minha garganta fica seca demais para que consiga falar. A única coisa que consigo fazer é olhar para ele, consternada. Olena levanta-se do sofá, lance-me um olhar de simpatia e se afasta.

— Quantos anos tem? — pergunta ele.

— Tenho... 17.

— Parece bem mais jovem.

Aparentemente, ele ficou desapontado.

— Ei, Carl — diz o Sr. Desmond. — Por que não a leva para passear? — Os outros convidados já haviam escolhido suas companheiras. Um deles levava Katya corredor abaixo. — Use a cabine que quiser — acrescenta.

Carl olha para mim e sua mão se fecha ao redor de meu pulso. Ele me leva pelo corredor e me empurra para dentro de uma bela cabine revestida com madeira brilhante. Eu recuo, coração disparado, enquanto ele tranca a porta. Quando ele se volta para mim, vejo que já há um volume dentro de suas calças.

— Você sabe o que fazer.

Mas eu não sei. Não faço idéia do que ele deseja, de modo que fico chocada com o golpe. O tapa me faz cair de joelhos e me encolho aos pés dele, confusa.

— Não ouviu, sua puta idiota?

Baixo a cabeça e olho para o chão. Subitamente compreendo qual é o jogo, o que ele deseja.

— Eu me comportei mal — sussurro.

— Precisa ser punida.

Ah, meu Deus. Que isso acabe logo.

— *Diga!*

— Preciso ser punida.

— Tire a roupa.

Tremendo agora, com medo de apanhar outra vez, obedeço. Abro o zíper do vestido, tiro as meias e a calcinha. Mantenho o olhar baixo. Uma boa menina precisa ter respeito. Sem dizer uma palavra, deito-me e me abro para ele. Nenhuma resistência, apenas subserviência.

Enquanto se despe, ele olha para mim, saboreando a visão daquele obediente pedaço de carne. Engulo o meu desagrado quando ele se deita sobre mim, um bafo forte de uísque. Fecho os olhos e me concentro no barulho dos motores, no marulhar da água contra o casco. Flutuo acima de meu corpo sem sentir coisa alguma enquanto ele me penetra e, finalmente, grunhe e goza.

Quando termina, ele nem mesmo espera que eu me vista. Simplesmente se levanta, veste-se e sai da cabine. Lentamente, eu me sento. O barulho do motor do barco diminui de intensidade, tornando-se um discreto ronronar. Olhando pela janela, vejo que estamos voltando a terra. A festa acabou.

Quando finalmente saio da cabine, o barco está outra vez ancorado e os convidados já se foram. O Sr. Desmond está no bar bebendo o último champanhe, e a Mãe reúne as meninas.

— O que ele disse para você? — pergunta ela.

Dou de ombros. Sinto o olhar do Sr. Desmond sobre mim e tenho medo de dizer algo errado.

— Por que ele a escolheu? Ele disse?

— Ele só queria saber quantos anos eu tinha.

— Foi tudo o que ele disse?

— Foi tudo com o que se importou.

A Mãe volta-se para o Sr. Desmond, que nos observa com interesse.

— Vê? É como eu disse — diz a Mãe. — Ele sempre procura a mais jovem da sala. Não se importa com a aparência. Mas ele as quer jovens.

O Sr. Desmond pensa nisso um instante e concorda.

— Acho que só nos resta fazê-lo feliz.

Olena desperta e me encontra junto à janela, olhando através das grades. Abri a janela e o ar frio entra, mas não me importo. Só quero respirar ar fresco. Quero limpar o veneno daquela noite de meus pulmões, de minha alma.

— Está frio demais — diz Olena. — Feche a janela.

— Estou sufocando.

— Bem, está gelado aqui. — Ela vai até a janela e a fecha. — Não consigo dormir.

— Nem eu — sussurro.

Ela olha para mim à luz do luar que brilha através da janela suja. Atrás de nós, ouvimos o ressonar das outras meninas. Uma delas choraminga enquanto dorme. De repente, não há ar suficiente para mim neste quarto. Luto para respirar. Vou até a janela, tentando abri-la outra vez, mas Olena me impede.

— Pare com isso, Mila.

— Estou morrendo!

— Você está histérica.

— Por favor, abra. Abra! — Agora estou chorando, arranhando a janela.

— Quer acordar a Mãe? Quer nos meter em apuros?

Minhas mãos ficam doloridas e nem mesmo consigo segurar a moldura da janela. Olena agarra meu pulso.

— Ouça — diz ela. — Quer ar? Vou conseguir ar para você. Mas tem de ficar quieta. As outras não podem saber disso.

Estou em pânico e não ouço o que ela está me dizendo. Ela segura o meu rosto entre as mãos, e me força a olhar para ela.

— Você não está vendo isso — sussurrou ela. Então tirou algo do bolso, algo que brilha ligeiramente no escuro.

Uma chave.

— Como você...

— Shhh.

Ela pega o cobertor de sua cama e me empurra em direção à porta. Ela faz uma pausa, olha de volta para as outras meninas, para confirmar que estão todas adormecidas, então introduz a chave na fechadura. A porta se abre e ela me empurra para o corredor.

Estou atônita. Subitamente esqueço que estou sufocando, porque estamos fora de nossa prisão, estamos livres. Volto-me para a escadaria, para fugir, mas ela me puxa para trás com rispidez.

— Por aí não — diz ela. — Não podemos sair. Não tenho a chave da porta da frente. Apenas a Mãe pode abri-la.

— Então, onde?

— Vou mostrar.

Ela me empurra através do corredor. Quase não consigo enxergar. Deposito minha confiança inteiramente nas mãos dela e atravessamos uma porta. O luar brilha através da janela. Olena paira como um fantasma pelo quarto, pega uma cadeira e a posiciona calmamente no centro do aposento.

— O que está fazendo?

Ela não responde. Em vez disso, sobe na cadeira e estende os braços em direção ao teto. Um alçapão se abre e uma escada se desdobra para baixo.

— Aonde isso vai dar? — pergunto.

— Queria respirar, não é? Vamos conseguir um pouco de ar fresco — diz ela, e sobe a escada.

Eu a sigo degraus acima, atravesso o alçapão e me vejo em um sótão. Através de uma única janela brilha a lua, e vejo a silhueta de caixas e de mobília velha. O lugar cheira a mofo. Nenhum ar fresco. Ela abre a janela e sai. É quando me dou conta de que aquela janela não tem grades. Quando meto a cabeça para fora, compreendo o motivo. Não há como fugir por aqui. Pular seria suicídio. O chão fica muito mais abaixo.

— Então? — diz Olena. — Não vai sair também?

Volto-me e vejo que ela está acendendo um cigarro. Olho outra vez para o chão lá embaixo, tão longe, e minhas mãos ficam úmidas ao pensar em sair ao parapeito.

— Não seja tão medrosa — diz Olena. — Não é nada. O pior que pode acontecer é você cair e quebrar o pescoço.

Seu cigarro brilha, e inalo a fumaça que ela expira. Ela não está nem um pouco nervosa. Naquele momento, quero ser tão corajosa quanto Olena.

Saio pela janela, caminho lentamente pelo parapeito e, com um profundo suspiro de alívio, sento-me ao lado dela no telhado. Ela sacode o cobertor e o joga sobre os nossos ombros de modo que nos sentamos uma junto à outra, sob o quente manto de lã.

— É o meu segredo — diz ela. — Você é a única em quem confio.

— Por que eu?

— Katya me denunciaria em troca de uma caixa de chocolates. E aquela Nadia é burra demais para manter a boca fechada. Mas você é diferente. — Ela olha para mim, um olhar cuidadoso. Quase terno. — Você pode ser medrosa como um coelho. Mas não é burra e nem uma traidora.

Seu elogio me faz corar e o prazer que sinto é mais forte do que o efeito de qualquer droga. Melhor que o amor. Subitamente, imprudente, penso: farei qualquer coisa por você, Olena. Eu me aproximo dela, buscando o seu calor. Só recebi punição de corpos masculinos. Mas o corpo de Olena me oferece conforto, curvas suaves e um cabelo que roça em meu rosto com a suavidade do cetim. Observo o brilho de seu cigarro, e o modo elegante como ela bate a cinza.

— Quer um trago? — pergunta Olena, oferecendo-me o cigarro.

— Não fumo.

— É. Realmente, não é bom para você — diz ela antes de dar outra tragada. — Também não é bom para mim, mas não vou jogar fora.

— Onde conseguiu?

— No barco. Roubei um pacote inteiro e ninguém percebeu.

— Você os roubou?

Ela riu.

— Eu roubo um bocado de coisas. Como acha que consegui a chave? A Mãe pensa que perdeu, aquela vaca burra. — Ela dá outra tragada e seu rosto é brevemente iluminado por um brilho alaranjado. — Era o que eu fazia em Moscou. Eu era boa nisso. Se você falar inglês, eles a deixam entrar em qualquer hotel, onde dá para fazer alguns ganhos. Bater algumas carteiras. — Ela expeliu uma baforada de fumaça. — Por isso não posso voltar para casa. Eles me conhecem por lá.

— Você não quer voltar?

Ela dá de ombros e bate a cinza.

— Não tenho mais nada lá. Por isso fui embora.

Olho para o céu. As estrelas brilham intensamente.

— Também não há coisa alguma aqui — digo. — Não sabia que seria assim.

— Está pensando em fugir, não é, Mila?

— Você não?

— E para onde iria? Acha que a sua família a quer de volta? Depois que descobrirem o que andou fazendo por aqui?

— Só tenho uma avó.

— E o que faria você em Kryvicy, caso todos os seus sonhos se realizassem? Casaria com um homem bonito e rico?

— Não tenho sonhos — murmuro.

— É melhor assim. — Olena dá um sorriso amargo. — Para não se decepcionar.

— Mas qualquer coisa, qualquer lugar, é melhor que aqui.

— Você acha? — Ela olha para mim. — Conheci uma menina que fugiu. Estávamos em uma festa como a desta noite. Na casa do Sr. Desmond. Ela pulou uma janela e fugiu. O que foi apenas o primeiro de seus problemas.

— Por quê?

— O que comer lá fora? Onde morar? Se você não tiver documentos, não há como sobreviver a não ser roubando, o que pode fazer muito bem por aqui. Então, ela finalmente foi à polícia. E sabe o que aconteceu? Eles a deportaram, de volta à Bielo-Rússia. — Olena soprou uma nuvem de fumaça e olhou para mim. — Não confie na polícia.

— Mas ela conseguiu sair. Voltou para casa.

— Sabe o que acontece se você foge e volta para casa? Eles a encontram lá. Encontram também a sua família. E quando encontram, é melhor estarem mortos. — Olena jogou fora a ponta do cigarro. — Aqui pode ser um inferno. Mas ao menos não arrancam a sua pele, como fizeram com ela.

Estou tremendo, e não é de frio. Penso em Ânia outra vez. Sempre penso na pobre Ânia, que tentou correr. Imagino se o seu corpo ainda está no deserto. Se sua carne já apodreceu.

— Então, não tem escapatória — sussurro. — Não há chance alguma.

— Claro que há. Você deve jogar com eles. Transe com alguns homens por dia. Dê o que desejam. Em alguns meses, um ano, a Mãe consegue outro carregamento de meninas, e você se torna mercadoria usada. É quando a deixam ir embora. É quando você se livra deles. Mas, se tentar correr antes, têm de usar você como exemplo. — Ela olha para mim, estende a mão e toca o meu rosto, detendo-se em meu queixo. Seus dedos estão quentes. — Continue viva, Mila — diz ela. — Isso não vai durar para sempre.

14

Mesmo de acordo com o alto padrão de Beacon Hill, a casa era impressionante, a maior de uma rua de distintas mansões que abrigaram diversas gerações da elite de Boston. Era a primeira visita de Gabriel àquela casa e, em outra oportunidade, aproveitando a luz da tarde que se esvaía, ele teria feito uma pausa no passeio diante da casa para admirar os dintéis entalhados, os adornos em metal e a bela aldrava de bronze da porta da frente. Naquele dia, porém, sua mente não estava voltada para a arquitetura, e ele não se deteve ali. Em vez disso, apressou-se em subir os degraus e tocar a campainha.

Foi atendido por uma jovem usando óculos com armação de casco de tartaruga e um ar de indiferença. O último guardião dos portões, pensou. Ele não conhecia aquela assistente em particular, mas se encaixava no perfil de uma típica contratada por Conway: intelectual, eficiente, provavelmente de Harvard. *Os intelectuais de Conway*, como eram chamados no Congresso, um quadro de jovens conhecidos por seu brilhantismo assim como por sua absoluta lealdade ao senador.

— Sou Gabriel Dean — disse ele. — O senador Conway está me esperando.

— Eles estão esperando por você no escritório, agente Dean.

— *Eles?* — Siga-me.

Ela se voltou e avançou rapidamente ao longo do corredor. Seus sapatos práticos, baixos e fora de moda, pisavam um chão de carvalho escuro. Nas paredes, havia uma série de retratos: um severo patriarca em sua escrivaninha; um homem usando uma peruca empoada e a toga negra de um juiz. Um terceiro, diante de uma cortina de veludo verde. Naquele corredor, estava exposta a distinta linhagem de Conway. Uma linhagem da qual ele propositalmente evitava se vangloriar em sua cidade natal, Georgetown, onde sangue azul era um requisito básico de qualquer político.

A mulher discretamente bateu à porta, depois meteu a cabeça para dentro da sala.

— O agente Dean está aqui.

— Obrigado, Jillian.

Gabriel entrou na sala, e a porta se fechou silenciosamente atrás dela. Imediatamente, o senador saiu de trás de uma pesada escrivaninha de cerejeira para cumprimentá-lo. Embora já tivesse os seus 60 anos de idade, o grisalho Conway ainda se movia com o poder e a agilidade de um fuzileiro naval e, quando se cumprimentaram, aquele foi um robusto aperto de mãos entre homens que conheciam o combate e se respeitavam por isso.

— Como está se virando? — perguntou Conway.

Era uma pergunta muito gentil e trouxe lágrimas inesperadas aos olhos de Gabriel. Ele pigarreou.

— A verdade é que estou fazendo o que posso para não perder a calma — admitiu.

— Soube que ela deu entrada no hospital esta manhã.

— O bebê devia ter nascido na semana passada. A bolsa d'água rompeu esta manhã e... — Ele fez uma pausa, corando. A conversa entre antigos soldados raramente tratava de aspectos íntimos da anatomia de suas mulheres.

— Então temos de tirá-la de lá. O mais rapidamente possível.

— Sim, senhor. — *Não apenas rapidamente. Viva.* — Espero que você possa me dizer o que realmente está acontecendo, porque o Departamento de Polícia de Boston não faz idéia.

— Você me fez diversos favores ao longo dos anos, agente Dean. Farei o que puder, prometo. — Ele se voltou, apontando para um conjunto de móveis voltados para uma grande lareira de tijolos. — Talvez o Sr. Silver possa ajudar.

Pela primeira vez, Gabriel notou aquele homem que estava sentado tão silenciosamente em uma poltrona de couro que passara despercebido até então. O homem se levantou, e Gabriel viu que ele era mais alto que o normal, com cabelo escuro e ralo, e olhos humildes por trás de óculos de professor.

— Não creio que se conheçam — disse Conway. — Este é David Silver, subdiretor de espionagem interna. Ele acaba de vir de Washington.

Que surpresa, pensou Gabriel ao apertar a mão de David Silver. O diretor de espionagem interna era um alto posto em nível de gabinete, com autoridade sobre todas as agências de espionagem do país: o FBI, o Departamento de Defesa e a CIA. E David Silver era o segundo em comando no DEI.

— O diretor Wynne me pediu para vir até aqui assim que soubemos do ocorrido — disse Silver. — A Casa Branca não crê que isso seja uma situação de reféns comum.

— Seja lá o que queira dizer *comum* ultimamente — acrescentou Conway.

— Já temos uma linha direta com o escritório do comissário de polícia — disse Silver. — Estamos acompanhando de perto a investigação do Departamento de Polícia de Boston. Mas o senador Conway me disse que você tem informações adicionais que podem afetar o modo como estamos abordando o problema.

Conway apontou para o sofá.

— Vamos nos sentar. Temos muito o que conversar.

— Você disse que não acredita que isso seja uma crise de reféns padrão — disse Gabriel ao se acomodar no sofá. — Eu também não. E não apenas porque minha mulher está envolvida nela.

— O que lhe parece diferente?

— Afora o fato de o primeiro seqüestrador ser uma mulher e ter um companheiro armado que entrou lá para se juntar a ela? Afora o fato de ela ter anunciado na rádio algo que parecia ser um código de ativação?

— Tudo isso chamou a atenção do diretor Wynne — disse Silver. — Além disso, há outro detalhe que nos preocupa. Devo admitir, eu mesmo não percebi quando ouvi a gravação pela primeira vez.

— Que gravação?

— A do telefonema que ela fez para a estação de rádio. Pedimos a um lingüista do Departamento de Defesa para analisar a fala. A gramática dela é perfeita. Perfeita demais. Sem contrações, sem gírias. Claramente não é americana, nasceu no exterior.

— O negociador do Departamento de Polícia de Boston chegou à mesma conclusão.

— Agora, esta é a parte que nos preocupou — disse Conway. — Se você ouvir cuidadosamente o que ela disse, em particular a frase que usou, "a sorte está lançada", dá para perceber o sotaque. Está lá, com certeza. Russo, talvez, ou ucraniano, ou algum idioma do Leste Europeu. É impossível distinguir a sua origem precisa, mas o sotaque é eslavo. Foi o que deixou a Casa Branca preocupada.

Gabriel franziu as sobrancelhas.

— Estão pensando em terrorismo?

— Tchetcheno, especificamente — disse Silver. — Não sabemos quem é essa mulher, ou como ela entrou no país. Sabemos que os tchetchenos freqüentemente usam compatriotas do sexo feminino em seus ataques. No cerco do teatro de Moscou, diversas mulheres foram armadas com explosivos. E há aqueles dois jatos que caíram no sul da Rússia há alguns anos, depois de decolarem de Moscou. Acreditamos que ambos foram derrubados por passageiras portando bombas. O ponto é que esses terroristas em particular rotineiramente usam mulheres em seus ataques. É disso que o nosso diretor de espionagem interna tem mais medo. De estar lidando com gente que realmente não tem interesse em negociar. Podem estar preparados para morrer espetacularmente.

— A briga da Tchetchênia é com Moscou. Não conosco.

— A guerra ao terror é global. Exatamente por isso o DEI foi criado: para nos certificarmos de que o Onze de Setembro nunca volte a acontecer. Nosso trabalho é fazer todas as nossas agências de espionagem trabalharem juntas, e não com interesses cruzados, como sempre trabalharam. Sem mais rivalidades, sem mais espião versus espião. Estamos nessa juntos. E todos concordamos que o porto de Boston é um alvo tentador para terroristas. Podem atacar depósitos de combustível ou um navio petroleiro. Um barco a motor carregado de explosivos pode causar uma catástrofe. — Ele fez uma pausa. — Aquela seqüestradora foi encontrada na água, não foi?

— Você não parece convencido, agente Dean — disse Conway. — O que o preocupa?

— Estamos falando de uma mulher que foi forçada a essa situação por acidente. Vocês sabem que ela foi trazida ao necrotério como uma vítima de afogamento e admitida no hospital após despertar?

— Sim — disse Silver. — É uma história estranha.

— Era uma mulher sozinha que...

— Ela não está mais só. Ela agora tem um parceiro.

— Isso não me parece uma operação terrorista planejada.

— Não estamos dizendo que essa tomada de reféns foi planejada. Eles foram forçados a essa ação. Talvez tenha começado por acidente. Talvez ela tenha caído do barco quando era trazida ilegalmente para o país. Despertou no hospital, deu-se conta de que seria interrogada pelas autoridades e entrou em pânico. Podia ser um braço do polvo, parte de uma operação muito maior. Uma operação que foi exposta prematuramente.

— Joseph Roke não é russo, é americano.

— Sim, conhecemos a ficha de serviço do Sr. Roke — disse Silver.

— Ele está longe do simpatizante tchetcheno ideal.

— Sabia que o Sr. Roke recebeu treinamento de perito em explosivos no exército?

— Assim como diversos outros soldados que não se tornaram terroristas.

— O Sr. Roke também tem um histórico de comportamento anti-social. Problemas disciplinares. Sabia disso?

— Sei que ele foi dispensado com desonra.

— Por agredir um oficial, agente Dean. Por desobedecer ordens repetidas vezes. Houve até especulações sobre um grave distúrbio emocional. Um psiquiatra do exército considerou um diagnóstico de esquizofrenia paranóica.

— Foi tratado?

— Roke se recusou a tomar qualquer medicamento. Após deixar o exército, simplesmente se isolou. Estamos falando de um sujeito parecido com o Unabomber, que se afastou da sociedade e acalenta ressentimentos excêntricos. Com Roke, tudo é conspiração do governo, delírios persecutórios. Ele é um homem muito amargo que acredita ter sido maltratado pelo seu governo. Escreveu tantas cartas ao FBI a respeito de suas teorias que tinham um arquivo especial para ele. — Silver pegou uma pasta na mesinha de centro e entregou-a a Gabriel. — Uma amostra de sua escrita. É uma carta que enviou em junho de 2004.

Gabriel abriu a pasta e leu a carta.

...Eu lhes forneci diversos casos de ataques cardíacos documentados que foram secretamente induzidos por PRC-25 misturado no tabaco de cigarros. A combinação, como nosso Departamento de Defesa bem sabe, resulta em um gás letal. Muitos veteranos foram assassinados desta forma, de modo que a Administração de Veteranos possa economizar milhões de dólares em custos de assistência médica. Ninguém no FBI se importa com isso?

— Esta é apenas uma de dezenas de cartas malucas que ele escreveu para o FBI, para seu representante no Congresso, para jornais e estações de tevê. O *Washington Post* recebeu tanto de seu lixo paranóico que simplesmente joga fora tudo o que chega à redação com o nome dele. Como pode ver pela amostra, o homem é inteligente. É loquaz. E está absolutamente convencido de que o governo é o mal.

— Por que não está sob cuidados psiquiátricos?

— Embora esteja na cara que ele é biruta, Roke não acredita que é louco.

— Terroristas não recrutam psicóticos.

— Podem contratar, se lhes forem úteis.

— Você não pode controlá-los. Não pode prever o que farão.

— Mas você *pode* incitá-los à violência. Você pode reforçar a sua crença de que seu próprio governo está contra eles. E pode usar as suas habilidades. Roke pode ser paranóico, mas também conhece explosivos. Falamos de um solitário amargurado com treinamento militar. O recruta terrorista perfeito, agente Dean. Até prova em contrário, temos de pressupor que esta situação tem implicações de segurança nacional. Não acreditamos que o Departamento de Polícia de Boston possa lidar com isso por conta própria.

— Por isso John Barsanti está aqui.

— Quem? — Silver pareceu confuso.

— O agente Barsanti, do escritório do subdiretor do FBI. Eles geralmente não mandam gente de Washington quando têm um escritório local.

— Não sabia que o FBI estava nessa — disse Silver, o que chamou a atenção de Gabriel. O DEI tinha autoridade sobre o FBI. Silver certamente deveria saber do envolvimento de Barsanti. — O FBI não vai negociar o resgate. Autorizamos uma unidade antiterrorismo especial de nosso Apoio Estratégico.

Gabriel olhou para ele.

— Estão trazendo uma equipe do Pentágono? Uma operação militar em solo dos EUA?

— Sei que soa ilegal, agente Dean — interveio o senador Conway. — Mas há uma diretiva recente, chamada JCS Conplan 0300-97, que autoriza o Pentágono a utilizar unidades militares antiterrorismo dentro de nossas fronteiras quando a situação exigir. É tão novo que a maior parte do público não sabe disso.

— E você acha que esta é uma *boa* idéia?

— Francamente? — O senador suspirou. — Aquilo me apavora. Mas a diretiva está nos livros. Os militares *podem* intervir.

— Por um bom motivo — disse Silver. — Caso não tenha notado, nosso país está sendo atacado. Esta é a nossa chance de neutralizá-los antes de atacarem. Antes que mais pessoas corram perigo. No esquema mais amplo das coisas, isso pode se mostrar um acidente positivo.

— Positivo?

Tarde demais, Silver deu-se conta da própria insensibilidade. Ele ergueu a mão em sinal de desculpa.

— Perdoem, foi terrível eu ter dito isso. Estou tão concentrado em minha missão que às vezes tenho problemas de visão tubular.

— Também pode estar limitando a sua visão da situação.

— O que quer dizer?

— Você vê essa situação e automaticamente pensa em terrorismo.

— Tenho de considerar a hipótese. *Eles* nos forçaram a adotar esta atitude. Lembre-se disso.

— A ponto de excluir todas as possibilidades?

— Claro que não. É perfeitamente possível estarmos lidando com um par de malucos. Duas pessoas evitando ser capturadas após matarem aquele policial em New Haven. Consideramos esta explicação.

— Contudo se concentram apenas em terrorismo.

— O Sr. Wynne não o faria de outro modo. Como diretor da espionagem interna, ele leva o seu trabalho a sério.

Conway observava Gabriel, decifrando suas reações.

— Estou vendo que você tem problemas com a hipótese de terrorismo.

— Acho que é simples demais — disse Gabriel.

— E qual a sua explicação? O que essas pessoas querem? — perguntou Silver. Ele se acomodou, as longas pernas cruzadas, as mãos repousando sobre os braços da poltrona. Nenhum sinal de tensão em sua figura delgada. Ele realmente não está interessado em minha opinião, pensou Gabriel. Já se decidiu.

— Ainda não tenho uma resposta — disse Gabriel. — O que tenho são diversos detalhes estranhos que não posso explicar. Por isso procurei o senador Conway.

— Quais detalhes?

— Acabo de assistir à necropsia do guarda do hospital. O homem que nossa Maria Ninguém matou. Ocorre que não era empregado do hospital. Não sabemos quem é.

— Verificaram as digitais?

— Ele não consta dos registros.

— Então não tem ficha criminal.

— Não. Suas digitais não aparecem em *nenhum* banco de dados que verificamos.

— Nem todo mundo tem impressões arquivadas.

— Aquele homem entrou no hospital portando uma arma carregada com cargas duplas.

— Isso é surpreendente — disse Conway.

— O que é uma carga dupla? — perguntou Silver. — Sou apenas um advogado, de modo que terá de me explicar. Lamento, mas sou leigo no que diz respeito a armas de fogo.

— É uma munição na qual mais de uma bala é carregada em uma única cápsula — disse Conway. — É projetada para maior letalidade.

— Acabo de falar com o laboratório de balística do Departamento de Polícia de Boston — disse Gabriel. — Eles encontraram uma cápsula no quarto do hospital. É uma M-198.

Conway olhou para ele.

— Isso é munição militar. Não é o que se espera encontrar com um guarda de segurança.

— Um *falso* guarda de segurança. — Gabriel pegou um pedaço de papel dobrado no bolso da camisa. Ele o abriu na mesinha de centro. — E aqui o outro assunto que me preocupa.

— O que é? — perguntou Silver.

— O esboço que fiz durante a necropsia. É uma tatuagem nas costas do morto.

Silver girou o papel para ver melhor.

— Um escorpião?

— Sim.

— Vai me explicar por que isso é significativo? Porque tenho certeza de que deve ter um bando de gente andando por aí com tatuagens de escorpião.

Conway pegou o esboço.

— Você disse que a tatuagem era nas costas? E não temos *qualquer* identificação desse cadáver?

— Nada nas impressões digitais.

— Surpreende ele não ter impressões digitais arquivadas.

— Por quê? — perguntou Silver.

Gabriel olhou-o.

— Porque há uma boa chance de esse homem ser militar.

— Pode dizer isso a partir de uma tatuagem?

— Não é apenas uma tatuagem.

— O que há de tão especial nesta?

— Não é no braço, é nas costas. Nós fuzileiros navais chamamos de "plaqueta de identificação de pedaço de tórax", porque são úteis para identificar cadáveres. Em uma explosão, há uma boa chance de você perder as extremidades. Por isso, diversos soldados escolhem fazer as suas tatuagens no peito ou nas costas.

Silver fez uma careta.

— Motivo mórbido.

— Mas é prático.

— E o escorpião? Não deveria ser algo significativo?

— Foi o número 13 que me chamou a atenção — disse Gabriel. — Vê aqui, circulado pelo ferrão? Acho que diz respeito ao Combate Treze.

— É uma unidade militar?

— Corpo Expedicionário Especial dos Fuzileiros Navais.

— Está dizendo que o morto era um ex-fuzileiro naval?

— Você nunca é um ex-fuzileiro naval — destacou Conway.

— Oh. Claro — Silver se corrigiu. — Ele é um fuzileiro naval *morto*.

— E isso nos leva ao detalhe que mais me aborrece — disse Gabriel. — O fato de suas digitais não constarem em nenhum banco de dados. Este homem não tem ficha militar.

— Então talvez esteja errado quanto ao significado desta tatuagem. E da carga dupla.

— Ou que estou certo. E que suas impressões foram especificamente tiradas do sistema para torná-lo invisível ao exercício da lei.

Houve um longo silêncio.

Os olhos de Silver subitamente se arregalaram quando se deu conta do que Gabriel estava falando.

— Está dizendo que uma de *nossas* agências de espionagem eliminou as impressões dele dos bancos de dados?

— Para ocultar suas operações escusas dentro de nossas fronteiras.

— A quem está acusando? A CIA? A espionagem militar? Se era um dos nossos, certamente ninguém me falou.

— Seja quem for este homem, seja quem for para quem trabalhava, é agora óbvio que seu cúmplice apareceu naquele quarto de hospital por um único motivo. — Gabriel olhou para Conway. — Você está no Comitê de Espionagem do Senado. Você tem fontes.

— Mas estou completamente por fora dessa — disse Conway, balançando a cabeça. — Se alguma de nossas agências mandou executar aquela mulher, isso seria um escândalo sério. Um atentado em território dos EUA?

— Mas o atentado deu errado — disse Gabriel. — Antes de conseguirem matá-la, a Dra. Isles entrou no quarto. Não apenas o alvo sobreviveu ao atentado, como também pegou reféns. Agora é um grande evento de mídia. Uma cagada durante uma operação escusa que vai acabar nas primeiras páginas. Os fatos vão acabar sendo divulgados, de modo que, caso você saiba de alguma coisa, devia contar para mim. Quem é essa mulher e por que nosso país a quer morta?

— Isto é pura especulação — disse Silver. — Está seguindo uma pista muito frágil, agente Dean. Extrapolando a partir de uma tatuagem e uma bala para um assassinato patrocinado pelo governo.

— Esta gente está com a minha mulher — disse Gabriel calmamente. — Seguirei qualquer pista, por mais frágil que seja. Preciso saber como acabar com isso sem ninguém ter de morrer. É tudo o que desejo. Que ninguém morra.

— É o que todos queremos — concordou Silver.

15

Já estava escuro quando Maura dobrou na tranqüila rua do Brookline onde morava. Passou diante de casas e jardins familiares. Viu o mesmo menino ruivo arremessando a bola de basquete contra a cesta de sua garagem. Errando, como sempre. Tudo estava igual como no dia anterior, apenas outra noite quente de verão no subúrbio. Mas aquela noite era diferente, pensou. Naquela noite, ela não se deteria diante de uma taça de vinho gelado ou da última edição da *Vanity Fair*. Como desfrutar seus prazeres habituais sabendo o que Jane estava sofrendo naquele momento?

Se Jane ainda estivesse viva.

Maura estacionou na garagem e entrou em casa, agradecida pelo frescor do ar-condicionado central. Não demoraria muito. Viera em casa apenas para uma rápida refeição, tomar um banho e trocar de roupa. Mesmo assim, sentia-se culpada. Vou levar sanduíches para Gabriel, pensou. Ela duvidava de que ele tivesse pensado em comer.

Havia acabado de sair do chuveiro quando ouviu a campainha tocar. Vestindo um roupão, ela correu para atender.

Peter Lukas estava na varanda da frente. Haviam se falado naquela manhã, mas, a julgar pelas roupas amarrotadas e pelas linhas de tensão ao redor dos olhos dele, as horas haviam marcado a sua passagem.

— Desculpe aparecer sem mais nem menos — disse ele. — Tentei ligar há alguns minutos.

— Não ouvi o telefone. Estava no chuveiro.

O olhar dele baixou um instante para o roupão de banho. Então olhou para além dela, concentrando-se em um ponto por sobre os ombros de Maura, como se achasse desconfortável olhar diretamente para uma mulher despida.

— Podemos conversar? Preciso de um conselho.

— Conselho?

— A respeito do que a polícia está me pedindo para fazer.

— Falou com o capitão Hayder?

— E com aquele cara do FBI, o agente Barsanti.

— Então já sabe o que querem os seqüestradores.

— Sim — disse Lukas. — Por isso estou aqui. Queria saber o que você acha dessa loucura.

— Está realmente considerando a hipótese?

— Preciso saber o que faria, Dra. Isles. Confio no seu julgamento. — Seu olhar finalmente se encontrou com o dela. Ela sentiu o rosto corar e descobriu-se apertando o roupão contra o corpo.

— Entre — disse ela afinal. — Deixe eu me vestir e conversaremos sobre isso.

Enquanto ele esperava na sala de estar, ela vasculhou o armário em busca de calças compridas e uma blusa limpa. Com uma pausa diante do espelho, fez uma careta ao ver a maquiagem do olho borrada e o cabelo despenteado. Ele é apenas um repórter, pensou. Isso não é um encontro. Não importa como você esteja.

Quando finalmente voltou à sala, ela o encontrou diante da janela, olhando para a rua escura.

— Virou notícia nacional, sabia? — disse ele, voltando-se para olhá-la. — Neste exato minuto, estão assistindo em L.A.

— É nisso que você está pensando? Uma chance para ficar famoso? Ter o seu nome nas manchetes?

— Oh, sim, já posso ver: "Repórter Leva Tiro na Cabeça." Estou realmente louco por *esta* manchete.

— Portanto se dá conta de que não é um movimento particularmente inteligente.

— Ainda não decidi.

— Se quer o meu conselho...

— Quero mais que o seu conselho. Quero informação.

— O que posso lhe dizer?

— Pode começar me dizendo o que o FBI está fazendo aqui.

— Você disse que falou com o agente Barsanti. Não perguntou a ele?

— Ouvi dizer que há também um certo agente Dean envolvido. Barsanti não me disse coisa alguma sobre ele. Por que o FBI mandaria dois homens de Washington para uma crise que normalmente seria administrada pelo Departamento de Polícia de Boston?

A notícia a alarmou. Se ele já sabia de Gabriel, não demoraria até saber que Jane era refém.

— Não sei — mentiu, e teve dificuldade de encará-lo. Ele a observava tão intensamente que Maura finalmente teve de desviar o olhar e sentar-se no sofá.

— Se houver algo que eu deva saber, gostaria que me dissesse — disse ele. — Gostaria de saber de antemão no que estou me metendo.

— No momento, você provavelmente sabe tanto quanto eu.

Ele se sentou na cadeira em frente, o olhar tão direto que ela se sentiu como uma borboleta espetada por um alfinete.

— O que essa gente quer?

— O que Barsanti lhe contou?

— Ele me falou da proposta deles. Que prometeram liberar dois reféns. Então eu entro com um operador de câmera, falo com esse cara, e outros dois reféns serão liberados. É um acordo. O que acontece a seguir ninguém sabe.

Esse homem pode salvar a vida de Jane, pensou ela. Se ele entrasse, Jane poderia ser uma das pessoas a sair. *Eu o faria. Mas não posso pedir que esse homem arrisque a vida, nem mesmo por Jane.*

— Não é todo dia que se tem a chance de ser herói — disse ele. — É um tipo de oportunidade. Vários jornalistas a agarrariam.

Ela riu.

— Muito tentador. Livro e filme de tevê da semana. Arriscaria a vida por um punhado de fama e fortuna?

— Ei, eu tenho um Toyota velho e enferrujado estacionado logo ali, e uma hipoteca de vinte e nove anos a pagar, de modo que fama e fortuna não me soam muito mal.

— Se viver tempo o bastante para desfrutá-las.

— Por isso estou falando com você. Esteve com a seqüestradora. Sabe com que tipo de gente estamos lidando. São racionais? Vão manter sua parte no acordo? Será que me deixarão sair quando estiver tudo acabado?

— Não posso prever.

— Não é uma resposta muito útil.

— Recuso-me a me responsabilizar pelo que venha a acontecer com você. Não posso prever o que farão. Nem mesmo sei o que querem.

Ele suspirou.

— Esperava que me dissesse isso.

— Agora eu mesma tenho uma pergunta. Suponho que saiba a resposta.

— Que pergunta?

— De todos os jornalistas, por que ele o escolheu?

— Não faço idéia.

— Você deve ter tido algum contato com eles anteriormente. — Foi a sua hesitação que chamou a atenção dela. Ela se inclinou para mais perto. — Eles entraram em contato com você.

— Você tem de entender, os repórteres têm contato com um bocado de gente estranha. A cada semana, recebo diversas cartas ou telefonemas esquisitos sobre conspirações secretas do governo. Se não são as maléficas empresas de petróleo, então são helicópteros negros ou tramas na ONU. Na maior parte das vezes as ignoro. Por isso não penso muito a respeito. Foi apenas outro telefonema maluco.

— Quando?

— Há alguns dias. Um de meus colegas acabou de me lembrar, porque foi ele quem atendeu o telefone. Francamente, quando veio a chamada, eu estava muito ocupado para prestar atenção. Era tarde, e eu tinha de cumprir um prazo, e a última coisa que eu queria fazer era conversar com um maluco.

— A chamada era de um homem?

— Era. Recebi-a na redação do *Tribune*. O homem perguntou se eu tinha visto o pacote que ele me enviara. Eu disse não saber do que ele estava falando. Ele disse que tinha me enviado algo pelo correio havia algumas semanas, mas nunca recebi coisa alguma. Então ele me disse que uma mulher deixaria outro pacote na portaria naquela noite. Que assim que chegasse, eu deveria descer imediatamente ao saguão e pegá-lo, porque era algo muito delicado.

— Você recebeu o segundo pacote?

— Não. O guarda da portaria disse que não apareceu nenhuma mulher naquela noite. Fui para casa e esqueci o assunto. Até agora. — Ele fez uma pausa. — Eu me pergunto se não foi Joe quem me ligou naquele dia.

— Por que escolheu você?

— Não faço idéia.

— Essa gente parece conhecê-lo.

— Talvez tenham lido a minha coluna. Talvez sejam fãs. — Diante do silêncio de Maura, ele deu uma risada de autodepreciação. — Sem chances, não é mesmo?

— Você já apareceu na tevê? — perguntou ela, pensando: *Tem o maior jeito para isso.*

— Nunca.

— E só publicou matérias no *Boston Tribune*?

— *Só?* Que descaso, Dra. Isles...

— Não falei nesse sentido.

— Sou repórter desde os vinte e dois anos de idade. Comecei como freelance do *Boston Phoenix* e da *Boston Magazine.* Foi divertido um tempo, mas não dá para pagar contas com trabalho autônomo, de modo que fiquei feliz ao conseguir uma vaga no *Tribune.* Comecei na editoria de cidade, passei alguns anos na capital como seu correspondente em Washington. Voltei a Boston quando me ofereceram uma coluna semanal. Então, é, estou nesse negócio de reportagem há um bocado de tempo. Não estou fazendo uma fortuna, mas obviamente tenho alguns fãs. Ao menos Joseph Roke parece saber quem sou. — Ele fez uma pausa. — Ao menos *espero* que seja um fã e não algum leitor irado.

— Mesmo que seja um fã, você está se metendo em uma situação difícil.

— Eu sei.

— Compreende o combinado?

— Um operador de câmera e eu. Será uma transmissão ao vivo para alguma tevê local. Imagino que os seqüestradores tenham algum meio de verificar se estamos realmente no ar. Também imagino que não farão objeção ao atraso padrão de cinco segundos caso... — Ele parou de falar.

Caso algo dê terrivelmente errado.

Lukas inspirou profundamente.

— O que faria no meu lugar, Dra. Isles?

— Não sou jornalista.

— Então recusaria.

— Uma pessoa normal não entra por espontânea vontade em uma situação com reféns.

— Quer dizer que jornalistas não são pessoas normais?

— Apenas pense bem nisso.

— Vou lhe dizer no que estou pensando. Quatro reféns podem sair dali vivos caso eu o faça. Ao menos uma vez, algo que *eu* fiz vai valer a pena escrever a respeito.

— E está disposto a arriscar a própria vida?

— Quero correr o risco — disse ele. E prosseguiu, com honestidade: — Mas estou morrendo de medo também. — A sua franqueza era desconcertante. Poucos homens eram corajosos o bastante para admitirem que tinham medo. — O capitão Hayder quer a minha resposta às nove da noite.

— O que vai fazer?

— O operador de câmera já concordou em ir. Isso me faz sentir covarde caso não o faça. Sobretudo se quatro reféns puderem ser salvos. Fico pensando em todos aqueles repórteres em Bagdá neste momento, e o que estão enfrentando todos os dias. Isso deve ser mole comparado ao que eles passam por lá. Eu entro, falo com os malucos, deixo que me contem a sua história e então saio. Talvez seja tudo o que desejam: uma chance de se expressarem, de fazer as pessoas ouvirem o que têm a dizer. Posso acabar com essa crise simplesmente fazendo isso.

— Você quer ser um salvador.

— Não! Não, eu apenas... — Ele riu. — Estou tentando encontrar uma justificativa para fazer essa loucura.

— Foi você quem disse isso. Não eu.

— A verdade é que não sou um herói. Nunca vi motivo para arriscar minha vida caso não precise. Mas estou tão surpreso com isso quanto você. Quero saber por que me escolheram. — Ele olhou para o relógio. — Quase nove. Acho melhor ligar para Barsanti. — Levantando-se, ele se voltou para a porta. Em dado momento, porém, parou e se virou.

O telefone de Maura estava tocando.

Ela o ergueu e ouviu Abe Bristol perguntar:

— Está vendo a tevê?

— Por quê?

— Ligue no Canal Seis. Não é bom.

Enquanto Lukas olhava, ela foi até a tevê, o coração subitamente acelerado. *O que aconteceu? O que deu errado?* Ela ligou o controle remoto e o rosto de Zoe Fossey preencheu a tela.

— ...os porta-vozes oficiais se recusaram a comentar, mas temos confirmado que um dos reféns é a detetive do Departamento de Polícia de Boston, Jane Rizzoli, que ganhou as manchetes de todo o país no mês passado, durante a investigação de uma mulher seqüestrada em Natick. Ainda não temos notícia das condições em que se encontram os reféns, ou como a detetive Rizzoli acabou entre eles...

— Meu Deus — murmurou Lukas, bem ao lado dela. Ela não se deu conta de que ele se aproximara tanto. — Há uma policial presa lá dentro?

Maura olhou para ele.

— Pode muito bem ser uma policial morta.

16

É isso aí. Vou morrer.

Jane ficou sentada no sofá, esperando o tiro enquanto Joe se virava da tevê para olhar para ela. Mas foi a mulher que avançou para Jane, passos lentos e angustiantemente deliberados. *Olena* era o nome que Joe usou para chamar a cúmplice. Ao menos agora, sei os nomes de meus assassinos, pensou Jane. Sentiu o auxiliar de enfermagem afastar-se dela, como para evitar o seu sangue. O olhar de Jane permaneceu fixado no rosto de Olena. Não ousava olhar para a arma. Ela não queria ver a ponta do cano erguendo-se em direção à sua cabeça. Não queria ver a mão apertada no cabo. Melhor não ver a bala vindo, pensou. Melhor seria fitar aquela mulher nos olhos e forçá-la a ver o ser humano que estava a ponto de matar. Mas não via qualquer emoção ali. Eram olhos de boneca. Vidro azul. Olena estava agora vestida com roupas que encontrou em um armário: calças compridas e um jaleco. Uma assassina disfarçada de médico.

— Isso é verdade? — murmurou Olena.

Jane sentiu o ventre se estreitar e mordeu o lábio ao sentir a dor crescente da nova contração. Pobre bebê, pensou. Nunca vai respirar pela primeira vez. Ela sentiu a Dra. Tam alcançá-la e agarrar-lhe a mão, oferecendo-lhe um mudo conforto.

— A tevê disse a verdade? Você é da polícia?

Jane engoliu em seco.

— Sim — sussurrou.

— Eles disseram que você é uma detetive — interrompeu Joe. — É mesmo?

Tomada pela contração, Jane inclinou-se para a frente, a visão escurecendo.

— Sim — gemeu. — Sim, droga! Sou da... Homicídios...

Olena olhou para o bracelete hospitalar que ela tirara do pulso de Jane. Ainda estava no chão junto ao sofá. Ela o pegou e entregou a Joe.

— Rizzoli, Jane — leu ele.

O pior da contração havia passado. Ela suspirou profundamente e recostou-se no sofá, a camisola hospitalar encharcada de suor. Exausta para reagir, até mesmo para salvar a própria vida. Mas como podia reagir? *Não posso nem mesmo levantar deste sofá sem ajuda.* Vencida, ela viu Joe pegar a pasta de seu arquivo médico e abrir.

— Rizzoli, Jane — leu em voz alta. — Casada, residente da Claremont Street. Ocupação: detetive, unidade de Homicídios, Departamento de Polícia de Boston. — Ele a olhou com olhos negros penetrantes que Jane gostaria de evitar a qualquer custo. Ao contrário de Olena, aquele homem era muito calmo e controlado. Era o que mais assustava Jane: o fato de ele parecer saber exatamente o que estava fazendo. — Uma detetive da Homicídios. E *por acaso* está aqui?

— Deve ser meu dia de sorte — murmurou ela.

— O quê?

— Nada.

— Responda. Como aconteceu de você estar aqui?

Jane ergueu o queixo antes de responder:

— Caso não tenha percebido, estou para ter um bebê.

A Dra. Tam disse:

— Sou a obstetra dela. Eu a internei esta manhã.

— O que não gosto é do seu senso de oportunidade — disse Joe. — Está tudo errado.

Joe agarrou a camisola hospitalar e a puxou para cima. Durante um instante olhou para o abdome dilatado, os seios pesados, agora expostos para todos na sala. Sem uma palavra, deixou a camisola cair de volta sobre o tronco de Jane.

— Satisfeito, seu babaca? — disse ela, rosto queimando de vergonha. — O que esperava, um disfarce? — E imediatamente sentiu que fora idiotice dizer aquilo. Primeira regra de sobrevivência como refém: *Nunca aborreça o cara que está com a arma.* Mas ao afastar a sua camisola, ele a agredira fisicamente, a expusera, e ela agora tremia de raiva. — Você acha que eu *quero* ficar presa aqui com dois malucos como vocês?

Ela sentiu a mão da Dra. Tam apertar o seu pulso, como um pedido silencioso para que se calasse. Jane afastou a mão e manteve a raiva direcionada para os seus seqüestradores.

— Sim, sou uma policial. E, adivinhem: vocês estão realmente ferrados. Vocês me matam, e sabem o que acontece, não sabem? Sabem o que meus colegas fazem com gente que mata policiais?

Joe e Olena se entreolharam. Estariam tomando uma decisão? Chegando a um acordo sobre se ela iria viver ou morrer?

— Um erro — disse Joe. — É o que é tudo isso, detetive. Você está na porra do lugar errado, na merda da hora errada.

Foi você quem disse isso, babaca.

Ficou surpresa quando Joe subitamente começou a rir. Ele caminhou até o outro extremo da sala, balançando a cabeça. Ao se voltar para encará-la, viu que a arma estava apontada para o chão, não para ela.

— Então você é uma boa policial? — perguntou ele.

— O quê?

— Na tevê disseram que trabalhou em um caso de uma dona de casa desaparecida.

— Uma mulher grávida. Foi seqüestrada.

— Como tudo acabou?

— Ela está viva. O bandido morto.

— Então você é boa.

— Fiz o meu trabalho.

Olena e Joe trocaram outro olhar.

Ele se aproximou de Jane, até ficar de pé diante dela.

— E se eu lhe falasse sobre um crime? E se eu lhe dissesse que a justiça não foi feita? Que nunca poderá ser feita?

— E por que não?

Ele puxou uma cadeira, posicionou-a diante dela e sentou-se. Seus olhos estavam agora no mesmo nível. Olhos escuros e penetrantes encontraram-se com os dela.

— Porque foi cometido por nosso governo.

Opa. Alarme de maluco soando.

— Você tem provas? — perguntou Jane, conseguindo manter a voz neutra.

— Temos uma testemunha — disse ele, e apontou para Olena. — Ela viu acontecer.

— Depoimentos de testemunhas não são necessariamente suficientes. — *Principalmente quando a testemunha é louca.*

— Você se dá conta de todos os atos criminosos de que nosso governo é culpado? Os crimes que comete todos os dias? Os assassinatos, seqüestros? Envenenando os seus próprios cidadãos, em nome do lucro? Este país é movido a grandes negócios, e todos somos descartáveis. Veja os refrigerantes, por exemplo.

— Como?

— O governo comprou refrigerantes diet em grandes quantidades para as suas tropas no Golfo. Eu estava lá, e vi latas e mais latas, jogadas ao sol. O que você acha que acontece com os produtos químicos dos refrigerantes diet quando expostos ao calor? Tornam-se tóxicos. Viram veneno. Por isso milhares de veteranos da Guerra do Golfo voltaram doentes para casa. Ah, sim, nosso governo sabe disso, mas nós nunca saberemos. A indústria de refrigerantes é muito grande, e eles sabem a quem corromper com propinas.

— Então... tudo isso tem a ver com refrigerantes?

— Não. *Isto* é muito pior. — Ele se aproximou dela. — E, desta vez, nós finalmente os pegamos, detetive. Temos uma testemunha, temos provas. E temos a atenção do país. Por isso estão apavorados. Por isso nos querem mortos. O que você faria, detetive?

— Quanto ao quê? Ainda não entendi.

— Se você soubesse de um crime cometido por gente do seu governo. E soubesse que este crime continua impune. O que faria?

— Essa é fácil. Eu faria o meu trabalho. O mesmo de sempre.

— Você providenciaria para que se fizesse justiça?

— Sim.

— Não importando quem se colocasse no seu caminho?

— Quem tentaria me impedir?

— Você não conhece essa gente. Não sabe do que são capazes.

Ela contraiu o corpo quando sentiu outra contração no ventre. Sentiu a Dra. Tam tomar a sua mão novamente e a agarrou com força. De repente tudo saiu de foco enquanto a dor aumentava, dor que a fez se inclinar para a frente, gemendo. Oh, que bom, o que lhe ensinaram na aula de Lamaze? Ela esquecera tudo.

— Respiração de purificação — murmurou a Dra. Tam. — Concentre-se.

Era isso. Agora se lembrava. *Respire. Concentre-se em um ponto.* Aqueles loucos não a matariam nos 60 segundos seguintes. Ela só tinha de superar aquela dor. *Respire e concentre-se. Respire e concentre-se...*

Olena se aproximou e subitamente ficou cara a cara com Jane.

— Olhe para mim — disse Olena. E apontou para os próprios olhos. — Olhe para cá, direto para mim. Até passar.

Não acredito nisso. Uma louca quer ser minha orientadora de trabalho de parto.

Jane começou a respirar forte, a respiração acelerando à medida que a dor aumentava. Olena estava bem diante dela, encarando-a. Água azul e fria. Era o que aqueles olhos sugeriam a Jane. Água clara e calma. Uma lagoa sem ondulações.

— Bom — murmurou a mulher. — Saiu-se bem.

Jane suspirou aliviada e recostou-se nas almofadas. O suor escorria por seu rosto. Outros cinco abençoados minutos para se recuperar. Ela pensou em todas as mulheres que enfrentaram o parto ao longo dos milênios, pensou em sua própria mãe que, 34 anos antes, sofrera durante toda uma noite quente de verão para trazê-la ao mundo. *Eu não tinha noção do que você passou. Agora compreendo. Esse é o preço que toda mulher teve de pagar por cada criança nascida.*

— Em quem você confia, detetive Rizzoli?

Joe estava falando com ela outra vez. Jane ergueu a cabeça, ainda tonta demais para se dar conta do que ele queria dela.

— Deve haver alguém em quem você confie — disse ele. — Alguém com quem trabalhe. Outro policial. Talvez seu parceiro.

Ela balançou a cabeça.

— Não sei aonde quer chegar.

— E se eu apontar esta arma para sua cabeça?

Ela ficou imóvel quando ele ergueu a arma e a pressionou contra a sua têmpora. Ela ouviu a recepcionista ofegar. Sentiu seus colegas reféns no sofá se afastarem da vítima que estava sentada entre eles.

— Agora diga-me — falou Joe com frieza, mantendo a razão. — Conhece alguém que receberia esta bala no seu lugar?

— Por que está fazendo isso? — sussurrou ela.

— Só estou perguntando. Quem levaria esta bala no seu lugar? A quem você confiaria a própria vida?

Ela olhou para a mão que segurava a arma e pensou: É um teste. E não sei a resposta. Não sei o que ele quer ouvir.

— Diga-me, detetive. Há alguém mais em quem confie plenamente?

— Gabriel... — Ela engoliu em seco. — Meu marido. Confio em meu marido.

— Não estou falando de família. Estou falando de alguém com um distintivo, assim como você. Alguém limpo. Alguém que cumprisse o dever.

— Por que está me perguntado isso?

— Responda à pergunta!

— Já disse. Já respondi.

— Você disse seu marido.

— Sim!

— Ele é policial?

— Não, ele é... — Ela parou de falar.

— O que ele é?

Ela se ajeitou no sofá. Olhou para a arma e encarou o homem que a empunhava.

— Ele é do FBI — disse ela.

Joe olhou-a durante um momento. Então olhou para a parceira.

— Isso muda tudo — disse ele.

17

Mila

Há uma menina nova na casa.

Esta manhã, uma van estacionou à porta da frente e os homens a trouxeram para o nosso quarto. Ela passou o dia inteiro dormindo na cama dobrável de Olena, por causa das drogas que lhe deram para a viagem. Todas nós a observamos, olhando para um rosto tão pálido que não parecia feito de carne viva e sim de mármore translúcido. Ela respira em pequenos alentos, levantando um cacho de cabelo louro toda vez que expira. Suas mãos são pequenas, mãos de boneca, penso, ao olhar para aqueles pequenos punhos, para o polegar pressionado contra os lábios. Mesmo quando a Mãe abre a porta e entra no quarto, a menina não se move.

— Acordem ela — ordena a Mãe.

— Quantos anos ela tem? — pergunta Olena.

— Apenas a acordem.

— Ela é só uma criança. Quanto anos tem, 12, talvez 13?

— Tem idade suficiente para trabalhar. — A Mãe vai até a cama e sacode a menina. — Vamos — diz ela, puxando o cobertor. — Você já dormiu demais.

A garota se espreguiça e vira de frente. É quando vejo os ferimentos no seu braço. Ela abre os olhos, nos vê olhando para ela, e seu corpo frágil imediatamente se contrai, alarmado.

— Não o faça esperar — diz a Mãe.

Ouvimos o carro se aproximando da casa. A noite caiu e, ao olhar para a janela, vejo faróis iluminando as árvores. Os pneus estalam sobre a brita quando o carro entra no acesso de veículos. O primeiro cliente da noite, penso assustada, mas a Mãe nem sequer olha para nós. Ela pega a mão da menina nova e a levanta. A menina tropeça, olhos sonolentos, ao sair do quarto.

— Como pegam uma garota tão nova? — sussurra Katya.

Ouvimos a campainha. É um som que aprendemos a temer, o som da chegada de nossos torturadores. Ficamos em silêncio, ouvindo as vozes lá embaixo. A Mãe cumprimenta um cliente em inglês. O homem pouco fala. Só o ouvimos dizer algumas palavras. Então escutamos seus passos pesados na escada e nos afastamos da porta. Ele passa por nosso quarto e continua corredor abaixo.

Ouvimos a menina erguer a voz em protesto. Ouvimos um tapa, um soluço. Então ouvimos passos outra vez enquanto a Mãe arrasta a menina para o quarto do cliente. A porta se fecha, e a Mãe se afasta, deixando a menina com o sujeito.

— A desgraçada — murmura Olena. — Vai queimar no inferno.

Mas hoje à noite, ao menos eu não vou sofrer. Sinto-me culpada quando este pensamento me passa pela cabeça. Ainda assim, o pensamento está lá. *Antes ela do que eu.* Vou até a janela e olho a noite, para a escuridão que não pode ver a minha vergonha. Katya puxa um cobertor sobre a cabeça. *Todas* nós tentamos não ouvir, mas mesmo através das portas fechadas podemos escutar os gritos da menina, e podemos imaginar o que ele está fazendo com ela, porque o mesmo foi feito conosco. Apenas os rostos dos homens variam. A dor que nos infligem, não.

Quando termina, quando os gritos finalmente cessam, ouvimos o homem descer a escada e sair da casa. Emito um profundo suspiro. Acabou, penso. Por favor, permita que não haja mais clientes esta noite.

A Mãe volta a subir as escadas para buscar a menina e há um longo e estranho silêncio. Subitamente ela passa correndo por nossa porta e desce as escadas outra vez. Nós a ouvimos falando com alguém no telefone celular. Palavras urgentes ditas em surdina. Olho para Olena, perguntando-me se ela sabe o que está acontecendo. Mas Olena não me retribui o olhar. Ela se curva sentada em sua cama dobrável, as mãos fechadas em punho sobre o colo. Lá fora algo flutua diante de nossa janela, como uma mariposa branca, rolando no vento.

Começou a nevar.

A menina não fez direito. Ela arranhou o rosto do cliente e ele ficou furioso. Uma menina assim é ruim para os negócios, por isso foi mandada de volta para a Ucrânia. Foi o que a Mãe nos disse na noite passada, quando a menina não voltou para o quarto.

Essa, pelo menos, é a história.

— Talvez seja verdade — digo, exalando baforadas de vapor na escuridão. Eu e Olena estamos novamente sentadas no telhado, que hoje brilha como um bolo gelado sob o luar. Na noite passada, nevou um pouco, pouco mais de um centímetro, mas o bastante para me fazer pensar em casa, onde certamente devia estar nevando há semanas. Estou feliz por ver as estrelas outra vez, por estar compartilhando este céu com Olena. Trouxemos os cobertores e nos sentamos apertando nossos corpos uma contra a outra.

— Você é burra, se acredita nisso — diz Olena. Ela acende um cigarro, o último da festa no barco, e o saboreia, olhando para o céu enquanto inala a fumaça, como agradecendo aos céus pela dádiva do tabaco.

— Por que não acredita?

Ela ri.

— Podem até vendê-la para outra casa, outro cafetão. Mas nunca a mandarão para casa. De qualquer modo, não acredito em uma palavra que diz a Mãe, aquela puta velha. Acredita nisso? Ela também se virava, há uns cem anos. Antes de ficar tão gorda.

Não consigo imaginar a Mãe jovem ou magra, muito menos seduzindo um homem. Não consigo imaginar uma época em que ela não tenha sido repulsiva.

— As putas de sangue-frio acabam se tornando administradoras das casas — diz Olena. — São piores que os cafetões. Ela sabe o que sofremos, também passou por isso. Mas a única coisa com que ela se importa é dinheiro. Muito dinheiro. — Olena bate a cinza do cigarro. — O mundo é mau, Mila, e não há como mudá-lo. O melhor que pode fazer e se manter viva.

— E não ser má.

— Às vezes, não resta alternativa. Você simplesmente tem de ser.

— Você não pode ser má.

— Como sabe? — Ela olha para mim. — Como sabe o que sou, ou o que fiz? Acredite, se fosse obrigada, eu mataria alguém. Podia até matar *você*.

Ela me olha, os olhos ferozes iluminados pelo luar. E, por um instante, apenas um instante, acho que ela está certa. Que ela *poderia* me matar, que está pronta a fazer qualquer coisa para continuar viva.

Ouvimos o barulho de pneus sobre a brita e nos sobressaltamos.

Olena imediatamente apaga o seu precioso cigarro, fumado apenas pela metade.

— Quem deve ser?

Fico de pé e cuidadosamente chego à borda do telhado para espiar o acesso de veículos.

— Não vejo nenhum farol.

Ela se aproxima de mim para também olhar para baixo.

— Ali — ela murmura quando um carro emerge da floresta.

Os faróis estão apagados e tudo o que vemos é o brilho amarelo de suas luzes traseiras. O carro pára na entrada do acesso de veículos e dois homens saem. Segundos depois, ouvimos a campainha. Mesmo em hora tão tardia, os homens tinham as suas necessidades. Exigiam satisfação.

— Merda — sibilou Olena. — Agora vão despertá-la. Temos de voltar para o quarto antes que descubram que não estamos lá.

Descemos do telhado e nem nos importamos em pegar de volta nossos cobertores no parapeito. Olena pula a janela de volta ao sótão.

A campainha volta a tocar e ouvimos a Mãe abrir a porta e saudar os novos clientes.

Pulo a janela atrás de Olena, e atravessamos o alçapão. A escada ainda está baixada, prova clamorosa de nossa localização. Olena está descendo os degraus quando subitamente fica imóvel.

A Mãe está gritando.

Olena olha para mim através do alçapão. Posso ver o brilho nervoso de seus olhos na penumbra mais abaixo. Ouvimos um baque e o som de madeira se rompendo. Passos pesados soam na escada.

Os gritos da Mãe viram berros.

Imediatamente, Olena volta a subir a escada, empurrando-me para o lado quando atravessa o alçapão. Uma vez lá dentro, agarra e puxa a escada de volta. Ela se ergue, dobrando-se, enquanto o alçapão se fecha.

— Volte — sussurra. — Para o telhado!

— O que está acontecendo?

— Apenas *volte*, Mila!

Corremos de volta à janela. Sou a primeira a passar, mas estou com tanta pressa que meu pé resvala no parapeito. Soluço enquanto caio, agarrando-me em pânico ao peitoril da janela.

A mão de Olena se fecha ao redor de meu pulso. Ela me agarra enquanto fico pendurada, aterrorizada.

— Agarre minha outra mão! — sussurra ela.

Obedeço e ela me ergue até eu me ver curvada sobre o peitoril da janela, o coração na garganta.

— Merda! Não seja tão desajeitada!

Recupero o equilíbrio e agarro o peitoril com mãos suadas enquanto caminho ao longo do parapeito, de volta ao telhado. Olena também sai, fecha a janela atrás de si, então vem atrás de mim, rápida como um gato.

Dentro da casa, as luzes se acendem. Vemos o brilho das janelas abaixo de nós. E podemos ouvir passos rápidos, e o ruído de uma porta sendo arrombada. E um berro, dessa vez não da Mãe. Um berro longo e penetrante, seguido de um silêncio terrível.

Olena pega os cobertores.

— Suba — diz ela. — Corra para o telhado, onde não possam nos ver!

À medida que escalo o telhado, rumo ao ponto mais alto, Olena bate com o cobertor, apagando os passos que deixamos no parapeito nevado. Faz o mesmo com a área onde estávamos sentadas, apagando todos os traços de nossa presença. Então ela sobe atrás de mim, até a cumeeira sobre a janela do sótão. Ali nos empoleiramos, como gárgulas friorentas.

Subitamente me lembro.

— A cadeira — sussurro. — Deixamos a cadeira embaixo do alçapão!

— Tarde demais.

— Se a virem, saberão que estamos aqui.

Ela segura minha mão e a aperta tão forte que penso que irá quebrá-la. A luz do sótão acabou de ser acesa.

Agarramo-nos ao telhado, sem ousarmos nos mexer. Um ranger, um fragmento de neve, e o intruso saberá que estamos aqui.

Sinto meu coração batendo contra o telhado, e penso que ele certamente pode ouvi-lo através do revestimento.

A janela se abre. Passa um instante. O que ele vê ao olhar para fora? Um fragmento de pegada no parapeito? Uma pista cujos frenéticos golpes de cobertor de Olena não conseguiram apagar? Então a janela voltou a se fechar. Emito um pequeno suspiro de alívio, mas os dedos de Olena voltam a se cravar em minha mão. Uma advertência.

Ele ainda pode estar aqui. Ele pode ainda estar ouvindo.

Ouvimos então um baque forte, seguido de um grito que até mesmo as janelas fechadas não conseguiram abafar. Um berro de dor tão alto que começo a suar e a tremer. Um homem grita em inglês. *Onde elas estão? Tinham de ser seis! Seis putas.*

Eles estão procurando as meninas que faltam.

Agora a Mãe chora, implora. Ela realmente não sabe.

Outro baque.

O berro da Mãe me faz gelar os ossos. Cubro os ouvidos e aperto o rosto contra o telhado gelado. Não posso ouvir isso, mas não tenho escolha. Não pára. Os golpes e os gritos duram tanto tempo que acho que vão nos encontrar aqui ao nascer do dia, ainda agarradas a este telhado com as mãos congeladas. Fecho os olhos, lutando contra a náusea. *Não veja nem ouça o mal.* É o que digo para mim mesma mil vezes, para abafar os sons do suplício da Mãe. *Não veja nem ouça o mal.*

Quando os gritos finalmente param, minhas mãos estão dormentes e meus dentes tiritam de frio. Ergo a cabeça, e sinto lágrimas congeladas no rosto.

— Estão indo embora — sussurra Olena.

Ouvimos a porta da frente se abrir, seus passos na varanda. Do lugar onde estamos, podemos vê-los caminhar lá embaixo. Agora, há mais do que silhuetas indistintas. Deixaram as luzes da casa acesas, e pelo brilho que jorrava das janelas podemos ver os dois homens vestidos com roupas escuras. Um deles faz uma pausa, e seu cabelo louro e curto reflete as luzes da varanda. Ele se volta para a casa e olha para o telhado. Durante alguns segundos aterrorizantes, penso que ele pode nos ver. Mas a luz está nos seus olhos e continuamos ocultas nas sombras.

Eles entram no carro e vão embora.

Não nos movemos durante um longo tempo. A lua brilha sobre o gelo. A noite está tão silenciosa que posso ouvir o meu próprio coração e o tiritar de meus dentes. Finalmente, Olena se mexe.

— Não — sussurro. — E se ainda estiverem aí? E se estiverem olhando?

— Não podemos ficar a noite inteira no telhado. Vamos congelar.

— Espere só um pouco mais, Olena, por favor!

Mas ela já está descendo o telhado, movendo-se em direção à janela do sótão. Fico aterrorizada por ser deixada para trás. Não tenho alternativa a não ser segui-la. Quando finalmente entro, ela já está passando pelo alçapão e descendo a escada.

Quero gritar: *Por favor, espere por mim!* Mas estou com medo demais para emitir qualquer som. Desço a escada também e sigo Olena pelo corredor.

Ela pára no topo da escadaria, olhando para baixo. Apenas quando me junto a ela vejo o que a fez estacar, horrorizada.

Katya está morta, caída na escada. Seu sangue escorre pelos degraus como uma catarata escura, e ela parece uma nadadora, mergulhando para uma piscina brilhante acumulada ao fundo.

— Não olhe no quarto — diz Olena. — Estão todas mortas. — Sua voz é neutra. Não de um ser humano, e sim de uma máquina, fria e factual. Não conheço esta Olena, e ela me apavora. Ela desce a escada, evitando o sangue, evitando o corpo. Ao segui-la, não consigo parar de olhar para Katya. Vejo por onde a bala atravessou a sua camiseta, a mesma que usava todas as noites. Tinha flores amarelas e a frase SEJA FELIZ. Ah, Katya, penso. Agora você nunca mais será feliz. Ao fim da escadaria, onde se acumulou uma piscina de sangue, vejo marcas de sapatos a caminho da porta.

Somente então percebo que a porta está escancarada.

Penso: *Corra!* Saia da casa, desça a escada da varanda e entre na floresta. Esta é a nossa fuga, nossa chance de liberdade.

Mas Olena não foge da casa imediatamente. Em vez disso, entra à direita, na sala de jantar.

— Aonde vai? — sussurro.

Ela não me responde e continua até a cozinha.

— Olena! — grito atrás dela. — Vamos *agora antes que...* — Paro no vão da porta e levo a mão à boca, pois creio que vou vomitar. Há manchas de sangue pelas paredes e na geladeira. Sangue da Mãe. Ela está sentada na mesa da cozinha, e os restos ensangüentados de suas mãos estão estendidos diante dela. Seus olhos estão abertos e, por um instante, creio que talvez ela possa nos ver, mas obviamente não pode.

Olena passa por ela e atravessa a cozinha em direção ao quarto dos fundos.

Estou tão desesperada para escapar que penso poder ir embora agora, sem Olena. Deixá-la com seja lá qual for o motivo maluco que a prende a esta casa. Mas ela caminha decidida para o quarto da Mãe, que sempre esteve trancado.

É a primeira vez que vejo o quarto, e fico pasma diante da grande cama com lençóis de cetim, a cômoda com passadeira de renda e a fileira de escovas de cabelo prateadas. Olena vai direto até a cômoda, abre as gavetas e revira o seu conteúdo.

— O que está procurando? — pergunto.

— Precisamos de dinheiro. Não podemos sobreviver lá fora sem dinheiro. Ela deve guardá-lo aqui, em algum lugar. — Ela pega um chapéu de lã da gaveta e atira-o para mim. — Pegue. Você vai precisar de roupas quentes.

Tenho nojo de tocar no chapéu, porque era da Mãe, e posso ver seu cabelo castanho ainda grudado na lã.

Olena vai até a mesinha-de-cabeceira, encontra um telefone celular e um pouco de dinheiro.

— Não pode ser só isso — diz ela. — Tem de haver mais.

Eu só quero fugir, mas sei que ela está certa. Precisamos de dinheiro. Vou até o armário escancarado. Os assassinos o revistaram, e havia diversos cabides jogados no chão. Mas buscavam meninas assustadas, não dinheiro, de modo que a prateleira de cima não foi tocada. Puxo uma caixa de sapato repleta de retratos antigos. Vejo uma fotografia de Moscou, rostos sorridentes e uma jovem cujos olhos são embaraçosamente familiares. E penso: Até mesmo a Mãe foi jovem algum dia. Aqui está a prova.

Puxo uma grande bolsa de mão. Dentro encontro uma pesada caixa de jóias, uma fita de vídeo, dezenas de passaportes. E dinheiro. Um bolo de dinheiro americano, amarrado com elástico.

— Olena! Encontrei.

Ela vem até onde estou e olha dentro da bolsa.

— Pegue tudo — diz ela. — Revistamos a bolsa depois. — Ela também joga o telefone celular lá dentro. Então, pega um suéter do armário e o atira em minha direção.

Não quero vestir as roupas da Mãe. Posso sentir o cheiro dela no tecido, como fermento azedo. Mas visto de qualquer modo, suprimindo o desagrado. Um casaco, um suéter e um cachecol sobre a minha blusa. Rapidamente e em silêncio vestimos as roupas da mulher que está morta no cômodo ao lado.

Hesitamos à porta da frente, olhando para a floresta. Estarão esperando por nós? Sentados em seu carro escuro estrada abaixo, sabendo que vamos acabar aparecendo?

— Por aí, não — diz Olena, lendo os meus pensamentos. — Pela estrada, não.

Vamos até os fundos da casa e nos embrenhamos na floresta.

18

Gabriel avançou em meio à multidão de repórteres, olhar fixo na loura bem-penteada que era o foco dos refletores a uns vinte metros dali. Ao se aproximar, viu que, naquele instante, Zoe Fossey estava falando para a câmera. Ela o viu e ficou paralisada, apertando o microfone contra os lábios fechados.

— Desligue isso — disse Gabriel.

— Silêncio — replicou o operador de câmera. — Estamos ao vivo...

— Desligue a merda do microfone.

— Ei! O que está pensando que...

Gabriel afastou a câmera e arrancou cabos elétricos, desligando os refletores.

— Tirem esse homem daqui! — gritou Zoe.

— Sabe o que fez? — disse Gabriel. — Você tem *alguma* idéia?

— Estou fazendo meu trabalho — retorquiu a repórter.

Ele avançou contra ela, e algo que Zoe viu nos olhos dele a fez recuar até se chocar contra uma van e não poder ir mais para trás.

— Você pode ter executado a minha mulher.

— Eu? — Ela balançou a cabeça e disse em tom de desafio: — Não sou eu quem está empunhando a arma.

— Você disse a eles que ela é policial.

— Apenas reporto fatos.

— Não importando as conseqüências?

— É notícia, certo?

— Sabe o que você é? — Ele se aproximou e descobriu que mal conseguia controlar a vontade de enforcá-la. — Você é uma puta. Não, retiro. Você é pior que uma puta. Você não vende apenas a si mesma. Você vende os outros.

— Bob! — gritou ela para o operador de câmera. — Tira esse cara daqui!

— Afaste-se, senhor! — A mão pesada do operador de câmera pousou no ombro de Gabriel, que a afastou, olhar ainda fixo em Zoe.

— Se alguma coisa acontecer com Jane, eu juro...

— Eu disse *afaste-se*! — O operador de câmera voltou a agarrar o ombro de Gabriel.

Subitamente, todos os medos de Gabriel, seu desespero, culminaram em um instante de fúria cega. Ele se voltou e atingiu o outro no peito. Ouviu o ar sair dos pulmões do sujeito, e viu um relance de um rosto atônito enquanto o sujeito tropeçava para trás e caía no chão, sobre um emaranhado de fios elétricos. Em um instante, Gabriel estava agachado sobre ele, punho erguido, cada músculo pronto para golpear. Então sua visão voltou abruptamente ao foco e ele se deu conta do homem submisso embaixo dele. Deu-se conta de que um círculo de pessoas se reunira para assistir ao espetáculo. Todo mundo adora um espetáculo.

Ofegante, Gabriel levantou-se. Viu Zoe a alguns metros dali, rosto iluminado de excitação.

— Gravou? — disse ela para outro operador de câmera. — Merda, *alguém* gravou isso?

Desgostoso, Gabriel deu as costas e se afastou dali. Continuou caminhando até estar bem longe da multidão, longe do brilho dos refletores. A duas quadras do hospital, descobriu-se sozinho em uma esquina. Mesmo naquela rua em penumbras, não havia alívio para o calor do verão, que ainda irradiava das calçadas que assaram o dia inteiro ao sol. Seus pés subitamente pareceram enraizados na calçada, derretidos ali pelo remorso, pelo pavor.

Não sei como salvá-la. É meu trabalho proteger as pessoas do mal, mas não posso proteger a pessoa a quem mais amo.

Seu telefone celular tocou. Ele reconheceu o número no mostrador digital e não respondeu. Eram os pais de Jane. Já haviam ligado quando estava no carro, pouco depois da transmissão de Zoe. Ele suportaria em silêncio os soluços histéricos de Angela Rizzoli, e a exigência de Frank para que se fizesse alguma coisa. Não posso lidar com eles agora, pensou. Talvez em cinco minutos, ou dez. Mas não agora.

Ficou a sós à noite, lutando para recuperar a compostura. Não era homem de perder o controle facilmente, embora, pouco antes, quase tivesse enfiado o punho na cara de um homem. Jane ficaria chocada, pensou. E provavelmente divertida, também, ao ver o marido finalmente perder a calma. *Sr. Terno Cinza,* foi como o chamou certa vez em um acesso de irritação por ele ser tão imperturbável, enquanto ela se exaltava. Você ficaria orgulhosa de mim, Jane, pensou. Eu finalmente revelei ser humano.

Mas você não está aqui para ver. Você não sabe que isso tudo é por sua causa.

— Gabriel?

Ele se voltou e viu Maura, que se aproximara tão silenciosamente que ele nem percebeu que estava ali.

— Tinha de sair daquele circo — disse ele. — Ou juro que teria quebrado o pescoço daquela mulher. Já é ruim o bastante eu ter descontado no operador de câmera.

— Foi o que ouvi. — Ela fez uma pausa. — Os pais de Jane acabaram de chegar. Eu os vi no estacionamento.

— Eles me ligaram, logo depois de verem o noticiário.

— Estão procurando você. Seria bom ir encontrá-los.

— Não posso lidar com eles agora.

— Acho que você tem outro problema.

— Qual?

— O detetive Korsak está aqui. Ele não está muito satisfeito por não ter sido notificado.

— Oh, meu Deus. Ele é a última pessoa que desejo ver.

— Korsak é amigo dela. Ele a conhece há tanto tempo quanto você. Você pode não se dar muito bem com ele, mas ele se preocupa muito com Jane.

— É, eu sei — ele suspirou. — Eu sei.

— Essas são as pessoas que a amam. Você não é o único, Gabriel. Barry Frost ficou aqui a noite inteira. Até mesmo o detetive Crowe apareceu. Estamos todos muito preocupados, estamos todos receando por ela. — Ela parou e acrescentou a seguir: — Estou com medo.

Ele olhou para a rua, em direção ao hospital.

— E eu devo consolá-los? Mal estou conseguindo me segurar.

— Mas é isso, você guarda tudo para si. Está tudo nos *seus* ombros. — Ela tocou-lhe o braço. — Vá se encontrar com a família dela, seus amigos. Vocês precisam uns dos outros agora.

Ele meneou a cabeça, concordando. Em seguida, suspirou profundamente e voltou ao hospital.

Foi Vince Korsak quem o viu primeiro. O detetive aposentado de Newton veio em direção a ele e o interceptou na calçada. Sob a luz do poste, Korsak parecia um gigante furioso, forte e beligerante.

— Por que você não me avisou? — perguntou.

— Não tive chance, Vince. As coisas têm acontecido muito rapidamente.

— Eles disseram que ela está aí o dia inteiro.

— Olhe, você está certo. Eu devia ter ligado.

— *Devia, tinha, teria*, isso não cola. Que diabos, Dean? Acha que não vale a pena ligar para mim? Acha que não me importo com o que está acontecendo?

— Vince, acalme-se. — Ele estendeu a mão para Korsak, que a afastou com raiva.

— Ela é minha *amiga*, droga!

— Sei disso. Mas estávamos tentando controlar o vazamento da informação. Não queríamos que a imprensa soubesse que havia uma policial lá dentro.

— Você acha que *eu* teria deixado isso vazar? Acha que eu faria uma besteira dessas?

— Não, claro que não.

— Então, devia ter me ligado. Você pode ter se casado com ela, Dean. Mas também me importo com ela! — A voz de Korsak falseou. — Eu me importo com ela também — repetiu baixinho e subitamente desviou o olhar.

Sei que se importa. Também sei que a ama, embora nunca o tenha admitido. Por isso nunca poderemos ser amigos. Ambos a queremos, mas fui eu quem casou com ela.

— O que está acontecendo aqui? — perguntou Korsak, a voz abafada, ainda sem olhar para ele. — Alguém sabe?

— Não sabemos de nada.

— Aquela puta divulgou o segredo no ar há uma hora. Não houve nenhuma chamada do seqüestrador? Nenhum barulho de arma de fogo... — Korsak parou de falar. — Nenhuma reação?

— Talvez não estivessem vendo a tevê. Talvez não tenham ouvido que estão com um policial como refém. É o que espero... que não saibam.

— Quando foi o seu último contato?

— Ligaram por volta das cinco da tarde, para fazerem um acordo.

— Que tipo de acordo?

— Querem uma entrevista ao vivo na tevê. Em troca, vão liberar dois reféns.

— Então, vamos fazer isso! Por que demora tanto?

— A polícia está relutante em enviar civis. Significava pôr um repórter e um operador de câmera em risco.

— Ei, eu opero a droga da câmera se alguém me disser como. E você pode ser o repórter. Deviam enviar a *nós*.

— Os seqüestradores pediram um repórter específico. Um homem chamado Peter Lukas.

— Refere-se ao cara que escreve para o *Tribune*? Por que ele?

— É o que todos nós gostaríamos de saber.

— Bem, vamos continuar com isso, então. Tirá-la dali antes que...

O telefone celular de Gabriel tocou e ele fez uma careta, pensando que podiam ser os pais de Jane tentando falar com ele outra vez. Não podia deixá-los esperar mais. Pegou o telefone e franziu as sobrancelhas. No mostrador digital havia um número que ele não reconhecia.

— Aqui é Gabriel Dean — respondeu.

— Agente Dean? Do FBI?

— Quem é?

— É Joe. Acho que sabe quem sou.

Gabriel ficou paralisado. Viu Korsak olhando para ele, imediatamente alerta.

— Temos coisas a conversar, agente Dean.

— Como sabe...

— Sua mulher disse que você é confiável. Que sua palavra é a garantia dela. Esperamos que seja verdade.

— Deixe-me falar com ela. Deixe-me ouvir a voz dela.

— Em um minuto. Uma vez que me prometa.

— O quê? Diga-me o que quer!

— Justiça. Queremos que prometa fazer o seu trabalho.

— Não compreendo.

— Precisamos que seja testemunha. Que ouça o que temos a dizer porque há uma boa chance de não sobrevivermos a esta noite.

Dean sentiu um calafrio na espinha. *São suicidas. Será que levarão todos os outros com eles?*

— Queremos que diga a verdade ao mundo — disse Joe. — Eles o ouvirão. Entre com aquele repórter, agente Dean. Fale conosco. Quando acabar, diga a todos o que ouviu.

— Você não vai morrer. Não precisa morrer.

— Acha que queremos morrer? Tentamos fugir deles. Não conseguimos. Esta é a única chance que nos resta.

— Por que fazer isso desse modo? Por que ameaçar gente inocente?

— Ninguém nos ouviria de outro modo.

— Apenas saia! Liberte os reféns e renda-se.

— E nunca mais nos veria vivos outra vez. Virão com uma explicação lógica. Sempre vêm. Observe, você verá nas notícias. Alegarão que cometemos suicídio. Vamos morrer na cadeia, antes de sermos julgados. E todo mundo vai pensar: "Bem, é assim que são as coisas na cadeia." Esta é a nossa última chance, agente Dean, para chamar a atenção do mundo. Para dizer a eles.

— Dizer a eles o quê?

— O que realmente aconteceu em Ashburn.

— Olhe, não sei do que você está falando. Mas farei tudo que quiser se deixar minha mulher sair.

— Ela está bem aqui. Ela está bem. Na verdade, vou deixar você...

A ligação caiu subitamente.

— Joe? *Joe?*

— O que houve? — exigiu Korsak. — O que ele disse?

Gabriel o ignorou. Toda a sua atenção estava concentrada em restabelecer a ligação. Ele recuperou o número e apertou DIAL.

— ...lamentamos. Este número esta temporariamente indisponível.

— O que está acontecendo? — gritou Korsak.

— Não consigo ligar.

— Ele desligou na sua cara?

— Não, fomos desconectados. Pouco depois de... — Gabriel parou de falar. Voltou-se e olhou para a rua, olhar concentrado no trailer de comando. Eles estavam ouvindo, pensou. Alguém ouviu tudo o que Joe dissera.

— Ei! — chamou Korsak. — Para onde está indo?

Gabriel já corria para o trailer. Não se importou em bater. Em vez disso, escancarou a porta e entrou. Hayder e Stillman voltaram-se dos monitores de vídeo e olharam para ele.

— Não temos tempo para isso agora, agente Dean — disse Hayder.

— Vou entrar naquele prédio. Vou buscar minha mulher.

— Ah, claro. — Hayder riu. — Estou certo de que será recebido de braços abertos.

— Joe ligou para o meu telefone celular. Eles me convidaram a entrar. Querem falar comigo.

Subitamente, Stillman se endireitou na cadeira, o rosto registrando surpresa verdadeira.

— Quando ele ligou para você? Ninguém nos disse.

— Há alguns minutos. Joe sabe quem sou. Sabe que Jane é minha mulher. Posso argumentar com essa gente.

— Fora de questão — disse Hayder.

— Vocês iam enviar aquele repórter.

— Eles sabem que você é do FBI. Na cabeça deles, você provavelmente é parte desta louca conspiração do governo da qual eles têm tanto medo. Você teria sorte se demorasse cinco minutos ali dentro.

— Vou arriscar.

— Você seria um prêmio para eles — disse Stillman. — Um refém de alto nível.

— Você é o negociador. Você é quem vive falando em ir devagar com as coisas. Bem, essas pessoas *querem* negociar.

— Por que com você?

— Porque sabem que não farei coisa alguma que ponha Jane em perigo. Não farei truques, não levarei nenhuma armadilha. Serei apenas eu, jogando de acordo com as regras *deles*.

— Tarde demais, Dean — disse Stillman. — Não vamos mais jogar. Já estão com a equipe de invasão a postos.

— Que equipe?

— Os federais os trouxeram de avião, de Washington. É alguma unidade antiterrorismo.

Aquilo era exatamente o que o senador Conway dissera para Gabriel que estava a ponto de acontecer. O tempo para negociações evidentemente se esgotara.

— O Departamento de Polícia de Boston recebeu ordens de sair do caminho — disse Hayder. — Nosso trabalho é apenas manter o perímetro seguro enquanto eles entram.

— E quando isso supostamente vai ocorrer?

— Não fazemos idéia. Estão esperando a oportunidade.

— E quanto ao acordo que você fez com Joe? O operador de câmera, o repórter? Ele ainda pensa que vai acontecer.

— Não vai.

— Quem cancelou?

— Os federais. Apenas ainda não dissemos para Joe.

— Ele já concordou em liberar dois reféns.

— E ainda estamos esperando que faça. Ao menos são duas vidas que poderemos salvar.

— Se você não cumprir a sua parte no trato, se não mandar Peter Lukas, haverá quatro reféns que você *não* poderá salvar.

— A essa altura, espero que a equipe de invasão esteja lá dentro.

Gabriel olhou-o.

— Você *quer* um massacre? Porque é o que vai conseguir! Vocês estão dando a dois paranóicos todos os motivos para pensarem que os seus delírios são reais. Que vocês *estão* aqui para matá-los. Droga, talvez estejam certos!

— Agora é você quem está soando paranóico.

— Creio que sou o único que está fazendo sentido. — Gabriel voltou-se e saiu do trailer.

Ouviu o negociador chamá-lo:

— Agente Dean?

Gabriel continuou caminhando em direção à barreira policial.

— Dean! — Finalmente, Stillman o alcançou. — Só queria que soubesse que não concordei com nenhum plano de invasão. Você está certo, isso é pedir um derramamento de sangue.

— Então por que estão permitindo isso?

— Como se eu ou Hayder pudéssemos evitar! Agora é com Washington. Devemos sair do caminho e deixá-los continuar daqui por diante.

Foi quando ouviram um súbito burburinho. A multidão de repórteres se estreitou e avançou.

O que está acontecendo?

Ouviram um grito, viram as portas do saguão se abrirem e um afro-americano alto com uniforme de auxiliar de enfermagem sair, escoltado por dois policiais. Ele fez uma pausa, olhos ofuscados pela luz de dezenas de refletores, então foi levado a um veículo que o esperava. Segundos depois um homem em cadeira de rodas emergiu, empurrado por um policial do Departamento de Polícia de Boston.

— Eles o fizeram — murmurou Stillman. — Libertaram duas pessoas.

Mas não Jane. Jane ainda está lá dentro. E a invasão pode começar a qualquer momento.

Ele avançou em direção ao cerco policial.

— Dean — disse Stillman, agarrando-lhe o braço.

Gabriel voltou-se para ele.

— Isso pode acabar sem que nenhum tiro seja disparado. Deixe-me entrar. Deixe-me falar com eles.

— Os federais nunca deixarão.

— Mas o Departamento de Polícia de Boston controla o perímetro. Ordene que os seus homens me deixem passar.

— Pode ser uma armadilha mortal.

— Minha mulher está lá dentro. — Ele encarou Stillman. — Você sabe que tenho de fazê-lo. Você sabe que essa é a melhor chance que ela terá. A melhor chance que *qualquer um* deles terá.

Stillman suspirou e meneou a cabeça, concordando.

— Boa sorte.

Gabriel se abaixou para cruzar a fita de isolamento. Um policial da equipe de operações táticas se adiantou para interceptá-lo.

— Deixe-o passar — disse Stillman. — Ele vai entrar no prédio

— Senhor?

— O agente Dean é o nosso novo negociador.

Gabriel meneou a cabeça em agradecimento para Stillman. Então voltou-se e começou a andar em direção às portas do saguão.

19

Mila

Nem eu nem Olena sabemos para onde estamos indo. Nunca andamos nesta floresta, e não sabemos onde emergiremos. Não tenho meias, e o frio rapidamente penetra em meus sapatos finos. Apesar do suéter e do casaco da Mãe, estou gelada e tremendo. As luzes da casa desapareceram atrás de nós e, ao olhar para trás, vejo apenas a escuridão da floresta. Com pés dormentes, piso em folhas congeladas, concentrando-me na silhueta de Olena, que caminha diante de mim, carregando a bolsa. Meu hálito é vaporoso. O gelo se parte sob nossos pés. Lembro-me de um filme de guerra que vi na escola, de soldados alemães gelados e famintos caminhando pela neve em direção ao seu destino no front russo. *Não pare. Não pergunte. Apenas continue marchando* era o que aqueles soldados desesperados deviam estar pensando. É o que penso agora enquanto tropeço pela floresta.

Súbito, brilha uma luz à nossa frente.

Olena pára e levanta o braço para que eu também pare. Ficamos tão imóveis quanto as árvores, observando as luzes que passam e ouvindo ruído de pneus no chão molhado. Afastamos o último ramo de arbusto e nossos pés pisam o asfalto.

Chegamos a uma estrada.

A esta altura meus pés estão tão dormentes que tropeço ao tentar alcançar Olena, que avança regularmente, como um robô. Começamos a ver casas, mas ela não pára. Ela é o general; e eu sou apenas um soldado raso, seguindo uma mulher que sabe mais do que eu.

— Não podemos andar para sempre — digo.

— Também não podemos ficar aqui.

— Veja, aquela casa tem as luzes acesas. Podemos pedir ajuda.

— Agora não.

— Quanto tempo vamos continuar andando? A noite inteira? A semana inteira?

— O quanto precisarmos.

— Ao menos sabe para onde estamos indo?

De repente ela se volta, o ódio tão evidente em seu rosto que fico paralisada.

— Quer saber? Estou de saco cheio de você! Você não passa de um bebê. Um coelho idiota e medroso.

— Só quero saber para onde estou indo.

— Tudo o que você faz é choramingar e reclamar! Bem, para mim chega. Estou farta de você. — Ela enfia a mão na mala e tira o rolo de dinheiro americano. Rompe o elástico e me dá a metade do que há ali. — Aqui está: pegue e suma da minha frente. Se é tão esperta, continue sozinha.

— Por que está fazendo isso? — Sinto lágrimas quentes em meus olhos, não por estar com medo, mas porque ela é minha única amiga. E sei que a estou perdendo.

— Você é um peso para mim, Mila. Você me atrasa. Não quero cuidar de você o tempo todo. *Não* sou a merda de sua mãe!

— Nunca quis que fosse.

— Então por que não cresce?

— E por que você não pára de ser geniosa?

O carro nos pega de surpresa. Estamos tão concentradas uma na outra que não notamos a sua aproximação. Subitamente ele faz a curva, e o farol nos ilumina como animais no matadouro. Os pneus cantam ao frear. É um carro velho e o motor chacoalha quando em ponto morto.

O motorista põe a cabeça para fora da janela.

— Ei, meninas, querem ajuda? — diz ele. Parece mais uma afirmação do que uma pergunta, mas a nossa situação é óbvia. Uma noite gelada. Duas mulheres em uma estrada. Claro que precisamos de ajuda.

Olho para ele em silêncio. É Olena quem toma a iniciativa, como sempre. Em um instante ela se transforma. Seu caminhar, sua voz, o modo provocativo como projeta os lábios — esta é Olena sendo o mais sedutora possível. Ela sorri e diz em inglês:

— Nosso carro pifou. Pode nos dar uma carona?

O homem a olha atentamente. Estará sendo cauteloso? De algum modo ele se dá conta de que há algo muito errado aqui. Estou a ponto de fugir de volta para a floresta, antes que ele possa ligar para a polícia.

Quando ele finalmente responde, sua voz é neutra, sem demonstrar que o charme de Olena o afetou.

— Há um posto de serviço estrada acima. Preciso parar ali para abastecer. Posso pedir um guincho.

Entramos no carro, Olena senta-se no banco da frente, eu sento atrás. Guardo no bolso o dinheiro que ela me deu. Ainda estou furiosa, ainda magoada com sua crueldade. Com este dinheiro posso me virar sem ela, sem ninguém. E vou me virar.

O homem não fala enquanto dirige. A princípio acho que ele está simplesmente nos ignorando, que não o interessamos. Então vejo um relance de seus olhos no espelho retrovisor e dou-me conta de que ele está me estudando, estudando a nós duas. Em seu silêncio, ele está alerta como um gato.

As luzes do posto de serviço brilham mais adiante. Entramos no acesso de veículos e paramos junto à bomba de gasolina. O homem sai para encher o tanque e nos diz:

— Vou perguntar sobre o guincho.

Ele caminha em direção ao prédio.

Olena e eu ficamos no carro, incertas sobre o que fazer a seguir. Através da janela, vemos o nosso motorista conversar com o caixa. Ele aponta para nós e o caixa pega o telefone.

— Ele está chamando a polícia — sussurro para Olena. — Devíamos ir embora. Devemos ir *agora.* — Levo a mão à porta e estou a ponto de abri-la quando um carro preto entra no posto de serviço e estaciona bem ao nosso lado. Dois homens saltam do carro, ambos vestindo roupas escuras. Um deles tem cabelo louro cortado rente. Eles olham para nós.

Durante um instante, meu sangue congela em minhas veias.

Somos animais presos no carro daquele estranho, e dois caçadores acabam de nos cercar. O louro fica ao lado da minha porta, olhando para mim, e só me resta olhar através da janela, para o último rosto que a Mãe viu antes de morrer. O último que provavelmente verei.

Súbito, o queixo do louro se ergue e seu olhar volta-se para o posto. Viro-me e percebo que nosso motorista acabou de sair e está caminhando em direção ao carro. Ele pagou a gasolina e está guardando a carteira no bolso. Ele reduz os passos, franzindo as sobrancelhas para os dois homens ao lado de seu carro.

— Posso ajudá-los, cavalheiros? — pergunta o nosso motorista.

— Podemos fazer algumas perguntas? — retruca o louro.

— Quem são vocês?

— Agente especial Steve Ullman. FBI.

Nosso motorista não parece muito impressionado. Ele pega um rodo no balde no posto, tira o excesso de água da esponja e começa a limpar o pára-brisa.

— O que querem comigo? — pergunta ele, puxando a água do vidro.

O louro se aproxima de nosso motorista e fala em surdina. Ouço as palavras *fugitivas* e *perigosas.*

— E por que estão me dizendo isso? — diz o motorista.

— Este é o seu carro, certo?

— Certo. — Nosso motorista subitamente ri. — Ah, agora entendi. Caso estejam se perguntando, aquelas são minha mulher e a prima dela. Parecem mesmo perigosas, não parecem?

O louro olha para o parceiro. Um olhar surpreso. Não sabe o que dizer.

Nosso motorista joga o rodo de volta dentro do balde.

— Boa sorte, rapazes — diz ele, abrindo a porta do carro. Ao se sentar atrás do volante, diz para Olena em voz alta: — Desculpe, amor, eles não têm analgésico. Vamos tentar no próximo posto.

Quando vamos embora, vejo que os homens ainda estão olhando para nós. Um deles está anotando a placa do carro.

Por um instante, ninguém fala no carro. Ainda estou paralisada de medo. Só consigo olhar para a cabeça de nosso motorista. O homem que acaba de salvar nossas vidas.

— Vão me dizer o que está acontecendo? — pergunta ele.

— Eles mentiram para você — diz Olena. — Não somos perigosas!

— E eles não são do FBI.

— Você já sabia?

O homem voltou-se para ela.

— Olhe, não sou burro. Conheço um agente federal quando vejo um. E sei quando estou sendo enganado. Que tal me dizerem a verdade?

Olena suspira, desesperançada, e diz em um sussurro:

— Eles querem nos matar.

— Isso eu já percebi. — Ele balança a cabeça e ri, mas não há humor no seu riso. É o riso de um homem que não consegue acreditar na própria sorte. — Cara, quando urubu está com azar... — diz ele. — Quem são eles e por que querem matá-las?

— Por causa do que vimos esta noite.

— O que viram?

Ela olha pela janela.

— Demais — murmura Olena. — Nós vimos demais.

Ele deve ter achado a resposta suficiente por enquanto, porque saímos da estrada. Atravessamos uma trilha de terra batida que nos leva para dentro da floresta. Ele pára o carro em frente a uma casa em ruínas, cercada de árvores. É pouco mais que uma cabana rústica, um lugar onde apenas uma pessoa muito pobre seria capaz de viver. Mas no telhado há uma enorme antena parabólica.

— Aqui é a sua casa? — pergunta Olena.

Sua resposta é curiosa:

— É onde moro.

Ele usa três chaves diferentes para abrir a porta da frente. Na varanda, enquanto espero ele abrir as diversas trancas, percebo que todas as janelas têm grades. Por um instante hesito em entrar, pois me lembro da outra casa de onde acabei de fugir. Mas aquelas grades, dou-me conta, são diferentes. Não são para prender gente do lado de dentro. São para manter as pessoas do lado de fora.

Ao entrar, sinto cheiro de madeira queimada e lã molhada. Ele não liga luz alguma, mas caminha pelo cômodo como se conhecesse cada centímetro quadrado do lugar.

— Fica um pouco úmido aqui quando me afasto durante alguns dias — diz ele.

O homem acende um fósforo e vejo-o ajoelhado diante de uma lareira. Ali já o esperava um monte de troncos e gravetos, prontos para serem acesos, e as chamas logo ganham vida. O brilho ilumina seu rosto, que parece ainda mais macilento, mais sombrio naquele cômodo escuro. Outrora, penso, pode ter sido um rosto bonito, mas seus olhos agora estão repletos de olheiras e o queixo magro denuncia diversos dias de barba por fazer. À medida que o fogo aumenta de intensidade, olho ao redor e vejo um pequeno cômodo, tornado ainda menor pelas pilhas de jornais e revistas, pelas dezenas e dezenas de recortes pregados nas paredes. Estão em toda parte, como escamas amareladas, e eu o imagino fechado naquele barracão solitário, dia após dia, mês após mês, recortando fervorosamente artigos cujo significado só ele compreende. Olho ao redor para as janelas gradeadas, lembro-me das três trancas na porta da frente e penso: Este é o lar de um homem amedrontado.

Ele vai até um armário e o destranca. Fico assustada ao ver meia dúzia de rifles lá dentro. Ele retira um e volta a trancar o armário. Ao ver a arma em sua mão, recuo um passo.

— Está tudo bem. Nada a temer — diz ele ao ver a minha expressão alarmada. — Esta noite eu gostaria de ter uma arma à mão.

Ouvimos um som como o de um sino.

O homem se põe de pé ao ouvi-lo. Carregando o rifle, vai até a janela e olha para a floresta.

— Algo acionou o sensor — diz ele. — Pode ser apenas um animal. Mas, por outro lado...

Ele fica à janela um longo tempo, mãos no rifle. Lembro-me dos dois sujeitos no posto de serviço observando-nos enquanto nos afastávamos e anotando a placa do carro. Agora já devem saber quem era o dono do carro. Devem saber onde ele mora.

O homem vai até uma pilha de lenha, pega um tronco e o atira no fogo. Acomoda-se em uma cadeira de balanço e fica sentado olhando para nós, o rifle no colo. As chamas estalam, e as fagulhas dançam na lareira.

— Meu nome é Joe — diz ele. — Quem são vocês?

Olho para Olena. Nenhuma de nós diz coisa alguma. Embora o estranho tenha salvado nossas vidas, ainda temos medo dele.

— Olhe, vocês fizeram a escolha. Vocês entraram no meu carro. — A cadeira range enquanto ele se balança sobre o chão de madeira. — Agora é tarde demais para se fazerem de senhoras modestas — diz ele. — A sorte foi lançada.

Quando desperto, ainda não está claro e só há brasas na lareira. A última coisa de que me lembro antes de cair no sono é das vozes de Olena e de Joe, conversando baixinho. Agora, à luz da lareira, posso ver Olena dormindo ao meu lado no tapete. Ainda estou furiosa com ela e ainda não a perdoei pelo que me disse. Algumas horas de sono tornaram o inevitável muito claro para mim. Não podemos ficar juntas para sempre.

O ranger da cadeira de balanço atrai minha atenção. Vejo o brilho tênue do rifle de Joe e sinto que ele está me observando. Provavelmente ele está nos vendo dormir há algum tempo.

— Levante-se — diz ele. — Precisamos ir agora.

— Por quê?

— Eles estão lá fora. Estão observando a casa.

— O quê? — Levanto-me de súbito, o coração disparado, e vou até a janela. Tudo o que vejo é a escuridão da floresta. Dou-me conta de que as estrelas estão se apagando e que logo irá clarear.

— Acho que ainda estão parados na estrada. Ainda não acionaram a segunda bateria de sensores de movimento — diz ele. — Mas precisamos nos mover agora, antes que clareie. — Ele se levanta, vai até um armário e pega uma mochila. Seja lá o que a mochila contenha, produz um ruído metálico. — Olena — diz ele, e a cutuca com a ponta da bota. Ela se espreguiça e olha para ele. — Hora de ir — diz Joe. — Se quiser viver.

Ele não nos leva à porta da frente. Em vez disso, levanta tábuas do chão, e o cheiro de terra molhada ergue-se das trevas lá embaixo. Ele começa a descer a escada e diz:

— Vamos, senhoras.

Dou-lhe a bolsa da Mãe e entro atrás dele. Ele acende uma lanterna e vejo caixotes empilhados contra as paredes de pedra.

— No Vietnã os camponeses tinham túneis embaixo de suas casas, iguais a este aqui — diz ele, enquanto nos guia através de um túnel. — Geralmente era só para guardar comida. Mas às vezes salvava vidas. — Ele parou e abriu um cadeado. Desligou a lanterna e ergueu um alçapão de madeira sobre a sua cabeça.

Saímos do túnel em meio a uma floresta escura. As árvores nos ocultam enquanto nos afastamos da casa. Não dizemos uma palavra. Não ousamos. Mais uma vez, sigo cegamente, sempre o soldado raso, nunca o general. Mas desta vez confio na pessoa que está nos liderando. Joe caminha silenciosamente, com a confiança de alguém que sabe exatamente para onde está indo. Caminho bem atrás dele, e enquanto a manhã começa a iluminar o céu vejo que ele manca. Ele arrasta um pouco a perna esquerda e, quando se volta para trás, vejo a sua expressão de dor. Ainda assim, avança em meio ao lusco-fusco matinal.

Finalmente, vejo uma fazenda em ruínas entre as árvores mais adiante. Ao nos aproximarmos, vejo que ninguém mora ali. As janelas estão quebradas, e uma das extremidades do teto desmoronou. Mas Joe não procura a casa. Em vez disso, entra na cocheira, que também parece estar a ponto de ruir. Ele destrava um cadeado e abre a porta da cocheira.

Lá dentro, há um carro.

— Sempre me perguntei se algum dia precisaria dele — diz Joe ao entrar e sentar-se no banco do motorista.

Entro no banco de trás. Há um cobertor e um travesseiro sobre o assento e aos meus pés vejo latas de comida. Suficientes para comermos durante vários dias.

Joe gira a chave na ignição. Relutante, o motor volta à vida.

— Detesto deixar este lugar — diz ele. — Mas talvez seja a hora de ir por algum tempo.

— Está fazendo isso por nossa causa? — pergunto.

Ele olha para mim por sobre os ombros.

— Estou fazendo isso para evitar aborrecimentos. Vocês duas parecem ter me trazido um caminhão de problemas.

Ele tira o carro da cocheira e começamos a sacolejar pela estrada de terra batida. Passamos diante da casa grande em ruínas e de uma lagoa estagnada. Subitamente ouvimos um estrondo. Joe pára o carro bruscamente, abaixa o vidro e olha para a floresta de onde acabamos de emergir.

A fumaça negra ergue-se acima das árvores em colunas que sobem para o céu que clareia. Ouço Olena emitir um grito de surpresa. Minhas mãos estão suadas e trêmulas ao pensar na cabana que acabamos de deixar, agora em chamas. E penso em carne queimada. Joe nada diz. Ele apenas olha para a fumaça, chocado e em silêncio, e me pergunto se ele está amaldiçoando a má sorte de ter nos encontrado.

Após um instante, ele suspira profundamente.

— Nossa — murmura. — Seja lá quem for essa gente, eles jogam para ganhar.

Joe volta a atenção para a estrada. Sei que está com medo, porque posso ver as suas mãos agarradas ao volante. Os nós de seus dedos estão esbranquiçados.

— Senhoras — diz ele baixinho. — Acho que é hora de desaparecer.

20

Jane fechou os olhos e agüentou o auge de dor como um surfista prestes a descer uma onda. *Por favor, que acabe logo. Faça parar, faça parar.* Sentiu o suor brotar em sua face à medida que a contração aumentava, doendo tanto que ela não podia gemer, nem mesmo respirar. Além de suas pálpebras fechadas, as luzes pareceram diminuir, todos os sons abafados pelo pulsar de seu coração. Apenas vagamente registrava o tumulto na sala. Um bater à porta. As tensas exigências de Joe.

Súbito, a mão se fechou ao redor da mão de Jane, um aperto quente e familiar. Não pode ser, pensou, quando a dor da contração diminuiu e sua visão clareou lentamente. Ela se concentrou no rosto que olhava para ela e ficou pasma.

— Não — murmurou. — Não, você não devia estar aqui.

Ele segurou-lhe o rosto e beijou-lhe a testa e os cabelos.

— Tudo vai ficar bem, querida. Tudo ficará bem.

— É a coisa mais idiota que você já fez.

Ele sorriu.

— Você sabia que eu não era muito inteligente ao se casar comigo.

— No que estava pensando?

— Em você. Apenas em você.

— Agente Dean — disse Joe.

Lentamente, Gabriel se levantou. Tantas vezes antes Jane olhara para o marido e pensara quão abençoada ela era, mas nunca como naquele instante. Ele estava desarmado, não tinha qualquer vantagem, embora, ao voltar-se para encarar Joe, projetasse apenas plácida determinação.

— Estou aqui. Agora vai deixar minha mulher ir embora?

— Depois que conversarmos. Após nos ouvir.

— Estou ouvindo.

— Tem de prometer que vai dar continuidade àquilo que vamos lhe dizer. Que não deixará isso morrer conosco.

— Eu disse que ouviria. Foi tudo o que pediu. E você disse que deixaria essa gente ir embora. Você pode querer morrer, eles não.

— Não queremos que ninguém morra — disse Olena.

— Então provem. Soltem essa gente. Aí vou me sentar aqui e ouvi-los o tempo que quiserem. Horas, dias. Estou à disposição. — Ele olhou impassível para os seqüestradores.

Houve um instante de silêncio.

Subitamente, Joe inclinou-se em direção ao sofá, agarrou o braço da Dra. Tam e puxou-a.

— Fique junto à porta, doutora — ordenou.

Voltou-se e apontou para as duas mulheres sentadas no outro sofá.

— Vocês duas, levantem-se.

As mulheres não se moveram. Apenas olharam para Joe, como se estivessem certas de que era um truque, que, caso se movessem, sofreriam as conseqüências.

— Vamos! Levantem-se!

A recepcionista soluçou e levantou-se. Somente então a outra mulher a acompanhou. Ambas se aproximaram da porta junto à qual a Dra. Tam ainda estava imóvel. As horas de cativeiro as intimidaram de tal forma que não acreditavam que o transe estava acabando. Mesmo enquanto se aproximava da porta, a Dra. Tam olhava para Joe, esperando a ordem de parar.

— Vocês três podem ir — disse Joe.

No instante em que as mulheres saíram, Olena bateu a porta atrás delas e voltou a trancá-la.

— E quanto à minha mulher? — perguntou Gabriel. — Deixe-a ir também.

— Não posso. Não ainda.

— Nosso acordo...

— Concordei em libertar os reféns, agente Dean. Não disse quais.

Gabriel ficou furioso.

— E acha que vou confiar em você agora? Acha que vou ouvir o que tem a dizer?

Jane segurou a mão do marido e sentiu os tendões tensos de raiva.

— Apenas ouça. Deixe-o falar.

Gabriel suspirou.

— Tudo bem, Joe. O que tem a me dizer?

Joe pegou duas cadeiras, arrastou-as para o centro da sala e colocou-as uma de frente para a outra.

— Vamos sentar, eu e você.

— Minha mulher está em trabalho de parto. Ela não pode ficar aqui muito tempo.

— Olena irá ajudá-la. — Ele apontou para as cadeiras. — Vou lhe contar uma história.

Gabriel olhou para Jane. Ela viu tanto amor quanto apreensão nos olhos dele. *Em quem confia?*, Joe perguntara antes. *Quem receberia esta bala em seu lugar?* Olhando para o marido, ela pensou: Não haverá ninguém em quem eu confie mais que você.

Relutante, Gabriel voltou a atenção para Joe, e os dois ficaram sentados um de frente para o outro. Parecia um encontro perfeitamente civilizado, exceto pelo fato de que um dos homens tinha uma arma no colo. Olena, agora sentada no sofá de Jane, segurava outra arma, igualmente letal. Apenas um belo encontro de casais. *Qual par sobreviveria àquela noite?*

— O que lhe disseram a meu respeito? — perguntou Joe. — O que o FBI está dizendo?

— Algumas coisas.

— Que sou louco, certo? Um recluso. Paranóico.

— Sim.

— Você acreditou neles?

— Não tenho por que não acreditar.

Jane observou o rosto do marido. Embora ele falasse com calma, ela podia ver a tensão em seus olhos, os músculos do pescoço retesados. Você sabia que esse sujeito era louco e ainda assim veio até aqui, pensou. Tudo por mim... Ela suprimiu um gemido quando uma nova contração começou a se avolumar em seu ventre. *Fique quieta. Não distraia Gabriel. Deixe-o fazer o que tem de fazer.* Ela se recostou no sofá, dentes trincados, sofrendo em silêncio. Manteve o olhar fixo no teto, em uma mancha escura no revestimento acústico. *Concentre-se no seu ponto focal. Esqueça a dor.* O teto ficou fora de foco, a mancha parecendo flutuar em um mar branco e instável. Aquilo a deixava nauseada só de olhar. Fechou os olhos, como um marinheiro enjoado pelo balanço das ondas.

Apenas quando a contração começou a diminuir, quando a dor finalmente relaxou, ela abriu os olhos. Seu olhar, mais uma vez, focalizava o teto. Algo mudara. Junto à mancha havia agora um buraquinho, quase imperceptível entre os poros do revestimento acústico.

Ela olhou para Gabriel, mas ele não estava olhando para ela. Estava completamente concentrado no homem sentado diante dele.

— Você acha que sou louco? — perguntou Joe.

Gabriel olhou-o um instante.

— Não sou psiquiatra. Não tenho como determinar isso.

— Você esperou entrar aqui e encontrar um louco brandindo uma arma, não foi? — Ele se inclinou para a frente. — Foi o que lhe disseram. Seja honesto.

— Você realmente quer que eu seja honesto?

— Claro.

— Eles me disseram que eu estaria lidando com dois terroristas. Foi o que me levaram a crer.

Joe recostou-se, rosto sombrio.

— Então é assim que vão terminar isso — murmurou. — Claro. É como eles *terminariam* isso. Que tipo de terroristas somos? — Ele olhou para Olena, então riu. — Ah. Tchetchenos, provavelmente.

— Sim.

— John Barsanti está gerindo o espetáculo?

Gabriel franziu as sobrancelhas.

— Você o conhece?

— Ele está atrás da gente desde a Virginia. Em todo lugar aonde vamos, ele aparece. Sabia que ele apareceria por aqui. Provavelmente está esperando para fechar os nossos sacos de cadáver.

— Vocês não precisam morrer. Entreguem-me as armas e todos saímos juntos. Sem tiroteio, sem sangue. Dou-lhes a minha palavra.

— É, isso é uma garantia.

— Você me deixou entrar. O que quer dizer que, até certo ponto, confia em mim.

— Não posso confiar em ninguém.

— Então por que estou aqui?

— Porque me recuso a ser enterrado sem nenhuma esperança de justiça. Tentamos levar isso à imprensa. Nós *entregamos* para eles a merda das provas. Mas ninguém deu bola. — Ele olhou para Olena. — Mostre-lhes o seu braço. Mostre o que a Ballentree fez com você.

Olena puxou a manga para cima do cotovelo e apontou para uma cicatriz.

— Vê? — perguntou Joe. — O que fizeram com o braço dela?

— Ballentree? Está falando do fornecedor do Departamento de Defesa?

— Última tecnologia de microcircuitos. Um modo de Ballentree rastrear a sua propriedade. Ela era uma carga humana, enviada direto de Moscou. Um trabalhinho que a Ballentree opera por fora.

Jane voltou a olhar para o teto. Subitamente deu-se conta de que havia outros buracos no revestimento acústico. Ela olhou para os dois homens, mas ainda estavam concentrados um no outro. Ninguém olhava para cima. Ninguém mais viu que o teto estava agora repleto de furos.

— Então tudo isso é por causa de um fornecedor do Departamento de Defesa? — perguntou Gabriel, a voz firme, sem revelar o ceticismo que certamente sentia.

— Não *qualquer* fornecedor do Departamento de Defesa. Estamos falando da Ballentree Company. Vínculos diretos com a Casa Branca e com o Pentágono. Estamos falando de executivos que fazem bilhões de dólares toda vez que vamos à guerra. Por que acha que a Ballentree fica com quase todos os grandes contratos? Porque são *donos* da Casa Branca.

— Detesto dizer isso, Joe, mas esta não é exatamente uma teoria de conspiração nova. A Ballentree é o bicho-papão de muita gente hoje em dia. Muita gente está louca por derrubá-la.

— Mas Olena pode conseguir.

Gabriel olhou para a mulher, olhar dúbio.

— Como?

— Ela sabe o que fizeram em Ashburn. Ela viu o tipo de gente que são.

Jane ainda olhava para cima, tentando compreender o que estava vendo agora. Linhas finas de vapor saíam silenciosamente do teto. *Gás. Estão injetando gás na sala.*

Ela olhou para o marido. Será que ele sabia o que estava acontecendo? Será que ele sabe que o plano é esse? Ninguém mais parecia ciente do invasor silencioso. Ninguém mais se deu conta de que o ataque estava começando, anunciado por aqueles finos fios de gás.

Estamos todos respirando esse negócio.

Ela se retraiu ao sentir outra contração. Ah, meu Deus, agora não, pensou. Não quando o inferno está a ponto de ser desencadeado. Ela agarrou a almofada do sofá, esperando o auge da contração. A dor a dominava agora, e tudo o que podia fazer era agarrar a almofada e agüentar. Essa vai ser forte, pensou. Oh, essa vai ser mesmo muito forte.

Mas a dor nunca chegou ao ápice. Subitamente, a almofada pareceu derreter do punho de Jane. Ela se sentiu puxada para baixo, em direção ao mais doce dos sonhos. Em meio à dormência crescente, ouviu estrondos e gritos de homens. Ouviu a voz de Gabriel muito distante, abafada, chamando o seu nome.

A dor quase havia ido embora.

Alguma coisa se chocou contra ela e Jane sentiu algo macio no rosto. O toque de uma mão, uma carícia. Uma voz sussurrou palavras que ela não entendeu, palavras suaves e urgentes quase perdidas em meio ao estrondo da porta sendo derrubada. Um segredo, pensou. Ela está me contando um segredo.

Mila. Mila sabe.

Então ouviu um tiro ensurdecedor e sentiu um líquido quente no rosto.

Gabriel, pensou. Onde está você?

21

Ao ouvir o som do primeiro tiro, a multidão na rua arfou em uníssono. O coração de Maura parou de bater por um instante. Policiais da unidade de operações táticas mantinham o bloqueio policial enquanto continuava o tiroteio. Ela viu a expressão de confusão no rosto dos policiais à medida que os minutos passavam. Todos queriam saber o que estava acontecendo lá dentro. Ninguém se mexia. Ninguém corria para o prédio.

O que estão esperando?

Os rádios da polícia subitamente voltaram à vida:

— Prédio seguro! A equipe de invasão já saiu e o prédio está seguro! Tragam os médicos. Precisamos de macas...

Equipes médicas avançaram, atravessando a barreira policial como atletas rompendo a fita na reta de chegada. O romper daquela fita amarela determinou o caos. Repórteres e câmeras avançaram para o edifício, enquanto o Departamento de Polícia de Boston lutava por contê-los. Um helicóptero barulhento pairava mais acima.

Através do tumulto, Maura ouviu Korsak gritar:

— Sou um policial, droga! Minha amiga está lá dentro! Deixe-me passar! — Korsak olhou para ela e gritou: — Doutora, você tem de descobrir se ela está bem!

Maura avançou em direção à barreira. O policial olhou de má vontade para a credencial dela e balançou a cabeça.

— Precisam cuidar dos vivos primeiro, Dra. Isles.

— Sou médica. Posso ajudar.

Sua voz foi quase abafada pelo helicóptero, que acabara de pousar no estacionamento do outro lado da rua. Distraído, o policial voltou-se para gritar com um repórter:

— Ei, você! Volte aqui!

Maura passou por ele e correu em direção ao prédio, com medo do que encontraria lá dentro. Assim que entrou no corredor que levava ao laboratório de diagnóstico por imagem, uma maca veio em sua direção, conduzida por dois paramédicos, e ela levou a mão à boca para conter um gemido. Ela viu uma barriga grávida, um cabelo escuro. *Não. Ah, meu Deus, não.*

Jane Rizzoli estava coberta de sangue.

Nesse instante, todo o treinamento médico de Maura pareceu abandoná-la. O pânico a fez se concentrar no sangue, e apenas no sangue. *Muito* sangue. Então, quando a maca passou, ela viu o tórax subir e baixar. Viu a mão se movendo.

— Jane? — chamou Maura.

Os paramédicos já estavam empurrando a maca através do saguão e Maura teve de correr para alcançá-los.

— Esperem! Como ela está?

Um dos homens olhou-a por cima do ombro.

— Está em trabalho de parto. Nós a estamos removendo para Brigham.

— Mas todo esse sangue...

— Não é dela.

— Então é de quem?

— Daquela mulher ali. — E apontou com o polegar em direção ao corredor. — *Aquela* ali não vai a lugar algum.

Ela observou enquanto a maca era levada porta afora. Voltou-se e continuou a avançar pelo corredor, passando por paramédicos e policiais do Departamento de Polícia de Boston, em direção ao centro da crise.

— Maura? — ouviu uma voz chamar, estranhamente distante e abafada.

Ela viu Gabriel lutando para se sentar em uma maca. Tinha uma máscara de oxigênio presa à face e um tubo de soro espetado no braço.

— Está bem?

Gemendo, ele baixou a cabeça.

— Só... estou tonto.

O paramédico disse:

— É a ressaca do gás. Acabei de lhe dar Narcan endovenoso. Precisa ficar quieto durante algum tempo. É como sair de uma anestesia.

Gabriel ergueu a máscara.

— Jane...

— Acabei de vê-la — disse Maura. — Ela está bem. Eles a estão levando para o Hospital Brigham.

— Não posso ficar aqui.

— O que aconteceu? Ouvimos tiros.

Gabriel balançou a cabeça.

— Não me lembro.

— Sua máscara — disse o paramédico. — Você precisa desse oxigênio agora.

— Não precisavam ter feito isso — disse Gabriel. — Eu poderia tê-los convencido a sair. Poderia tê-los convencido a se renderem.

— Senhor, precisa colocar a máscara outra vez.

— Não — rebateu Gabriel. — Preciso ficar com a minha mulher. É isso que preciso fazer.

— Você não está pronto para ir.

— Gabriel, ele está certo — disse Maura. — Olhe para você, mal pode sentar. Fique deitado mais um pouco. Vou levá-lo ao Hospital Brigham de carro, mas não até você ter tido a chance de ser recuperar.

— Só mais um pouco — disse Gabriel, voltando a se acomodar na maca. — Vou ficar bom logo...

— Já volto.

Ao atravessar a porta do laboratório de diagnóstico por imagem, a primeira coisa que viu foi sangue. É sempre o sangue que chama a atenção, aquelas manchas vermelhas chocantes que indicam que algo terrível, verdadeiramente terrível, aconteceu ali. Embora houvesse meia dúzia de homens na sala e os restos das equipes de paramédicos ainda estivessem espalhados pelo chão, ela se concentrou na clara evidência de morte espalhada pelas paredes. Então o seu olhar se voltou para o corpo da mulher, tombado sobre o sofá, cabelos negros pingando sangue no chão. Ela nunca se chocara ao ver sangue, mas subitamente sentiu-se tonta e teve de segurar o batente da porta. São vestígios do gás, pensou. A sala não foi completamente ventilada.

Ela ouviu farfalhar de plástico e, ainda tonta, viu um saco de cadáver sendo aberto no chão. Viu o agente Barsanti e o capitão Hayder ao lado de dois homens trajando luvas de látex que rolavam o corpo ensangüentado de Joseph Roke para dentro do saco.

— O que estão fazendo? — disse ela.

Ninguém se deu conta de sua presença.

— Por que estão mexendo nos corpos?

Os dois homens que estavam agachados sobre o cadáver fizeram uma pausa e olharam para Barsanti.

— Serão levados para Washington — disse Barsanti.

— Vocês não vão mexer em nada até alguém de nosso laboratório examinar a cena. — Ela olhou para os dois homens a ponto de fechar o saco de cadáver. — Quem são vocês? Vocês não trabalham para nós.

— São do FBI — disse Barsanti.

Sua cabeça agora estava perfeitamente lúcida, a tontura dissipada pela raiva.

— Por que os estão levando?

— Nossos patologistas farão a necropsia.

— Não liberei estes corpos.

— É uma mera questão burocrática, Dra. Isles.

— Não assinarei coisa alguma.

Todos que estavam na sala olhavam para eles. Assim como Hayder, a maioria dos homens ali presentes era do Departamento de Polícia de Boston.

— Dra. Isles — disse Barsanti, suspirando. — Por que quer brigar por isso?

Ela olhou para Hayder.

— Esta morte ocorreu em nossa jurisdição. Você sabe que detemos a custódia destes corpos.

— Você parece não confiar no FBI — disse Barsanti.

Eu não confio é em você.

Ela caminhou em sua direção.

— Nunca ouvi uma boa explicação para sua presença aqui, agente Barsanti. Qual o seu envolvimento em tudo isso?

— Estas duas pessoas são suspeitas de um homicídio com arma de fogo em New Haven. Creio que já sabe disso. Eles atravessaram divisas estaduais.

— Isso não explica por que deseja os corpos.

— Você receberá os relatórios finais da necropsia.

— O que tem medo que eu descubra?

— Sabe, Dra. Isles, você está começando a soar paranóica como esses dois. — Ele se voltou para os dois homens que estavam diante do corpo de Roke. — Vamos levá-los.

— Você não tocará neles — disse Maura. Ela pegou o telefone celular e ligou para Abe Bristol.

— Temos uma cena de morte aqui, Abe.

— É, estava vendo pela tevê. Quantos?

— Dois. Ambos os seqüestradores foram mortos. O FBI está a ponto de enviar os corpos para Washington.

— Espere um minuto. Primeiro os federais os baleiam e agora querem fazer a necropsia? Que diabos?

— Achei que diria isso. Obrigada por me apoiar. — Ela desligou e olhou para Barsanti. — O laboratório de perícia médica se recusa a liberar os corpos. Por favor, saiam da sala. Depois que a UCC terminar aqui, nosso pessoal vai remover os corpos para o necrotério.

Barsanti pareceu a ponto de argumentar, mas ela simplesmente olhou-o com frieza indicando que aquela era uma briga na qual não iria ceder.

— Capitão Hayder — disse ela —, terei de ligar para o governador para resolver isso?

Hayder suspirou.

— Não, a jurisdição é sua. — Ele olhou para Barsanti. — Parece que a patologista vai assumir o controle.

Sem mais uma palavra, Barsanti e seus homens saíram da sala.

Ela os seguiu e observou enquanto desciam o corredor. Aquela cena de morte, pensou Maura, seria tratada como qualquer outra. Não pelo FBI, mas pela unidade de Homicídios do Departamento de Polícia de Boston. Ela estava a ponto de fazer outra ligação, esta para o detetive Moore, quando subitamente percebeu a maca vazia no corredor e o paramédico guardando os seus apetrechos.

— Onde está o agente Dean? — perguntou Maura. — O homem que estava deitado aqui?

— Recusou-se a ficar. Levantou-se e se foi.

— Não podia evitar que o fizesse?

— Senhora, *nada* pode parar aquele cara. Ele disse que precisava ver a mulher.

— Como foi até lá?

— Um sujeito careca deu-lhe carona. Um policial, eu acho. — Vince Korsak, pensou Maura. — Foram para Brigham agora.

Jane não conseguia se lembrar de como chegara àquele lugar de luzes ofuscantes, superfícies brilhantes e rostos mascarados. Lembrava-se apenas de um fragmento de memória aqui e ali. Gritos masculinos, o ranger de rodas de uma maca. O brilho azul dos carros-patrulha. Então um teto branco passando lá em cima enquanto cruzava um corredor em direção àquela sala. Ela perguntou por Gabriel diversas vezes, mas ninguém sabia dizer onde ele estava.

Ou estavam com medo de dizer.

— Você está muito bem, mamãe — disse o médico.

Jane piscou para o par de olhos azuis que sorria para ela sobre a máscara cirúrgica. Mas *nada* está bem, pensou ela. Meu marido devia estar aqui. Preciso dele.

E pare de me chamar de mamãe.

— Quando sentir a próxima contração, quero que faça força, está bem? — disse o médico. — E continue fazendo.

— Alguém tem de ligar — disse ela. — Preciso saber de Gabriel.

— Primeiro precisamos que esse bebê nasça.

— Não, primeiro você precisa fazer o que *eu* quero! Você tem de... você precisa...

Ela prendeu o fôlego ao sentir outra contração. Quando a dor chegou ao auge, sua raiva também chegou. Por que aquela gente não lhe dava ouvidos?

— Força, mamãe! Você está quase lá!

— Dro... ga...

— Vamos. *Força.*

Ela arfou quando a dor fechou brutalmente as suas mandíbulas. Mas foi a raiva que a fez suportar, que a fez continuar a forçar com tal determinação que a sua visão começou a escurecer. Ela não ouviu a porta se abrir nem viu entrar na sala o homem de avental azul. Com um grito, tombou de costas sobre a mesa e ficou deitada, arfando. Somente então viu o marido olhando para ela, a silhueta de sua cabeça contra as luzes ofuscantes.

— Gabriel — murmurou.

Ele tomou-lhe a mão e acariciou-lhe o cabelo.

— Estou aqui. Estou bem aqui.

— Não me lembro. Não me lembro do que houve...

— Agora não é importante.

— Sim, é. Preciso saber.

Sentiu o início de outra contração. Jane inspirou e segurou a mão do marido. Agarrou-se a ela como se estivesse pendurada em um abismo.

— Força — disse o médico.

Ela se curvou à frente, grunhindo, contraindo cada músculo do corpo, o suor entrando nos seus olhos.

— É isso — disse o médico. — Quase lá...

Vamos, bebê. Pare de ser tão teimoso. Ajude a sua mãe!

Ela estava a ponto de gritar, a garganta a ponto de explodir. Então sentiu um fluxo de sangue entre as pernas. Ouviu um choro furioso, como o grito de um gato.

— Pegamos ela! — disse o médico.

Ela?

Gabriel ria, a voz rouca de lágrimas. Ele beijou a cabeça de Jane.

— Uma menina. Temos uma filha.

— E é corajosa — disse o médico. — Vejam isso.

Jane voltou-se e viu pequenos punhos balançando e um rosto rosado de raiva. E cabelo escuro. Muito cabelo escuro, grudado ao couro cabeludo em cachos úmidos. Ela observou, atônita, quando as enfermeiras enxugaram a criança e a enrolaram em um cobertor.

— Quer segurá-la, mamãe?

Jane não conseguia dizer uma palavra. Sua garganta estava fechada. Só conseguia olhar, pasma, enquanto deitavam o bebê em seus braços. Olhou para um rosto inchado de tanto chorar. O bebê se contorceu, como se impaciente por se livrar do cobertor e dos braços da mãe.

Você é mesmo minha? Ela imaginava que aquele seria um momento de familiaridade instantânea, quando olharia nos olhos do recém-nascido e reconheceria uma alma ali dentro. Mas não havia senso de familiaridade ali, apenas falta de jeito, enquanto tentava acalmar aquele embrulho rebelde. Tudo o que viu, olhando para a filha, foi uma criatura furiosa com olhos inchados e punhos cerrados. Uma criatura que subitamente emitiu um grito de protesto.

— Seu bebê é lindo — disse a enfermeira. — Ela é a sua cara.

22

Jane despertou com a luz do sol atravessando as janelas do quarto do hospital. Ela olhou para Gabriel, que dormia em uma cama dobrável perto de sua cama. No cabelo dele viu mechas cinzentas que nunca havia percebido antes. Vestia a mesma camisa amarrotada da noite anterior, as mangas salpicadas de sangue.

Sangue de quem?

Como se sentisse que ela o estava observando, ele abriu os olhos e olhou-a, ofuscado pela luz do sol.

— Bom dia, papai — disse ela.

Ele sorriu, desanimado.

— Acho que mamãe devia voltar a dormir.

— Não consigo.

— Esta pode ser a nossa última chance de dormir durante um bom tempo. Uma vez que o bebê esteja em casa, não vamos poder descansar muito.

— Preciso saber, Gabriel. Você não me disse o que houve.

Seu sorriso esmoreceu. Ele se sentou e esfregou o rosto, subitamente parecendo mais velho, e infinitamente cansado.

— Estão mortos.

— Os dois?

— Foram abatidos durante a invasão. Foi o que o capitão Hayder me disse.

— Quando falou com ele?

— Veio aqui na noite passada. Você estava dormindo e eu não quis acordá-la.

Ela se deitou de costas e olhou para o teto.

— Estou tentando lembrar. Meu Deus, por que não me lembro de coisa alguma?

— Eu também não, Jane. Usaram gás fentanil. Foi o que disseram a Maura.

Ela olhou para o marido.

— Então você não viu acontecer? Não sabe se Hayder disse a verdade?

— Sei que Joe e Olena estão mortos. O laboratório de perícia médica tem a custódia dos corpos.

Jane ficou em silêncio um instante, tentando lembrar os últimos momentos naquela sala. Lembrou-se de Gabriel e Joe, um de frente para o outro, conversando. Joe queria nos dizer algo, pensou. E nunca teve a chance de terminar...

— Precisava acabar assim? — perguntou ela. — Precisavam matar os dois?

Gabriel se levantou e foi até a janela.

— Era um modo de acabar com aquilo.

— Estávamos todos inconscientes. Matá-los não era necessário.

— Obviamente a equipe de invasão achou que era.

Ela olhou para as costas do marido.

— Todas aquelas loucuras que Joe disse. Nenhuma é verdade, certo?

— Não sei.

— Um microcircuito no braço de Olena? O FBI perseguindo-os? São delírios paranóicos clássicos.

Ele não respondeu.

— Tudo bem — disse ela. — Diga-me o que está pensando.

Gabriel se voltou para a mulher.

— Por que John Barsanti estava aqui? Nunca consegui uma boa resposta para esta pergunta.

— Verificou com o FBI?

— Tudo o que consegui extrair do escritório do diretor adjunto é que Barsanti está em missão especial para o Departamento de Justiça. Ninguém me diz mais nada. Na noite passada, quando falei com David Silver na casa do senador Conway, ele não sabia de nenhum envolvimento do FBI.

— Bem, Joe certamente não confiava no FBI.

— E agora Joe está morto.

Ela olhou para ele.

— Você está começando a me assustar. Está me fazendo pensar...

Alguém bateu à porta e Jane se assustou. Coração acelerado, voltou-se para ver Angela Rizzoli enfiar a cabeça para dentro do quarto.

— Janie, você está acordada? Podemos entrar?

— Ah — disse Jane, soltando uma gargalhada. — Oi, mamãe.

— Ela é linda, linda! Nós a vimos através do vidro. — Angela entrou no quarto, trazendo a sua antiga panela de sopa da Revere Ware, e espalhou pela sala aquilo que Jane sempre considerou o melhor perfume: o aroma da cozinha de sua mãe. Seguindo atrás da esposa, Frank Rizzoli entrou trazendo um buquê tão grande que parecia um explorador espreitando através de uma mata densa.

— Como está a minha menina? — perguntou Frank.

— Estou bem, papai.

— O bebê está fazendo um pandemônio no berçário. Tem uns pulmões e tanto.

— Mikey vai vir visitá-la após o trabalho — disse Angela. — Veja, trouxe espaguete com carneiro. Não precisa me dizer como é a comida do hospital. Por falar nisso, o que trouxeram para você de café da manhã? — Ela foi até a bandeja e levantou a tampa. — Meu Deus, olhe para esses ovos, Frank! Parecem borracha! Será que eles se *esforçam* para fazer uma comida tão ruim assim?

— Nada mal ter uma filha, hein? — disse Frank. — Filhas são ótimas, não é, Gabe? Mas tem de ficar de olho. Quando ela fizer dezesseis, certifique-se de manter os meninos afastados.

— Dezesseis? — debochou Jane. — Papai, a essa altura Inês já era morta.

— O que está dizendo? Não me diga que *você* aos dezesseis anos...

— ...então, como vai chamá-la, querida? Não acredito que ainda não tenha escolhido um nome.

— Ainda estamos pensando nisso.

— O que tem para pensar? Dê-lhe o nome de sua avó, Regina.

— Ela tem outra avó, você sabe — disse Frank.

— Quem chamaria uma criança de Ignatia?

— Era bom o bastante para a minha mãe.

Jane olhou para Gabriel no outro lado do quarto e viu que seu olhar derivara para a janela. *Ele ainda está pensando em Joseph Roke. Ainda pensando sobre a morte dele.*

Ouviu-se um bater à porta e outra cabeça conhecida apareceu.

— Ei, Rizzoli! — disse Vince Korsak. — Está magra de novo? — Ele entrou, agarrando os barbantes de três balões prateados que flutuavam acima de sua cabeça. — Como estão, Sra. Rizzoli, Sr. Rizzoli? Parabéns para os novos avós!

— Detetive Korsak — disse Angela. — Está com fome? Trouxe o espaguete favorito de Jane. E temos pratos de papel aqui.

— Bem, estou de dieta, madame.

— É espaguete com carneiro.

— Oh. Você é muito má, tentando um homem a sair de sua dieta. — Korsak apontou-lhe um dedo gordo e Angela riu como uma criança.

Meu Deus, pensou Jane. Korsak está flertando com a minha mãe. Acho que não quero ver isso.

— Frank, poderia pegar aqueles pratos de papel? Estão na sacola.

— São apenas dez da manhã. Não é nem hora do almoço.

— O detetive Korsak está com fome.

— Ele acabou de dizer que está de dieta. Por que não o escuta?

Ouviu-se outro bater à porta. Desta vez entrou uma enfermeira, empurrando um carrinho até perto da cama de Jane.

— Hora de visitar a mamãe — anunciou, erguendo a recém-nascida enfaixada e pousando-a nos braços de Jane.

Angela aproximou-se como uma ave de rapina.

— Ah, olhe para ela, Frank! Ah, meu Deus, ela é tão linda! Olhe para aquele rostinho!

— Como posso ver? Vocês estão todos em cima dela.

— Ela tem a boca de minha mãe...

— Bem, *isso* é algo do que se vangloriar.

— Janie, você devia tentar alimentá-la agora. Precisa praticar antes que seu leite venha.

Jane olhou para a platéia reunida ao redor de sua cama.

— Mamãe, realmente não me sinto confortável com... — Ela fez uma pausa, olhando para o bebê que, de repente, choramingou. *E o que faço eu agora?*

— Talvez esteja com gases — disse Frank. — Os bebês sempre têm gases.

— Ou está com fome — sugeriu Korsak.

Ele estava. O bebê apenas chorou mais alto.

— Deixe-me pegá-la — disse Angela.

— Quem é a mãe aqui? — disse Frank. — Ela precisa praticar.

— Você não quer que o bebê continue chorando.

— Talvez, se puser um dedo em sua boca — disse Frank. — Era o que fazíamos com você, Janie. Assim...

— Espere! — disse Angela. — Você lavou as suas mãos, Frank?

O som do telefone celular de Gabriel quase não se fez ouvir em meio ao tumulto. Jane olhou para o marido enquanto ele atendia e viu-o olhando para o relógio. Então, ouviu-o dizer:

— Não sei se posso ir agora. Por que você não vai indo na frente?

— Gabriel? — perguntou Jane. — Quem está ligando?

— Maura começou a fazer a necropsia em Olena.

— Você devia ir.

— Odeio ter de deixá-la.

— Não, você precisa estar lá.

O bebê gritava ainda mais alto agora, agitando-se como se estivesse desesperado para se livrar dos braços da mãe.

— Um de nós devia estar presente.

— Tem certeza de que não se importa?

— Veja quanta companhia tenho aqui. *Vá.*

Gabriel curvou-se para beijá-la.

— Vejo você depois — murmurou ele. — Eu te amo.

— Imagine uma coisa dessas — disse Angela, balançando a cabeça em sinal de censura quando Gabriel saiu do quarto. — Não acredito!

— No quê, mamãe?

— Ele abandona a mulher e a filha para ver o cadáver de alguém ser aberto?

Jane olhou para a filha que ainda chorava em seus braços e suspirou. *Queria ter ido com ele.*

Quando Gabriel entrou no laboratório de necropsia trajando um avental e protetores de sapato, Maura já havia levantado o esterno e sondava a cavidade torácica. Ela e Yoshima não trocaram uma palavra desnecessária enquanto seu bisturi cortava vasos e ligamentos, liberando o coração e os pulmões. Ela trabalhava com silenciosa precisão. Seus olhos sobre a máscara não revelavam qualquer emoção. Se Gabriel não a conhecesse, acharia a sua eficiência assustadora.

— Você acabou vindo — disse ela.

— Perdi algo importante?

— Nenhuma surpresa até agora. — Maura olhou para Olena. — Mesma sala, mesmo corpo. Estranho pensar que é a segunda vez que vejo esta mulher morta.

Desta vez, pensou Gabriel, ela vai continuar morta.

— Como está Jane?

— Está bem. Acho que um tanto sobrecarregada de visitas agora.

— E o bebê? — perguntou Maura, enquanto colocava os pulmões rosados dentro de uma bacia. Pulmões que nunca mais se encheriam de ar para oxigenar o sangue.

— Linda. Três quilos e seiscentos e oitenta e cinco gramas, dez dedos nas mãos e nos pés. É a cara da Jane.

Pela primeira vez desde que ele chegou, Maura sorriu com os olhos.

— Qual o nome dela?

— Por enquanto, ainda é "Bebê Rizzoli-Dean".

— Espero que isso mude logo.

— Não sei. Estou começando a gostar.

Soava desrespeitoso falar de detalhes tão alegres enquanto havia uma pessoa morta entre eles. Pensou que a sua filha respirara pela primeira vez e tivera a primeira visão borrada do mundo em um momento em que o corpo de Olena ainda mal esfriara.

— Vou passar no hospital para vê-la esta tarde — disse Maura. — Ou ela ainda estará com excesso de visitantes?

— Acredite, você será uma das poucas pessoas realmente bem-vindas ali.

— O detetive Korsak já apareceu?

Ele suspirou.

— Com balões de gás e tudo. O bom e velho tio Vince.

— Não o descarte. Talvez se ofereça para ser babá.

— Tudo do que um bebê precisa. Alguém para ensinar a arte de arrotar bem alto.

Maura riu.

— Korsak é um bom homem. Mesmo.

— Afora o fato de ser apaixonado pela minha mulher.

Maura baixou o bisturi e olhou para ele.

— Bem, ele quer que ela seja feliz. E ele pode ver que vocês dois são felizes. — Ela pegou o bisturi outra vez. — Você e Jane dão esperanças para todos nós.

Todos nós. Ou todos os solitários do mundo, pensou Gabriel. Não faz muito tempo, era um deles.

Ele observou Maura dissecar as artérias coronárias. Quão calmamente segurava o coração de um cadáver na palma das mãos. Seu bisturi abriu as cavidades do coração, deixando-as expostas à inspeção. Ela sondou, mediu, pesou. Contudo Maura Isles parecia manter o seu próprio coração trancado em segurança em algum lugar.

O olhar de Gabriel voltou-se para a mulher que ele conhecia apenas como Olena. Havia algumas horas, eu estava falando com ela, pensou, e esses olhos olharam de volta para mim, e me viram. Agora estão fixos, as córneas enevoadas. O sangue fora limpo, e o ferimento de bala era um buraco rosado na têmpora esquerda.

— Isso parece uma execução — disse ele.

— Há outros ferimentos no lado esquerdo. — Ela apontou para a caixa de luz. — Na radiografia dá para ver duas balas na espinha.

— Mas este ferimento aqui. — Ele olhou para o rosto da vítima. — Este foi um tiro para matar.

— A equipe não lhes deu chance. Joseph Roke também foi baleado na cabeça.

— Você fez a necropsia dele?

— O Dr. Bristol terminou há uma hora.

— Por que executá-los? Já estavam fora de ação. *Todos* estávamos.

Maura olhou para a massa de pulmões pingando na prancha de corte.

— Eles podiam estar com explosivos no corpo prontos para detonar.

— Não havia explosivos. Eles não eram terroristas.

— A equipe de resgate não sabia disso. Além do mais, havia uma preocupação com o gás fentanil que usaram. Você sabe que um derivado de fentanil também foi usado para terminar o cerco do teatro de Moscou?

— Sim.

— Em Moscou, causou diversas mortes. Mas usaram algo semelhante com uma refém grávida. Não podiam expor o feto durante muito tempo. A invasão tinha de ser rápida e limpa. Foi como justificaram.

— Estão alegando que esses tiros mortais foram necessários.

— Foi o que disseram ao tenente Stillman. O Departamento de Polícia de Boston não teve participação no planejamento nem na execução da invasão.

Voltando-se para a caixa de luz onde estavam penduradas as radiografias, perguntou:

— São de Olena?

— Sim.

Ele se aproximou para ver mais de perto. Viu uma vírgula brilhante contra o crânio e diversos fragmentos espalhados por toda a cavidade.

— Tudo isso é ricochete interno — disse ela.

— E essa opacidade em forma de C aqui?

— É um fragmento preso entre o couro cabeludo e o crânio. Apenas um estilhaço de chumbo que se rasgou quando a bala furou o osso.

— Sabemos qual integrante da equipe de invasão deu esse tiro na cabeça da vítima?

— Nem mesmo Hayder tem uma lista de seus nomes. Quando a UCC entrou no lugar, a equipe de invasão provavelmente já estava de volta a Washington, e fora de nosso alcance. Levaram tudo ao partirem. Armas, cápsulas deflagradas. Levaram até a mochila que Joseph Roke trouxe para o prédio. Só nos deixaram os corpos.

— É como o mundo funciona agora, Maura. O Pentágono tem autorização para enviar unidades de comando para qualquer cidade dos EUA.

— Vou lhe dizer uma coisa. — Ela baixou o bisturi e olhou para ele. — Estou morrendo de medo.

O interfone voltou a soar. Maura ergueu a cabeça quando sua secretária disse pelo alto-falante:

— Dra. Isles, o agente Barsanti está na linha outra vez. Quer falar com você.

— O que disse a ele?

— Nada.

— Bom. Apenas diga que ligo para ele. — Fez uma pausa. — Quando e *se* tiver tempo.

— Ele está ficando grosseiro, você sabe.

— Então você não precisa ser educada com ele. — Maura olhou para Yoshima. — Vamos terminar antes de sermos interrompidos outra vez.

Ela começou a dissecar os órgãos abdominais, retirando estômago, fígado, pâncreas e voltas intermináveis de intestino delgado. Abrindo o estômago, Maura o encontrou vazio de comida. Apenas secreções esverdeadas pingaram na bacia.

— Fígado, baço e pâncreas em condições normais — observou.

Gabriel olhou para a pilha de entranhas fedorentas na bacia e ficou perturbado ao pensar que dentro de sua própria barriga havia os mesmos órgãos brilhantes. Olhando para o rosto de Olena, pensou: por baixo da pele, mesmo a mulher mais bonita parece igual a todas as outras. Uma massa de órgãos fechados em um envoltório oco de músculos e ossos.

— Tudo bem — disse Maura, a voz abafada à medida que se aprofundava ainda mais na cavidade. — Posso ver onde se alojaram as balas. Estão cravadas espinha acima, e temos alguma hemorragia retroperitônea. — O abdome estava quase esvaziado de seus órgãos e ela olhava para uma carapaça quase vazia. — Poderia exibir as radiografias abdominais e torácicas? Deixe-me verificar a posição dessas duas outras balas.

Yoshima foi até a caixa de luz, baixou as radiografias do crânio e afixou uma outra série de filmes. As sombras fantasmagóricas de coração e pulmão brilhavam dentro da gaiola de ossos das costelas. Bolsões escuros de gás estavam enfileirados como carros de parque de diversões dentro do túnel do intestino. Contra a neblina mais tênue dos órgãos, as balas se destacavam como fragmentos brilhantes contra a coluna lombar.

Gabriel olhou para os filmes por um instante e seu olhar subitamente se estreitou ao lembrar-se do que Joe lhe dissera.

— Não se vêem os braços — disse ele.

— A não ser que haja um trauma óbvio, normalmente não radiografamos os membros — disse Yoshima.

— Talvez devessem.

Maura ergueu a cabeça.

— Por quê?

Gabriel voltou à mesa e examinou o braço esquerdo.

— Olhe para essa cicatriz. O que acha?

Maura foi até o lado esquerdo do corpo e examinou o braço.

— Estou vendo, mais acima do cotovelo. Está bem curado. Não sinto qualquer volume. — Ela fitou Gabriel. — O que tem isso?

— Foi algo que Joe me contou. Sei que soa esquisito.

— O quê?

— Ele alegou que ela tinha um microcircuito implantado no braço. Bem aqui, sob a pele, para rastrear sua localização.

Por um instante Maura apenas olhou para ele. Então riu.

— Não é um delírio muito original.

— Sei como isso soa.

— É um clássico. O microcircuito implantado pelo governo.

Gabriel voltou-se para as radiografias.

— Por que acha que Barsanti está tão ansioso por transferir os corpos? O que ele acha que você vai encontrar?

Maura ficou um instante em silêncio, os olhos sobre o braço de Olena.

— Posso radiografar esse braço agora — disse Yoshima. — Só vai levar alguns minutos.

Maura suspirou e tirou as luvas sujas.

— Quase certamente é uma perda de tempo, mas podemos resolver a questão agora mesmo.

Na ante-sala, resguardados atrás de uma proteção de chumbo, Maura e Gabriel observavam através da janela enquanto Yoshima posicionava o braço sobre um cassete de filme e ajustava o colimador. Maura está certa, pensou Gabriel, isto provavelmente é uma perda de tempo, mas ele precisava localizar a linha divisória entre medo e paranóia, entre verdade e delírio. Ele viu Maura olhar para um relógio na parede e sabia que ela estava ansiosa por continuar a cortar. A parte mais importante de uma necropsia — a dissecação da cabeça e do pescoço — ainda estava por ser completada.

Yoshima pegou o cassete de filme e desapareceu na sala de revelação.

— Tudo bem, foi feito. Vamos voltar ao trabalho — disse Maura.

Ela calçou luvas novas e voltou para a mesa. Foi até a cabeça do cadáver, as mãos apalpando o crânio por entre cachos de cabelo negro. Então, com um golpe eficaz, cortou o couro cabeludo. Gabriel não gostava de ver a mutilação de uma mulher tão bela. Um rosto é pouco mais que pele, músculos e cartilagem, que facilmente cedem ao bisturi de um patologista. Maura pegou a borda cortada do couro cabeludo e puxou-a para a frente, o longo cabelo caindo como uma cortina escura sobre o rosto.

Yoshima voltou da sala de revelação.

— Dra. Isles?

— A radiografia está pronta?

— Sim. E há algo aqui.

Maura ergueu a cabeça.

— O que foi?

— Dá para ver sob a pele. — Ele afixou a radiografia à caixa de luz. — Isso — disse ele, apontando.

Maura foi até a caixa de luz e olhou em silêncio para a fina lâmina branca sob o tecido macio. Nada natural podia ser tão reto, tão uniforme.

— Foi feito pelo homem — disse Gabriel. — Você acha...

— Não é um microcircuito — disse Maura.

— Mas *há* alguma coisa ali.

— Não é metálico. Não é denso o bastante.

— E o que é isso que estamos vendo?

— Vamos descobrir.

Maura voltou ao cadáver e pegou o bisturi. Girando o braço esquerdo, expôs a cicatriz. O corte que fez foi rápido e profundo, um único golpe que cortou pele e gordura subcutânea, até o músculo. Esta paciente jamais reclamaria de uma incisão feia ou de um nervo rompido. As indignidades que sofreu naquela sala, naquela mesa, nada significavam para a carne insensível.

Maura pegou a pinça e enfiou as suas pontas no corte. À medida que remexia o tecido recém-cortado, Gabriel ficou chocado com a exploração brutal, mas não conseguia desviar os olhos. Ele a ouviu murmurar de satisfação e subitamente retirar a pinça, que prendia algo parecido com um palito de fósforo brilhante.

— Sei o que é isso — disse ela, colocando o objeto sobre uma bandeja. — É um implante de silástico. Este aqui se aprofundou mais do que devia após ter sido implantado. Foi encapsulado por tecido cicatrizado. Por isso não consegui senti-lo sob a pele. Precisamos da radiografia para saber que estava ali.

— Para que serve?

— Norplant. Este tubo contém uma progestina que é liberada lentamente ao longo do tempo, para evitar a ovulação.

— Um contraceptivo.

— Sim. Não se vêem muito desses implantes ultimamente. O produto parou de ser fabricado nos EUA. Geralmente são implantados seis de cada vez, em um padrão em leque. Quem quer que tenha removido os outros cinco esqueceu esse aqui.

O interfone tocou.

— Dra. Isles? — Era Louise outra vez. — Há uma ligação para você.

— Pode anotar o recado?

— Acho que tem de atender essa. É Joan Anstead, do gabinete do governador.

Maura ergueu a cabeça, olhou para Gabriel e pela primeira vez viu desconforto nos olhos dele. Ela baixou o bisturi, arrancou as luvas e foi atender o telefone.

— Aqui é a Dra. Isles — disse ela.

Embora Gabriel não estivesse ouvindo a outra metade da conversa, era óbvio apenas pela linguagem corporal de Maura que não era um telefonema amistoso.

— Sim, já dei início. Está em nossa jurisdição. Por que o FBI pensa que pode... — Uma longa pausa. Maura voltou-se para a parede, postura subitamente ereta. — Mas não completei a necropsia. Estou a ponto de abrir o crânio. Se me der mais meia hora... —

Outra pausa. Depois, friamente: — Compreendo. Teremos os corpos prontos para serem levados em uma hora. — Ela desligou, inspirou profundamente e se voltou para Yoshima. — Prepare-a. Eles também querem o corpo de Joseph Roke.

— O que está acontecendo? — perguntou Yoshima.

— Serão embarcados para o laboratório do FBI. Querem tudo... todos os órgãos e amostras de tecido. O agente Barsanti assumirá a custódia.

— Isso nunca aconteceu antes — disse Yoshima.

Ela arrancou a máscara e desatou o nó do avental. Tirando-o, jogou na cesta de roupa suja.

— A ordem veio diretamente do gabinete do governador.

23

Jane despertou de súbito, cada músculo contraído. Viu escuridão, ouviu o ruído abafado de um carro passando na rua lá embaixo, e o ritmo regular da respiração de Gabriel, que dormia profundamente ao seu lado. Estou em casa, pensou. Estou em minha cama, no meu apartamento, e estamos todos a salvo. Nós três. Inspirou profundamente e esperou o coração se acalmar. A camisola encharcada lentamente esfriou contra sua pele. Esses pesadelos vão acabar. São apenas ecos remotos de gritos passados.

Ela se voltou para o marido, buscando o calor de seu corpo, o conforto familiar de seu cheiro. Mas justo quando estava a ponto de enlaçá-lo pela cintura, ouviu o bebê chorando no quarto ao lado. Ah, por favor, ainda não, pensou. Faz apenas três horas que a alimentei. Dê mais vinte minutos para mim. Outros dez minutos. Deixe-me ficar na cama mais um pouco. Deixe-me afastar a impressão desses pesadelos.

Mas a choradeira prosseguiu, mais alta agora, mais insistente a cada novo gemido.

Jane levantou-se e saiu do quarto, fechando a porta atrás de si para que Gabriel não fosse incomodado. Acendeu a luz do quarto do bebê e olhou para o rosto vermelho da filha chorosa. Apenas três dias de idade e já está acabando comigo, pensou. Erguendo o bebê nos braços, sentiu aquela boquinha faminta buscando o seu seio. Quando Jane se acomodou na cadeira de balanço, gengivas rosadas agarraram-se como um torno mecânico ao seu mamilo. Mas o seio só ofereceu satisfação temporária. Logo, o bebê estava agitado outra vez e, não importando quão forte Jane a abraçasse ou ninasse, sua filha não parava de se contorcer. O que estou fazendo de errado, perguntou-se, olhando frustrada para a filha. Por que sou tão desajeitada? Raras vezes Jane se sentira incapaz, mas aquele bebê de três dias a reduzira a tal estado de incapacidade que, às quatro da madrugada, sentiu uma súbita e desesperada necessidade de chamar a mãe e implorar por alguma sabedoria materna. O tipo de sabedoria que supostamente deveria ser instintiva, mas que de algum modo não contemplou Jane. Pare de chorar bebê, por favor, pare de chorar, pensou. Estou tão cansada... Tudo o que quero é voltar para a cama, mas você não deixa. Não sei como fazê-la adormecer.

Ela se levantou da cadeira e vagou a esmo pelo quarto, ninando o bebê enquanto caminhava. O que ela quer? Por que ainda está chorando? Levou a filha para a cozinha, onde continuou a niná-la enquanto olhava, zonza de sono, para a pia cheia de louça. Lembrou de sua vida antes da maternidade, antes de Gabriel, quando voltava do trabalho, abria uma garrafa de cerveja e punha os pés em cima do sofá. Ela amava a filha, amava o marido, mas estava exausta, e não sabia quando poderia voltar à cama. A noite se estendia à sua frente, um suplício interminável.

Não consigo fazer isso sozinha. Preciso de ajuda.

Abriu o armário da cozinha e olhou para as latas de comida de bebê, amostras grátis do hospital. O bebê gritou mais alto. Ela não sabia mais o que fazer. Desmoralizada, pegou uma lata. Derramou a comida dentro de uma mamadeira que colocou em uma panela com água quente da torneira, onde ficou aquecendo, um monumento à sua derrota. Um símbolo de sua total incompetência como mãe.

No instante em que ofereceu a mamadeira, lábios rosados fecharam-se sobre o bico de borracha e o bebê começou a mamar com gosto, ruidosamente. Nada de choro ou inquietação, apenas ruídos de um bebê feliz.

Uau! Mágica em lata.

Exausta, Jane afundou em uma cadeira. Eu me rendo, pensou, à medida que a mamadeira rapidamente se esvaziava. A lata ganhou. Seu olhar derivou para o livro *Um nome para o seu bebê* sobre a mesa da cozinha. Ainda estava aberto na letra L, onde ela parara de conferir os nomes femininos. Sua filha viera do hospital ainda sem nome, e Jane sentia-se agora um tanto desesperada ao pegar o livro.

Quem é você, bebê? Diga-me qual é o seu nome.

Mas a filha não confessava qualquer segredo. Estava ocupada demais, mamando.

Laura? Laurel? Laurelia? Muito delicado, muito doce. Aquela menina não era nada disso. Ela seria uma criadora de casos.

A mamadeira já estava pela metade.

Mamona. Seria um nome adequado.

Jane passou para a letra M. Com olhos embaçados, analisou a lista, considerando cada possibilidade e olhando para a criança faminta.

Mercy? Meryl? Mignon? Nenhum desses. Ela virou a página, os olhos tão cansados agora que mal conseguia focalizá-los. Por que isso é tão difícil? A menina precisa de um nome, então escolha um! Seu olhar foi até o fim da página.

Mila.

Ela ficou paralisada, olhando para o nome. Um frio percorreu-lhe a espinha. Deu-se conta de que dissera o nome em voz alta.

Mila.

Subitamente, a cozinha pareceu ter ficado mais fria, como se um fantasma tivesse entrado pela porta e agora pairasse ao seu lado. Não conseguiu evitar dar uma olhada por sobre o ombro. Tremendo, ela se levantou e levou a filha, então adormecida, até o berço. Mas aquela sensação gélida de pavor não a abandonava, e ela se demorou no quarto da filha, abraçando-a enquanto balançava na cadeira, tentando compreender por que estava tremendo. Por que ver o nome *Mila* a perturbara. O bebê dormia, os minutos passavam e ela se balançava.

— Jane?

Assustada, ela ergueu a cabeça e viu Gabriel à porta.

— Por que não vem para a cama? — perguntou ele.

— Não consigo dormir. — Ela balançou a cabeça. — Não sei o que está errado comigo.

— Acho que só está cansada. — Ele entrou no quarto e beijou-lhe a cabeça. — Precisa voltar para a cama.

— Meu Deus, sou péssima nisso.

— Do que está falando?

— Ninguém me disse como esse negócio de ser mãe era difícil. Não consigo nem amamentá-la. Qualquer gato sabe como alimentar os filhotes, mas eu não. Comigo, ela apenas fica agitada.

— Ela parece estar dormindo bem.

— Isso porque eu lhe dei comida de bebê. Na *mamadeira.* — Ela riu debochada. — Não consegui continuar insistindo. Ela estava com tanta fome e berrava tanto, e tinha aquela lata ali. Droga, quem precisa de uma mãe quando se tem Similac?

— Oh, Jane. É com isso que você está preocupada?

— Não tem graça.

— Não estou rindo.

— Mas o seu tom de voz dizia *isso é idiota demais para ser levado a sério.*

— Acho que está exausta, isso é tudo. Quantas vezes você acordou?

— Duas. Não, três vezes. Meu Deus, nem me lembro.

— Você devia ter me chamado. Eu não sabia que você estava acordada.

— Não é apenas o bebê... — Jane fez uma pausa e murmurou a seguir: — São os sonhos.

Ele puxou uma cadeira para perto dela e sentou-se.

— A que sonhos se refere?

— O mesmo, que se repete. Sobre aquela noite, no hospital. No meu sonho, sei que algo terrível aconteceu, mas não consigo me mover, não consigo falar. Sinto sangue no meu rosto, posso sentir o gosto. E estou com tanto medo que... — ela inspira profundamente — morro de medo que seja o seu sangue.

— Faz apenas três dias, Jane. Você ainda está processando o que aconteceu.

— Eu só queria que isso passasse.

— É preciso tempo para superar pesadelos. — E acrescentou: — Nós dois precisamos.

Ela olhou para os olhos cansados e o rosto com barba por fazer do marido.

— Também tem tido pesadelos?

— Sim. Ressaca pós-trauma.

— Você não me disse nada.

— Seria surpreendente se você não tivesse pesadelos.

— Os seus são como?

— Você. O bebê... — Ele parou de falar e desviou o olhar dela. — Não é algo que eu deseje falar a respeito.

Ficaram em silêncio um instante, nenhum dos dois olhando para o outro. A alguns metros dali, a filha dormia profundamente no berço, a única na família a não ter pesadelos. É isso que o amor faz com você, pensou Jane. Faz você ter medo, perder a coragem. Dá oportunidade ao mundo de arrancar pedaços da sua vida a qualquer instante.

Gabriel tomou as mãos da mulher.

— Vamos, querida — murmurou. — Vamos voltar para a cama.

Apagaram a luz do quarto do bebê e ingressaram na penumbra de seu quarto. Sob os lençóis frios, ele a abraçou. Lá fora, o dia começava a clarear e ouviam-se os sons da manhã. Para uma garota da cidade, o barulho do caminhão do lixo e o ruído dos rádios dos automóveis eram-lhe tão familiares quanto uma canção de ninar. Enquanto Boston despertava para saudar o dia, Jane finalmente adormeceu.

Ela despertou ouvindo uma cantoria. Por um instante, perguntou-se se aquilo era outro sonho, embora bem mais alegre, feito de memórias de sua infância remota. Abriu os olhos e viu a luz do sol atravessando as persianas. Já eram duas da tarde, e Gabriel havia saído.

Levantou da cama e caminhou de pés descalços até a cozinha. Ali parou, piscando ao ver a mãe, Angela, sentada à mesa de café, bebê no colo. Angela olhou para a filha.

— Duas mamadeiras já! Esta aqui gosta mesmo de comer.

— Mãe. Você está aqui.

— Eu a despertei? Desculpe.

— Quando chegou?

— Há algumas horas. Gabriel disse que você precisava dormir.

Jane riu, incrédula.

— Ele ligou para você?

— Para quem mais ligaria? Você tem alguma outra mãe?

— Não, eu só... — Jane sentou-se e esfregou os olhos. — Ainda não estou bem desperta. Onde ele está?

— Saiu há algum tempo. Recebeu um telefonema daquele tal detetive Moore e foi embora.

— A ligação era sobre o quê?

— Não sei. Algum assunto de polícia. Tem café fresco aqui. E você devia lavar a cabeça. Parece uma mulher das cavernas. Quando comeu pela última vez?

— Jantar, creio. Gabriel trouxe comida chinesa.

— Chinesa? Bem, isso não dura muito. Preparei seu desjejum, tome um pouco de café. Está tudo sob controle aqui.

É, mamãe. Como sempre.

Jane não se levantou da cadeira, apenas ficou sentada um instante, olhando Angela, que carregava a neta de olhos arregalados. Viu as mãozinhas do bebê erguerem-se para explorar o rosto sorridente de Angela.

— Como faz isso, mamãe? — perguntou Jane.

— Só lhe dei comida. Cantei para ela. Ela gosta de atenção, isso é tudo.

— Não, refiro-me a como criou a nós três? Nunca me dei conta de quão difícil devia ser, ter três filhos em cinco anos. — E acrescentou, com um sorriso: — Especialmente um de nós sendo o Frankie.

— Ah! Seu irmão não era o mais difícil de lidar. *Você* sim.

— Eu?

— Chorava o tempo todo. Acordava a cada três horas. Com você, não tinha esse negócio de *dormindo como um bebê*. Frankie já engatinhava de fraldas e eu ficava acordada a noite inteira, ninando você. Seu pai não ajudava. Você tem sorte, ao menos Gabriel tenta fazer a parte dele. Mas seu pai? — debochou Angela. — Ele dizia que o cheiro das fraldas lhe dava ânsia de vômito, portanto, não as trocava. Como se eu tivesse escolha. Ele corria para o trabalho todas as manhãs, e lá ficava eu com vocês dois, e Mikey a caminho. Frankie metendo as mãozinhas em tudo e você chorando até se acabar.

— Por que eu chorava tanto?

— Alguns bebês são chorões natos e se recusam a ser ignorados.

Bem, isso explica tudo, pensou Jane, olhando para o bebê. Tenho o que mereço. Tenho a mim mesma como filha.

— Como se virava? — perguntou Jane. — Porque estou tendo muita dificuldade. Não sei o que estou fazendo.

— Deve fazer o que eu fazia quando achava que estava ficando louca. Quando não conseguia agüentar outra hora, outro minuto, trancada naquela casa.

— O que fazia?

— Pegava o telefone e ligava para a minha mãe. — Angela olhou-a. — Ligue para mim, Janie. Para isso estou aqui. Deus põe as mães no mundo para isso. Mas não estou querendo dizer que seja muito difícil criar uma criança. — Ela baixou o olhar para o bebê. — Mas certamente ajuda ter uma avó.

Jane observou Angela ninando o bebê e pensou: Ah, mamãe, nunca me dei conta do quanto ainda preciso de você. Será que algum dia paramos de precisar de nossas mães?

Afastando as lágrimas, ela levantou-se abruptamente da cadeira e voltou-se para a bancada para se servir de uma xícara de café. Ficou ali bebericando, arqueando as costas e alongando músculos tensos. Pela primeira vez em três dias sentiu-se descansada, quase de volta ao seu antigo eu. A não ser pelo fato de tudo ter mudado, pensou ela. Agora sou mãe.

— Você é uma gracinha, não é mesmo, Regina?

Jane olhou para a mãe.

— Ainda não escolhemos um nome.

— Tem de chamá-la de algum modo. Por que não com o nome da avó?

— Eu tenho de gostar, sabia? Se vamos ficar presas a isso pelo resto da vida, quero um nome que seja a cara dela.

— Regina é um belo nome. Quer dizer *rainha*, você sabe.

— Como se eu quisesse dar idéias para ela...

— Bem, como vai chamá-la?

Jane olhou para o livro *Um nome para o seu bebê* no balcão. Ela voltou a encher a xícara de café e começou a folhear o livro, já se sentindo um tanto desesperada. Se não encontrar um agora, pensou, vai ser Regina por omissão.

Yolanthe. Yseult. Zerlena.

Oh, cara. Regina soava cada vez melhor. A pequena rainha.

Ela baixou o livro. Olhou-o fazendo careta por um instante, então voltou ao nomes começados com M. Ao nome que chamara a sua atenção na noite anterior.

Mila.

Outra vez sentiu aquele calafrio na espinha. Sei que já ouvi esse nome antes, pensou. Por que sinto tanto medo ao pensar nele? Preciso me lembrar. É importante que me lembre...

O telefone tocou, assustando-a. O livro caiu no chão.

Angela franziu as sobrancelhas para ela.

— Vai atender?

Jane inspirou profundamente e atendeu. Era Gabriel.

— Espero não tê-la acordado.

— Não, estava tomando café com minha mãe.

— Tudo bem eu tê-la chamado?

Ela olhou para Angela, que levava o bebê para o outro quarto para trocar a fralda.

— Você é um gênio. Já lhe disse isso?

— Acho que devo ligar para Mama Rizzoli com mais freqüência.

— Dormi oito horas direto. Não sabia a diferença que isso faz. Meu cérebro voltou a funcionar.

— Então talvez esteja pronta para lidar com isso.

— Com o quê?

— Moore me ligou há algum tempo.

— É, eu soube.

— Estamos aqui agora, em Shroeder Plaza. O SIB, o Sistema Integrado de Informação Balística, descobriu uma cápsula com marcas de deflagração idênticas à nossa. Estava no banco de dados da Agência de Álcool, Tabaco e Armas de Fogo.

— De que cápsula está falando?

— Da que recolhemos no quarto de Olena, no hospital. Recuperaram uma cápsula após ela ter atirado naquele guarda de segurança.

— Ele foi morto com a própria arma.

— E acabamos de descobrir que aquela arma já foi usada antes.

— Onde? Quando?

— Em três de janeiro. Múltiplo homicídio em Ashburn, Virginia.

Ela agarrou o fone e apertou-o com tanta força contra o ouvido que podia ouvir o pulsar do próprio coração. *Ashburn. Joe queria nos falar sobre Ashburn.*

Angela voltou para a cozinha carregando o bebê, cujos cachos despenteados erguiam-se como uma coroa ao redor de sua cabeça. Regina, a pequena rainha. O nome subitamente pareceu adequado.

— O que sabemos desse múltiplo homicídio? — perguntou Jane.

— Moore está com o arquivo aqui.

Ela olhou para Angela.

— Mamãe, preciso sair um pouco. Tudo bem?

— Vá em frente. Estamos bem aqui, não é mesmo, Regina? — Angela curvou-se e deu um beijo de esquimó no bebê. — E daqui a pouco, vamos tomar um belo banho.

Jane disse para Gabriel:

— Estarei aí em vinte minutos.

— Não. Vamos nos encontrar em outro lugar.

— Por quê?

— Não queremos falar sobre isso aqui.

— Gabriel, o que está acontecendo?

Houve uma pausa e ela pôde ouvir a voz de Moore murmurando ao fundo. Então Gabriel voltou a falar:

— JP Doyle's. Encontramos você lá.

24

Ela não tomou banho. Simplesmente vestiu a primeira roupa que encontrou: calças baggy de gestante e uma camiseta que seus colegas detetives lhe deram no chá de bebê com as palavras MÃE POLICIAL bordadas na barriga. Comeu duas torradas com manteiga enquanto dirigia para o bairro de Jamaica Plain. Aquela última conversa com Gabriel a deixara uma pilha, e ela se viu olhando para o espelho retrovisor toda vez que parava nos sinais, observando os carros atrás dela. Teria visto aquele Taurus verde quatro quarteirões mais atrás? E seria aquela a mesma van branca que observou estacionada na rua de seu prédio?

O JP Doyle's era o bar favorito do Departamento de Polícia de Boston e, à noite, geralmente estava lotado de policiais de folga. Contudo, às três da tarde, havia apenas uma mulher solitária sentada diante do balcão, bebendo uma taça de vinho branco com uma tevê sintonizada na ESPN acima de sua cabeça. Jane atravessou o bar e dirigiu-se ao restaurante anexo, de paredes adornadas com a *memorabilia* dos irlandeses de Boston. Recortes de jornal sobre os Kennedy, Tip O'Neill e outras celebridades de Boston estavam pendurados ali havia tanto tempo que estavam agora quebradiços. Já a bandeira da Irlanda pendurada sobre um dos reservados adquirira o sujo matiz de amarelo-nicotina. Naquele intervalo entre almoço e jantar, apenas dois reservados estavam ocupados. Em um estava um casal de meia-idade, claramente turistas a julgar pelo mapa de Boston aberto entre eles. Jane passou pelo casal e foi até o reservado no canto, onde Moore e Gabriel estavam sentados.

Ela se sentou ao lado do marido e olhou para a pasta de arquivos sobre a mesa.

— O que têm para me mostrar?

Moore não respondeu. Em vez disso, ergueu a cabeça em um sorriso automático quando a garçonete se aproximou.

— Ei, detetive Rizzoli! Está magrinha outra vez! — disse a garçonete.

— Não tanto quanto gostaria.

— Ouvi dizer que teve uma menina.

— Ela está nos mantendo acordados a noite inteira. Esta pode ser a minha última chance de comer em paz.

A garçonete riu ao tirar o bloco do bolso.

— Então vamos alimentá-la.

— Na verdade, só queria um pouco de café e crisps de maçã.

— Boa escolha. — A garçonete olhou para os homens. — E quanto a vocês, rapazes?

— Mais café — disse Moore. — Vamos ficar aqui sentados vendo-a comer.

Mantiveram o silêncio enquanto as xícaras eram completadas. Somente depois que a garçonete trouxe os crisps de maçã e se foi Moore finalmente entregou a pasta para Jane.

Lá dentro havia uma página de fotos digitais. Ela imediatamente as reconheceu como microfotografias de uma cápsula deflagrada, mostrando os padrões deixados pelo gatilho ao atingir a espoleta, e pelo coice da cápsula contra o bloco da culatra.

— Esta é a cápsula do hospital? — perguntou ela.

Moore concordou.

— Esta cápsula veio da arma que o fulano levou para o quarto de Olena. A arma que ela usou para matá-lo. A Balística a pesquisou no banco de dados do Sistema Integrado de Informação Balística, que encontrou outra idêntica, no banco de dados da Agência de Álcool, Tabaco e Armas de Fogo. Um múltiplo homicídio em Ashburn, Virgínia.

Ela pegou a outra página de fotos. Era outra série de microfotografias de uma cápsula deflagrada.

— Correspondem?

— Impressões de disparo idênticas. Duas cápsulas diferentes, descobertas em duas cenas do crime diferentes. Ambas foram ejetadas pela mesma arma.

— E agora temos esta arma.

— Na verdade, não temos.

Ela olhou para Moore.

— Devia ter sido encontrada com o corpo de Olena. Ela foi a última a empunhá-la.

— Não estava no lugar da invasão.

— Mas nós processamos aquela sala, não é?

— Não havia qualquer arma no lugar. A equipe federal de invasão confiscou toda prova balística ao ir embora. Levaram as armas, a mochila de Joe, até mesmo as cápsulas. Quando o Departamento de Polícia de Boston chegou lá, não havia mais nada.

— Eles limparam uma cena de morte? O que o Departamento de Polícia de Boston vai fazer a respeito?

— Aparentemente, não podemos fazer nada — disse Moore. — Os federais estão considerando isto como uma questão de segurança nacional e não querem vazamento de informação.

— Eles não confiam no Departamento de Polícia de Boston?

— Ninguém confia em ninguém. Não somos os únicos excluídos. O agente Barsanti também queria as provas balísticas, e não ficou contente ao saber que a equipe de operações táticas as tinha levado. Isso virou uma briga entre agência federal contra agência federal. O Departamento de Polícia de Boston é apenas um rato assistindo a uma briga de cachorros grandes.

O olhar de Jane voltou às microfotografias.

— Você disse que esta outra cápsula veio de uma cena de crime em Ashburn. Pouco antes da invasão, Joseph Roke tentou nos falar sobre algo que aconteceu em Ashburn.

— O Sr. Roke bem poderia estar falando sobre isto aqui. — Moore enfiou a mão dentro da pasta e sacou outro arquivo, que deitou sobre a mesa. — Recebi isto ontem à noite, da polícia de Leesburg. Ashburn é apenas um vilarejo. Foi Leesburg que trabalhou o caso.

— Não é agradável de se ver, Jane — disse Gabriel.

Seu aviso foi algo inesperado. Juntos, testemunharam os horrores da sala de necropsia, e ela nunca o viu vacilar. Se esse caso horrorizou até mesmo Gabriel, pensou ela, será que realmente desejo vê-lo? Não perdeu tempo pensando a respeito. Em vez disso, simplesmente abriu o arquivo e confrontou-se com a primeira foto da cena do crime. Não é assim tão ruim, pensou. Já vira muito pior. Uma mulher esguia de cabelos castanhos estava tombada de bruços em uma escadaria, como se tivesse caído do primeiro degrau. Um rio de seu sangue escorrera para baixo, acumulando-se em uma poça ao pé da escada.

— Esta é Maria Ninguém número um — disse Moore.

— Não tem a identificação dela?

— Não temos identificação de nenhuma das vítimas desta casa.

Ela se voltou para a fotografia seguinte. Dessa vez era uma jovem loura, deitada em uma cama dobrável, o cobertor puxado até o pescoço, mãos ainda agarrando o tecido, como se aquilo a pudesse proteger. Um filete de sangue escorria do ferimento a bala em sua testa. Uma morte rápida, produzida com a assombrosa eficiência de uma única bala.

— Esta é Maria Ninguém número dois — disse Moore. Ao ver o olhar confuso de Jane, acrescentou: — Há outras.

Jane sentiu um tom de precaução na voz dele. Ao mudar para a outra imagem, voltou a se preparar para o pior. Ao olhar para a terceira foto da cena do crime, pensou: Está ficando difícil, mas ainda posso lidar com isso. Era a visão de uma porta de armário e de um interior coberto de sangue. Duas jovens, ambas seminuas, estavam agarradas em um emaranhado de braços e longos cabelos, como se surpreendidas em um último abraço.

— Marias Ninguém números três e quatro — disse Moore.

— *Nenhuma* dessas mulheres foi identificada?

— Suas digitais não constam de nenhum banco de dados.

— Você tem quatro mulheres atraentes aí. E ninguém deu por falta delas?

Moore balançou a cabeça.

— Não se enquadram em ninguém que conste da lista de pessoas desaparecidas do Centro Nacional de Informação Criminal. — Ele meneou a cabeça em direção à fotografia das duas jovens dentro do armário. — A cápsula do banco de dados do SIB que coincide com a nossa foi encontrada neste armário. Estas duas mulheres foram baleadas com a mesma arma que o guarda levou para o quarto de hospital de Olena.

— E as outras vítimas da casa? A mesma arma também?

— Não. Uma arma diferente foi usada nelas.

— Duas armas? Dois assassinos?

— Sim.

Até agora, nenhuma das imagens realmente a perturbara. Pegou a última fotografia sem hesitar, a da Maria Ninguém número cinco. Desta vez, o que viu a fez se recostar contra a parede do reservado. Mas não conseguia tirar os olhos da imagem. Só conseguia olhar para a expressão de agonia mortal ainda gravada na face da vítima. Aquela mulher era mais velha e mais gorda, com seus 40 anos de idade. Seu tronco fora amarrado a uma cadeira com um fio branco.

— Esta é a quinta e última vítima — disse Moore. — As outras quatro mulheres foram despachadas rapidamente. Uma bala na cabeça, e pronto. — Ele olhou para o arquivo aberto. — Esta também acabou sendo executada com uma bala na cabeça. Mas não antes de... — Moore fez uma pausa. — Não antes de fazerem *isto* com ela.

— Quanto tempo... — Jane engoliu em seco. — Quanto tempo foi mantida viva?

— Baseado no número de fraturas em suas mãos e pulsos, e o fato de todos os ossos terem sido essencialmente pulverizados, o médico perito acredita que foram dados ao menos quarenta ou cinqüenta golpes distintos. A cabeça do martelo não era grande. Cada golpe esmagaria apenas uma pequena área. Mas não havia um osso, um dedo que tivesse escapado.

Jane fechou a pasta abruptamente, incapaz de continuar olhando para aquela imagem. Mas o mal já estava feito, a lembrança agora era indelével.

— Seria necessário ao menos dois agressores — disse Moore.

— Alguém para imobilizá-la enquanto era amarrada na cadeira. Alguém para segurar seu pulso contra a mesa enquanto *aquilo* estava sendo feito com ela.

— Ela teria gritado — murmurou Jane erguendo a cabeça para encarar Moore. — Por que ninguém ouviu seus gritos?

— A casa fica ao fim de uma estrada particular de terra batida, a alguma distância das casas vizinhas. E lembre-se, era inverno.

Quando as pessoas mantêm as janelas fechadas. A vítima deve ter se dado conta de que ninguém ouviria seus gritos. Que não haveria resgate. O melhor que poderia esperar era a misericórdia de uma bala.

— O que queriam dela? — perguntou Jane.

— Não sabemos.

— Deve ter havido uma razão para fazerem isso. Algo que ela sabia.

— Nem mesmo sabemos quem ela é. Cinco Marias Ninguém. Nenhuma dessas vítimas se enquadra em qualquer caso de pessoa desaparecida.

— Como é possível não sabermos *coisa alguma* sobre elas? — Ela olhou para o marido.

Gabriel balançou a cabeça.

— São fantasmas, Jane. Sem nomes, sem identidades.

— E quanto à casa?

— Estava alugada para certa Marguerite Fisher.

— Quem é?

— Não existe. É um nome inventado.

— Meu Deus. Isso é como entrar em uma toca de coelho. Vítimas sem nome. Inquilinos que não existem.

— Mas sabemos quem é o proprietário da casa — disse Gabriel. — Uma empresa chamada KTE Investimentos.

— Isso quer dizer alguma coisa?

— Sim. A polícia de Leesburg demorou um mês para rastrear. A KTE é uma subsidiária informal da Ballentree Company.

Jane sentiu como se dedos gelados percorressem a sua nuca. Ballentree. Ashburn. E se ele não fosse louco, afinal de contas?

Todos ficaram em silêncio e a garçonete voltou com a jarra de café.

— Não gostou de seus crisps de maçã, detetive? — perguntou ela, ao notar que Jane mal tocara no prato.

— Ah, estão ótimos. Mas acho que não estou com tanta fome quanto pensava.

— É, ninguém parece estar com apetite hoje — disse a garçonete enquanto servia a xícara de Gabriel. — Um bocado de bebedores de café por aqui esta tarde.

Gabriel ergueu a cabeça.

— Quem mais? — perguntou.

— Ah, aquele cara ali. — A garçonete fez uma pausa, apontando para um reservado vazio ali perto. Ela deu de ombros. — Acho que ele não gostou do café.

— Tudo bem — sussurrou Jane. — Estou começando a ficar apavorada, pessoal.

Moore rapidamente recolheu as pastas e meteu-as dentro de um grande envelope.

— Temos de ir — disse ele.

Saíram do Doyle's, emergindo no bafo quente da tarde. No estacionamento, fizeram uma pausa junto ao carro de Moore, vasculhando a rua, os veículos estacionados. Aqui estamos nós, dois policiais e um agente do FBI, pensou Jane, os três uma pilha de nervos. Os três instintivamente vasculhando a área.

— O que acontece agora? — perguntou Jane.

— No que diz respeito ao Departamento de Polícia de Boston, nada — disse Moore. — Recebi ordens de não mexer nesse caso em particular.

— E esses arquivos? — Ela olhou para o envelope que Moore trazia.

— Nem devia ter isso comigo.

— Bem, ainda estou em licença-maternidade. Ninguém me deu qualquer ordem. — Ela pegou o envelope da mão de Moore.

— Jane — disse Gabriel.

Ela se voltou para o Subaru.

— Vejo você em casa.

— *Jane.*

Quando ela se sentou atrás do volante, Gabriel abriu a porta do passageiro e sentou-se ao seu lado.

— Você não sabe no que está se metendo — disse ele.

— Você sabe?

— Você viu o que fizeram com as mãos daquela mulher. Esse é o tipo de gente com quem estamos lidando.

Ela olhou pela janela e viu Moore entrando no carro e se afastando.

— Pensei que tivesse acabado — murmurou. — Pensei: tudo bem, sobrevivemos, vamos seguir com nossas vidas. Mas *não* acabou. — Ela olhou para ele. — Preciso saber por que isso aconteceu. Preciso saber o que isso significa.

— Deixe que eu investigo. Vou descobrir o que puder.

— E o que faço eu?

— Você acabou de sair do hospital.

Ela enfiou a chave na ignição e ligou o motor. Uma lufada de ar quente saiu pelo duto de ar-condicionado.

— Não passei por uma grande cirurgia — disse ela. — Apenas tive um bebê.

— Motivo bastante para você ficar fora disso.

— Mas é *isso* que está me aborrecendo, Gabriel. *Por isso* não consigo dormir! — Ela se recostou no assento. — É por isso que o pesadelo não vai embora.

— Leva tempo.

— Não consigo parar de pensar. — Ela voltou a olhar para o estacionamento. — Estou começando a me lembrar de mais coisas.

— Que coisas?

— Estrondos. Gritos, tiros. Então, sangue no meu rosto...

— Este é o pesadelo que você me contou.

— E *continuo* tendo o mesmo pesadelo.

— Deve mesmo ter havido barulho e tiros. E *havia* sangue sobre você. Sangue de Olena. Nada do que se lembra é surpreendente.

— Mas há algo mais. Eu não lhe falei a respeito porque estava tentando me lembrar. Pouco antes de morrer, Olena tentou me dizer algo.

— Dizer o quê?

Ela olhou para Gabriel.

— Ela disse um nome. Mila. Ela disse: "Mila sabe."

— O que isso quer dizer?

— Não sei.

O olhar de Gabriel voltou-se para a rua. Acompanhava o progresso de um carro que passava lentamente, fazia a volta na esquina e sumia de vista.

— Por que não vai para casa? — disse ele.

— E quanto a você?

— Estarei lá em breve. — Ele se inclinou para beijá-la. — Eu a amo — disse ele, e saltou.

Ela observou-o caminhar para o seu carro, estacionado a algumas vagas dali. Viu-o fazer uma pausa para enfiar a mão no bolso, como se procurando as chaves. Ela conhecia o marido bem o bastante para perceber tensão em seus ombros, para notar o seu rápido olhar para o estacionamento. Ela raramente o via perturbado, e agora ficara ansiosa ao perceber que ele estava no limite. Ele ligou o motor e esperou que ela saísse primeiro.

Só deixou o estacionamento quando ela se foi. Seguiu-a por alguns quarteirões. Ele está vendo se estou sendo seguida, pensou. Mesmo depois de ele finalmente ir embora, ela se pegou olhando no espelho, embora não visse motivo para alguém segui-la. O que ela sabia, afinal de contas? Nada que Moore ou qualquer outro na Homicídios já não soubesse. Apenas a memória de um sussurro.

Mila. Quem é Mila?

Ela olhou por sobre os ombros para o envelope de Moore, que jogara no banco de trás. Não estava ansiosa por voltar a examinar aquelas fotografias da cena do crime. Mas preciso ir além do horror, pensou ela. Preciso saber o que aconteceu em Ashburn.

25

Maura Isles estava com sangue até os cotovelos. Esperando na ante-sala, Gabriel observava através da divisória de vidro enquanto Maura sondava o abdome, erguia dobras de intestino e as jogava em uma bacia. Ele não viu desagrado em seu rosto enquanto remexia aquelas vísceras, apenas a plácida concentração de uma cientista sondando em busca de algum detalhe fora do comum. Finalmente, ela entregou a bacia para Yoshima e tornou a pegar o bisturi quando viu Gabriel.

— Vou demorar mais uns vinte minutos — disse ela. — Pode entrar se quiser.

Ele vestiu os protetores de sapato e um avental para proteger as roupas e entrou no laboratório. Embora tentasse evitar olhar para o corpo sobre a mesa, aquilo estava lá entre eles, impossível de ser ignorado. Uma mulher com membros esqueléticos e a pele pendurada como papel crepom sobre os ossos salientes do quadril.

— História de anorexia nervosa. Encontrada morta em seu apartamento — disse Maura, respondendo à pergunta não formulada.

— É tão jovem...

— Vinte e sete. A equipe médica de emergência disse que tudo o que ela tinha na geladeira era uma cabeça de alface e uma Pepsi Diet.

Fome na terra da abastança. — Maura enfiou as mãos na cavidade do abdome para dissecar o espaço retroperitonial. Nesse meio-tempo, Yoshima cuidava de fazer a incisão no couro cabeludo. Como sempre, trabalhavam com um mínimo de conversa, conhecendo as necessidades do outro tão bem que as palavras não pareciam ser necessárias.

— Queria me dizer algo? — perguntou Gabriel.

Maura fez uma pausa. Segurava um rim com a concha das mãos como se fosse um pedaço de gelatina preta. Ela e Yoshima trocaram um olhar nervoso. Imediatamente, Yoshima ligou a serra Stryker, e o barulho quase abafou a resposta de Maura.

— Não aqui — murmurou ela. — Não agora.

Yoshima abriu a caixa craniana.

Quando Maura se inclinou para livrar o cérebro, perguntou, em voz normal e alegre:

— Então, como é ser papai?

— Supera todas as minhas expectativas.

— Decidiram-se por Regina?

— Mama Rizzoli nos convenceu.

— Bem, acho um belo nome. — Maura deitou o cérebro em um balde de formol. — Um nome digno.

— Jane já abreviou para Reggie.

— Nem tão digno assim.

Maura tirou as luvas e olhou para Yoshima. Ele meneou a cabeça.

— Preciso de ar puro — disse ela. — Vamos fazer uma pausa.

Tiraram as luvas e foram até a expedição. Apenas quando saíram do prédio e estavam no estacionamento ela voltou a falar:

— Desculpe o transtorno. Tivemos um problema de segurança. Não me sinto confortável falando sobre isso lá dentro.

— O que houve?

— Na noite passada, por volta das três da manhã, os bombeiros de Medford trouxeram uma vítima de acidente. Normalmente mantemos as portas externas trancadas, e eles precisam ligar para um operador noturno para obter o código de acesso. Eles descobriram que as portas já estavam abertas, e quando entraram, viram luzes acesas no laboratório de necropsia. Mencionaram aquilo para o operador e a segurança veio verificar o prédio. Quem quer que tenha invadido deve ter saído às pressas porque uma gaveta de minha escrivaninha ainda estava aberta.

— No seu escritório?

— Sim — disse Maura. — O computador do Dr. Bristol estava ligado. Ele sempre o desliga ao sair à noite. — Ela fez uma pausa. — Estava aberto no arquivo da necropsia de Joseph Roke.

— Alguma coisa foi tirada dos escritórios?

— Nada que tenhamos percebido. Mas estamos todos muito desconfiados para discutir algo importante dentro do prédio. Alguém esteve em nossos escritórios. E em nosso laboratório. E não sabemos o que procuravam.

Não era de admirar que Maura tivesse se recusado a discutir o assunto por telefone. Até mesmo a equilibrada Dra. Isles estava assustada.

— Não sou afeita a teorias de conspiração — disse Maura. — Mas veja tudo o que aconteceu. Ambos os corpos tirados de nossa custódia legal. Provas balísticas confiscadas por Washington. Quem está dando as cartas aqui?

Ele olhou para o estacionamento sob o sol abrasador.

— Gente graúda — disse ele. — Tem de ser.

— O que quer dizer que não podemos tocá-los.

Ele olhou para ela.

— O que significa que não vamos tentar.

Jane despertou no escuro, os últimos sussurros do sonho ainda em seus ouvidos. A voz de Olena outra vez, murmurando para ela de além-túmulo. *Por que continua a me atormentar? Diga-me o que quer, Olena. Diga-me quem é Mila.*

Mas o murmúrio se calou, e ela só ouvia o som da respiração de Gabriel. Então, um instante depois, o choro indignado da filha. Ela pulou da cama e deixou o marido continuar a dormir. Estava bem desperta agora e ainda assombrada pelos ecos do sonho.

O bebê se livrara do cobertor que o envolvia e brandia punhos rosados, como se desafiando a mãe à luta.

— Regina, Regina — suspirou Jane ao erguer a filha do berço, e subitamente se deu conta de quão natural o nome lhe soava agora. Aquela menina de fato nascera Regina. Só demorou algum tempo para Jane dar-se conta disso, para parar de negar teimosamente aquilo que Angela sabia todo o tempo. Por mais que ousasse admiti-lo, Angela estava certa a respeito de um bocado de coisas. Nomes de filhos, comida de bebê e pedir ajuda quando preciso. Era com a última parte que Jane tinha mais problema: admitir que precisava de ajuda, que não sabia o que estava fazendo. Podia trabalhar em um homicídio, perseguir um monstro, mas pedir para que ela consolasse aquele bebê nos braços era o mesmo que pedir que desarmasse uma bomba nuclear. Jane olhou a esmo pelo quarto, na esperança de haver alguma fada madrinha espreitando em um canto, pronta para balançar uma varinha de condão e fazer Regina parar de berrar.

Nenhuma fada madrinha por aqui. Apenas eu.

Regina ficou apenas cinco minutos no seio direito, outros cinco no esquerdo, e então era hora da mamadeira. Tudo bem, sua mãe é um fracasso como vaca leiteira, pensou, enquanto levava Regina para a cozinha. Então, tirem-me do rebanho e me sacrifiquem.

Regina sugava alegremente na mamadeira quando Jane acomodou-se na cadeira da cozinha, saboreando aquele breve instante de silêncio. Ela olhou para o cabelo escuro da filha. Cacheado como o meu, pensou. Angela disse-lhe certa vez, durante uma briga: "Um dia terá a filha que merece." E aqui estou, pensou, com essa menina barulhenta e insaciável.

O relógio da cozinha marcou três horas da madrugada.

Jane foi até a pilha de pastas que o detetive Moore lhe dera na noite anterior. Ela acabara de ler todo o arquivo Ashburn. Então, abriu uma outra pasta e viu que aquela não era sobre os assassinatos em Ashburn. Era um arquivo do Departamento de Polícia de Boston sobre o carro de Joseph Roke, o veículo que ele abandonara a algumas quadras do hospital. Ela viu páginas contendo anotações de Moore, fotografias do interior do veículo, um laudo sobre as suas impressões feito pelo Afis, o sistema automático de identificação de impressões digitais, e declarações de diversas testemunhas. Enquanto estivera presa naquele hospital, seus colegas da Homicídios não ficaram ociosos. Eles garimparam cada fragmento de informação sobre os seqüestradores. Nunca estive sozinha, pensou. Meus amigos estavam lá fora, lutando por mim, e esta é a prova disso.

Olhou para a assinatura do detetive em uma das declarações de testemunhas e deu uma risada surpresa. Diabos, até mesmo seu antigo flagelo, Darren Crowe, andara trabalhando duro para salvá-la, e por que não o faria? Sem ela na unidade, ele não teria a quem insultar.

Jane folheou as fotografias do interior do veículo. Viu embrulhos amarrotados de Butterfinger e latas vazias de Red Bull no chão. Um bocado de açúcar e cafeína, tudo o que um psicótico precisa para se acalmar. No banco traseiro havia um cobertor embolado e um travesseiro manchado, e um exemplar de um tablóide, o *Weekly Confidential*, com Melanie Griffith na capa. Ela tentou imaginar Joe deitado no banco de trás, folheando o tablóide, vasculhando as notícias sobre celebridades e modelos, mas não conseguia visualizar aquilo. Estaria ele realmente interessado em saber o que estavam fazendo os malucos de Hollywood? Talvez saber a respeito de suas vidas ferradas tornasse a vida de Joe mais tolerável. O *Weekly Confidential* era uma distração inofensiva para momentos de ansiedade.

Ela deixou de lado o arquivo do Departamento de Polícia de Boston e pegou a pasta dos assassinatos em Ashburn. Mais uma vez, confrontou-se com as fotografias da cena do crime. Mais uma vez, deteve-se sobre a foto da Maria Ninguém número cinco. Súbito, não conseguiu mais olhar para sangue e morte. Morrendo de frio, fechou o arquivo.

Regina estava adormecida.

Jane levou o bebê de volta ao berço, então voltou para a própria cama, mas não conseguia parar de tremer, apesar do calor do corpo de Gabriel sob os lençóis. Precisava muito dormir, mas não conseguia se acalmar. Muitas imagens passavam por sua mente. Era a primeira vez que compreendia a frase *cansada demais para conseguir dormir*. Ela ouvira dizer que as pessoas podiam ficar psicóticas por falta de sono. Talvez já tivesse cruzado alguma fronteira levada pelos pesadelos e por sua exigente recém-nascida. *Preciso afastar estes pesadelos.*

Gabriel abraçou-a.

— Jane?

— Sim — murmurou ela.

— Você está trêmula. Está com frio?

— Um pouco.

Ele a abraçou mais forte, puxando-a para perto de si.

— Regina acordou?

— Há algum tempo. Já a alimentei.

— Era a minha vez.

— Mas eu estava mesmo acordada.

— Por quê?

Ela não respondeu.

— É o sonho outra vez, não é? — perguntou Gabriel.

— Está me perseguindo. Não me deixa em paz. Toda maldita noite, me impede de dormir.

— Olena está morta, Jane.

— Então é o fantasma dela.

— Você não acredita em fantasmas de verdade.

— Eu não. Mas agora...

— Mudou de idéia?

Ela se virou de lado para fitá-lo e viu o brilho tênue das luzes da cidade em seus olhos. Seu belo Gabriel. Como teve tal sorte? O que fez para merecê-lo? Ela tocou-lhe a face, dedos roçando a barba por fazer. Mesmo após seis meses de casamento, ainda estranhava compartilhar a cama com aquele homem.

— Só queria que as coisas voltassem a ser como antes — disse ela. — Antes de isso ter acontecido.

Ele a puxou contra si, e ela sentiu cheiro de sabão e pele quente. O cheiro de seu marido.

— Dê tempo ao tempo — disse Gabriel. — Talvez precise ter esses sonhos. Ainda está processando o que aconteceu. Trabalhando o trauma.

— Ou talvez deva fazer algo a respeito.

— O quê?

— O que Olena queria que eu fizesse.

Ela suspirou.

— Você está falando de fantasmas outra vez.

— Ela falou comigo. Não imaginei esta parte. Não é um sonho, é uma lembrança, algo que realmente aconteceu. — Ela se virou de costas e olhou para as sombras.

— "Mila sabe." Foi o que ela disse. É tudo de que me lembro.

— Mila sabe o quê?

Ela olhou para Gabriel.

— Acho que ela estava falando de Ashburn.

26

Quando embarcaram no avião para Washington-Reagan, seus seios estavam doloridos e inchados, o corpo implorando pelo alívio que apenas uma criança mamona podia proporcionar. Mas Regina não estava por perto. Sua filha estava passando o dia nas mãos capazes de Angela, e naquele instante provavelmente estava sendo mimada por alguém que realmente sabia o que estava fazendo. Olhando pela janela do avião, Jane pensou: Meu bebê tem apenas duas semanas e já o estou abandonando. Sou uma péssima mãe. Mas à medida que se afastavam da cidade de Boston, não era culpa que ela sentia e, sim, uma súbita leveza, como se tivesse se livrado do peso da maternidade, de noites sem dormir e horas ninando a filha. O que há de errado comigo, pensou, por estar tão aliviada ao me ver longe de minha própria filha?

Péssima mãe.

A mão de Gabriel pousou sobre a dela.

— Tudo bem?

— É.

— Não se preocupe. Sua mãe a trata muito bem.

Ela meneou a cabeça e continuou a olhar pela janela do avião. Como dizer ao próprio marido que sua filha tem uma mãe desleixada que estava excitadíssima por estar fora de casa e de volta à ativa? Que sentia tanta falta do próprio trabalho que chegava a se emocionar ao ver um filme policial na tevê?

Algumas poltronas atrás deles, um bebê começou a chorar e os seios de Jane pulsaram, repletos de leite. Meu corpo está me punindo, pensou, por deixar Regina para trás.

A primeira coisa que fez ao desembarcar foi ir ao banheiro feminino. Ali, sentou-se em um vaso, ordenhando a si mesma com chumaços de lenços de papel, perguntando-se se as vacas sentiam o mesmo abençoado alívio quando seus úberes eram esvaziados. Que desperdício, mas ela não sabia mais o que fazer a não ser extrair aquilo e jogar na privada.

Ao sair, encontrou Gabriel esperando por ela junto à banca de jornais do aeroporto.

— Sentindo-se melhor? — perguntou ele.

— Muuu.

O detetive Eddie Wardlaw, de Leesburg, não pareceu particularmente animado ao vê-los. Tinha seus 40 anos, um rosto amargo e olhos que não sorriam mesmo quando os lábios tentavam fazê-lo. Jane não conseguiu identificar se ele estava cansado ou irritado com a sua visita. Antes dos apertos de mãos, pediu para ver suas identidades e passou um tempo ofensivamente longo examinando-as, como se estivesse certo de que eram falsas. Somente então os cumprimentou de má vontade e admitiu-os no escritório.

— Falei com o detetive Moore esta manhã — disse ele enquanto os guiava corredor abaixo.

— Dissemos a ele que viríamos vê-lo — falou Jane.

— Ele me disse que vocês eram gente boa. — Wardlaw pegou um chaveiro em um dos bolsos, fez uma pausa e olhou para eles. — Precisava de alguns antecedentes de vocês dois, de modo que andei perguntando. Espero que compreendam o que está acontecendo.

— Na verdade, não compreendemos — disse Jane. — Estamos tentando entender.

— É? — resmungou Wardlaw. — Bem-vindos ao clube. — Ele destrancou a porta e entraram em uma pequena sala de reuniões. Sobre a mesa havia uma caixa de papelão, etiquetada com um número de caso e contendo uma pilha de arquivos. Wardlaw apontou para os arquivos. — Pode ver quanto material reunimos. Não dava para copiar tudo. Só enviei para Moore o que achei conveniente compartilhar. Esse caso foi estranho desde o início, e preciso ter certeza absoluta a respeito das pessoas que consultarem estes arquivos.

— Olhe, quer verificar minhas credenciais outra vez? — perguntou Jane. — Pode falar com qualquer um em minha unidade. Todos me conhecem.

— Você não, detetive. Não tenho problemas com policiais. Mas gente do FBI... — Ele olhou para Gabriel. — Sou forçado a ser mais cauteloso. Principalmente considerando o que aconteceu até agora.

Gabriel respondeu com aquele olhar imperturbável que conseguia invocar na hora que desejasse. O mesmo olhar que manteve Jane a distância quando se conheceram.

— Se tem algum problema comigo, detetive, vamos discuti-lo agora antes de continuarmos.

— Por que está aqui, agente Dean? Seu pessoal já passou o pente-fino em tudo o que temos.

— O FBI entrou nessa? — perguntou Jane.

Wardlaw olhou para ela.

— Eles exigiram cópias de tudo. Cada pedaço de papel desta caixa. Não confiaram em nossa perícia, de modo que trouxeram seus próprios técnicos para examinar as provas físicas. Os federais viram tudo. — Ele se voltou para Gabriel. — Portanto, se tem perguntas sobre este caso, por que não as faz aos seus colegas no FBI?

— Acredite, posso garantir a idoneidade do agente Dean — disse Jane. — Sou casada com ele.

— É, foi o que Moore me disse. — Wardlaw riu e balançou a cabeça. — Federal e tira. Para mim, é como um gato se casando com um cachorro. Bem, aqui está o que desejam: arquivos de acompanhamento de investigação. Fichas de ocorrência. — Ele tirou as pastas da caixa uma a uma e pousou-as sobre a mesa. — Relatórios de laboratório e de necropsia. Fotos das vítimas. Diários. Recortes de imprensa... — Ele fez uma pausa, como se subitamente lembrasse de algo. — Tenho outro item que pode lhes ser útil — disse ele, voltando-se para a porta. — Vou buscar.

Momentos depois, ele voltou carregando uma fita de vídeo.

— Guardo isso em minha escrivaninha — disse ele. — Com todos esses federais remexendo esta caixa, achei melhor guardar a fita em lugar seguro. — Foi até um armário, de onde trouxe um monitor de tevê e um aparelho de videocassete. — Estando tão perto de Washington, vez por outra temos... bem, complicações políticas — disse, enquanto esticava o fio. — Vocês sabem, autoridades eleitas comportando-se mal. Há alguns anos, a esposa de um senador morreu quando seu Mercedes capotou em uma de nossas estradas secundárias. O problema é que o sujeito que estava dirigindo o carro não era seu marido. Ainda pior, trabalhava na embaixada da Rússia. Precisavam ver quão rapidamente o FBI se meteu nesse caso. — Ele ligou a tevê, então se levantou o olhou para os visitantes. — Estou tendo uma impressão de *déjà vu* neste caso.

— Você acha que pode haver implicações políticas? — perguntou Gabriel.

— Sabe quem é o proprietário da casa? Demorou semanas para descobrirmos.

— É uma subsidiária da Ballentree Company.

— E *essa* é a complicação política. Estamos falando de um figurão em Washington. Amiguinho da Casa Branca. O maior empreiteiro do Departamento de Defesa. Eu não fazia idéia de onde estava me metendo. Encontrar cinco mulheres assassinadas a tiros já era ruim. Acrescente a política, a intervenção do FBI, e me sinto pronto para uma maldita aposentadoria prematura. — Wardlaw inseriu a fita no aparelho de videocassete, pegou o controle remoto e apertou a tecla PLAY.

No monitor de tevê, apareceu uma imagem de árvores nevadas. Era um dia claro e o sol brilhava sobre o gelo.

— O 911 recebeu a chamada por volta das dez da manhã — disse Wardlaw. — Voz masculina, reusou-se a se identificar. Só queria notificar que algo acontecera em uma casa em Deerfield Road, e que a polícia deveria ir ver. Não há muitas residências em Deerfield Road, de modo que não demorou até o carro-patrulha encontrar a casa.

— De onde veio a chamada?

— Um telefone público a cerca de sessenta quilômetros de Ashburn. Não conseguimos extrair qualquer impressão do aparelho. Nunca identificamos a pessoa que ligou.

Na tela da tevê, viam-se meia dúzia de veículos estacionados. Contra o ruído de fundo de vozes masculinas, o operador de câmera começou a narrar:

— A data é quatro de janeiro, onze e trinta e cinco da manhã. O endereço da casa é Deerfield Road, número nove, cidade de Ashburn, na Virginia. Presentes estão o detetive Ed Wardlaw e eu, o detetive Byron McMahon...

— Meu parceiro operou a câmera — disse Wardlaw. — Esta é uma visão do acesso de veículos diante da casa. Como pode ver, o lugar é cercado de florestas. Nenhum vizinho por perto.

A câmera passou lentamente por duas ambulâncias estacionadas. Suas equipes se reuniam em grupos, seus hálitos vaporosos no ar gelado. A câmara continuou a girar, finalmente detendo-se na casa. Era uma casa de tijolos de dois andares e imponentes proporções, mas o que fora outrora uma grande residência mostrava agora sinais de negligência. A tinta branca estava descascando das persianas e peitoris das janelas. Uma das balaustradas da varanda estava tombada de lado. Barras de ferro cobriam as janelas, uma característica arquitetônica mais apropriada a um prédio de apartamentos na cidade, não a uma casa em uma calma estrada rural. A câmera agora focalizava o detetive Wardlaw, de pé nos degraus de entrada, como um anfitrião sombrio esperando para dar as boas-vindas aos seus convidados. A câmera voltou-se para o chão quando o detetive McMahon curvou-se para calçar os protetores de sapato. Então a lente mais uma vez se voltou para a porta da frente. Seguiu Wardlaw casa adentro.

A primeira imagem capturada foi a escadaria ensangüentada. Jane já sabia o que esperar. Ela vira as fotos da cena do crime e sabia como cada mulher morrera. Contudo, quando a câmera focalizou os degraus, Jane sentiu o pulso acelerar, a sensação de pavor crescendo.

A câmera fez uma pausa sobre a primeira vítima, caída de bruços na escada.

— Esta recebeu dois tiros — disse Wardlaw. — O perito disse que a primeira bala atingiu-a nas costas, provavelmente quando a vítima tentava fugir. Cortou-lhe a veia cava e saiu pelo abdome. A julgar pela quantidade de sangue que perdeu, provavelmente ficou viva de cinco a dez minutos antes de levar a segunda na cabeça. O que imagino é que o assassino a derrubou com o primeiro tiro e depois voltou a atenção para as outras mulheres. Quando ele desceu as escadas outra vez, percebeu que aquela ainda estava viva. Então a matou com um tiro de misericórdia. — Wardlaw olhou para Jane. — Sujeito cuidadoso.

— Todo aquele sangue — murmurou Jane. — Deve haver uma quantidade de provas em pegadas.

— Tanto no andar de cima quanto no de baixo. Mas embaixo a coisa fica confusa. Vimos dois grupos de pegadas grandes, que presumimos ser dos assassinos. Mas havias outras pegadas, menores, que atravessavam a cozinha.

— Policiais?

— Não. O primeiro carro-patrulha chegou ao menos seis horas depois do ocorrido. O sangue naquela cozinha já estava bem seco. As pegadas menores que vimos foram feitas quando o sangue ainda esta úmido.

— Pegadas de quem?

Wardlaw olhou para ela.

— Ainda não sabemos.

A câmera moveu-se escada acima, e podia-se ouvir o farfalhar dos protetores de sapato sobre os degraus. No corredor do andar de cima, a câmera virou para a esquerda e entrou em um cômodo. Havia seis camas dobráveis amontoadas em um quarto e, no chão, pilhas de roupas, pratos sujos e um saco grande de batata frita. A câmera percorreu o cômodo até parar sobre a cama onde a vítima número dois morrera.

— Parece que esta não teve chance de correr — disse Wardlaw. — Ficou na cama e recebeu a bala deitada.

Novamente a câmera estava em movimento, afastando-se das camas, voltando-se para um armário. Através da porta aberta, a lente fechou sobre as duas pobres ocupantes. Haviam se enfiado nos fundos do guarda-roupa, como se tentassem desesperadamente se esconder. Mas estavam bem visíveis para o assassino que abriu a porta e apontou a arma para as suas cabeças curvadas.

— Uma bala cada — disse Wardlaw. — Esses caras são rápidos, precisos e metódicos. Toda porta foi aberta, todo armário verificado. Não havia onde se esconder. Estas vítimas não tiveram a menor chance.

Ele pegou o controle remoto e adiantou a fita. As imagens dançaram no monitor, um vertiginoso passeio pelos outros quartos, uma corrida escada acima, através de um alçapão até um sótão. A câmera voltou rapidamente pelo corredor e desceu a escadaria outra vez. Wardlaw apertou a tecla PLAY. A imagem voltou à velocidade normal ao atravessar uma sala de jantar e entrar na cozinha da casa.

— Aqui — murmurou ele, apertando a tecla PAUSE. — A última vítima. Teve uma noite horrível.

A mulher estava sentada, amarrada com um fio a uma cadeira. A bala entrou bem acima de sua sobrancelha direita e o impacto empurrou a cabeça para trás. Morreu com os olhos voltados para cima. A morte empalidecera o seu rosto. Ambos os braços dela estavam estendidos à sua frente, sobre a mesa.

O martelo ensangüentado ainda repousava ao lado de suas mãos arruinadas.

— Evidentemente queriam algo dela — disse Wardlaw. — E essa daí não podia, ou não queria, dar isso a eles. — Ele olhou para Jane e em seus olhos ela viu o assombro de alguém que relembrava o suplício que sofrera aquela mulher. Os repetidos golpes de martelo esmigalhando ossos e juntas. Os gritos ecoando por aquela casa de mulheres mortas.

Ele apertou PLAY e o vídeo continuou, deixando para trás a mesa ensangüentada, a carne lacerada. Ainda abalados, observaram em silêncio à medida que a câmera os levava até um quarto no térreo, então até uma sala de estar decorada com um sofá e um tapete surrado. Finalmente, voltaram ao saguão, ao pé da escadaria, onde haviam começado.

— Foi o que encontramos — disse Wardlaw. — Cinco mulheres mortas, todas sem identificação. Duas armas de fogo diferentes foram usadas. Supomos que havia ao menos dois assassinos, trabalhando juntos.

E nenhum lugar naquela casa onde suas vítimas pudessem se esconder, pensou Jane. Lembrou-se das duas mulheres encontradas no armário, sua respiração transformada em gemidos, abraçadas uma à outra enquanto ouviam passos se aproximando.

— Eles entraram e executaram cinco mulheres — disse Gabriel. — Passaram meia hora na cozinha com aquela última, esmagando-lhe as mãos com um martelo. E vocês não tem nada sobre esses assassinos? Nenhuma prova residual, nenhuma impressão digital?

— Ah, nós encontramos uma infinidade de impressões naquela casa. Encontramos impressões não-identificadas em cada cômodo. Mas se nossos assassinos deixaram alguma, elas não batem com nenhuma do Afis. — Wardlaw pegou o controle remoto e apertou a tecla STOP.

— Espere — disse Gabriel, olhar fixo no monitor.

— O que foi?

— Volte a fita.

— Quanto?

— Uns dez segundos.

Wardlaw franziu as sobrancelhas, evidentemente curioso com o que chamara a atenção do outro. Ele entregou o controle remoto a Gabriel.

— Fique à vontade.

Gabriel voltou a fita e apertou a tecla PLAY. A câmera voltou à sala de estar, repetiu a sua tomada do sofá e do tapete surrado, voltou ao saguão e subitamente virou para a porta da frente. Lá fora, o sol brilhava sobre os galhos das árvores cobertos de gelo. Havia dois homens no jardim, conversando. Um deles se voltou para a casa.

Gabriel apertou a tecla PAUSE, congelando a imagem no rosto do sujeito.

— É John Barsanti — disse ele.

— Você o conhece? — perguntou Wardlaw.

— Ele também apareceu em Boston — disse Gabriel.

— É, bem, ele aparece em muitos lugares, não é mesmo? Barsanti e sua equipe chegaram à casa menos de uma hora depois de nós. Tentaram se intrometer diretamente em nossa investigação, e acabamos disputando um cabo-de-guerra aqui na varanda da frente. Até recebermos uma ligação do Departamento de Justiça pedindo que cooperássemos.

— Como o FBI soube tão depressa? — perguntou Jane.

— Nunca tivemos uma boa resposta para esta pergunta. — Wardlaw foi até o aparelho de videocassete, ejetou a fita, então se voltou para ela. — Então é com isso que estamos lidando. Cinco mulheres mortas, nenhuma delas com digitais arquivadas. Nenhuma dada como desaparecida. São todas Marias Ninguém.

— Estrangeiras sem documentação — disse Gabriel.

Wardlaw assentiu com um menear de cabeça.

— Acho que eram da Europa Oriental. Havia alguns jornais com caracteres cirílicos no quarto do térreo. E uma caixa com fotografias de Moscou. Considerando as outras coisas que encontramos na casa, podemos fazer algumas suposições a respeito de suas ocupantes. Na despensa havia estoques de penicilina. Pílulas do dia seguinte. E uma caixa cheia de preservativos. — Ele pegou o arquivo contendo o relatório da necropsia e entregou-o para Gabriel. — Verifique a análise de DNA.

Gabriel foi direto para os resultados dos exames.

— Múltiplos parceiros sexuais — disse ele.

— Sim — disse Wardlaw. — Agora junte tudo. Um grupo de jovens atraentes morando sob o mesmo teto. Divertindo muitos homens diferentes. Digamos apenas que esta casa não era um convento.

27

A estrada particular atravessava bosques de carvalhos, pinheiros e nogueiras. Retalhos de luz solar eram filtrados pelas copas das árvores e pontilhavam a estrada. No interior da floresta, havia pouca luz e os brotos de árvores lutavam para crescer em meio à penumbra esverdeada.

— Não é de estranhar que os vizinhos nada tenham ouvido — disse Jane, olhando para a floresta densa. — Aliás, não consigo ver vizinho algum.

— Acho que é bem ali, através dessas árvores.

Mais trinta metros e a estrada subitamente se alargou, seu carro emergindo sob o sol do fim de tarde. Uma casa de dois andares erguia-se diante deles. Embora um tanto descuidada, ainda tinha uma boa estrutura: fachada de tijolos vermelhos, uma ampla varanda da frente. Mas nada a respeito daquela casa era hospitaleiro. As barras de ferro nas janelas ou as placas de NÃO ULTRAPASSE pregadas nos postes. Ervas daninhas já à altura do joelho cresciam entre a brita do acesso de veículos, a primeira leva de invasão, preparando o caminho para a floresta que fechava o cerco. Wardlaw contara-lhes que uma tentativa de reforma fora abruptamente abandonada havia dois meses, quando o equipamento do empreiteiro acidentalmente causou um pequeno incêndio, queimando um quarto no andar de cima. As chamas deixaram marcas negras em uma moldura de janela, e havia compensado tapando o lugar do vidro quebrado. Talvez o incêndio fosse um aviso, pensou Jane. *Esta casa não é amistosa.*

Ela e Gabriel saltaram do carro alugado. Vieram com o ar-condicionado ligado e o calor os pegou de surpresa. Ela fez uma pausa, o rosto subitamente coberto de suor, e inspirou o ar denso e opressivo. Embora não pudesse ver os mosquitos, ela podia ouvi-los circulando e, ao dar um tapa no rosto, viu sangue fresco em sua mão. Era tudo o que era capaz de ouvir, apenas o murmúrio de insetos. Nenhum tráfego, nenhum pássaro. Até mesmo as árvores estavam silenciosas. Seu pescoço coçou, mas não por causa do calor, e sim pela súbita e instintiva urgência de ir embora. Voltar para o carro, trancar as portas e ir para longe. Não queria entrar ali.

— Bem, vamos ver se a chave de Wardlaw ainda funciona — disse Gabriel, caminhando em direção à varanda.

Relutante, ela o seguiu pelos degraus barulhentos. A grama brotava por entre as frestas das pranchas. No vídeo de Wardlaw, era inverno e o acesso de veículos estava despojado de vegetação. Agora, as trepadeiras subiam pelas balaustradas e o pólen cobria a varanda como neve amarela.

À porta, Gabriel fez uma pausa, fazendo uma careta para o que restava do cadeado que outrora trancava a porta.

— Isto está aqui há algum tempo — disse ele, apontando para a ferrugem.

Grades nas janelas. Um cadeado na porta. Não para proteger de intrusos, pensou. Aquele cadeado era para manter as pessoas *presas* lá dentro.

Gabriel girou a chave na fechadura e empurrou. A porta se abriu com um rangido e eles sentiram cheiro de fumaça velha, resultado do incêndio do empreiteiro. Você pode limpar uma casa, repintar as suas paredes, substituir as cortinas, os tapetes e os móveis, mas ainda assim perdura o cheiro de queimado. Ele entrou.

Após uma pausa, ela o seguiu. Ficou surpresa ao encontrar um chão de madeira crua. No vídeo, havia um tapete verde horroroso, que fora removido na limpeza. O corrimão da escadaria era finamente entalhado, e a sala de estar tinha um teto de três metros com cornijas, detalhes que ela não notara ao ver o vídeo da cena do crime. Marcas de infiltração manchavam o teto, como nuvens escuras.

— Quem quer que tenha construído esse lugar tinha dinheiro — observou Gabriel.

Ela foi até a janela e olhou para as árvores através das grades. Entardecia. Não tinham senão uma hora de luz do sol.

— Deve ter sido uma bela casa quando foi construída — disse ela. Mas aquilo fazia um longo tempo. Antes dos tapetes surrados e das grades nas janelas. Antes das manchas de sangue.

Caminharam por uma sala livre de móveis. O papel de parede com motivos florais mostrava o desgaste da passagem dos anos — manchas e cantos descascados e o tom amarelado de décadas de fumaça de cigarro. Foram até a sala de jantar e pararam na cozinha. A mesa e as cadeiras haviam sido tiradas dali. Tudo o que viram era um chão de linóleo gasto, as bordas lascadas e retorcidas. O sol da tarde entrava através das janelas gradeadas. Foi aqui que morreu a mulher mais velha, pensou Jane. Sentada no centro daquele cômodo, corpo amarrado a uma cadeira, dedos tenros expostos aos golpes do martelo. Embora Jane estivesse olhando para uma cozinha vazia, sua mente sobrepôs a imagem que ela vira no vídeo. Uma imagem que parecia perdurar nos bolos de poeira iluminados pelo sol.

— Vamos subir — disse Gabriel.

Deixaram a cozinha e fizeram uma pausa ao pé da escada. Olhando para cima, ela pensou: foi aqui que a outra morreu, nesses degraus. A mulher com o cabelo marrom. Jane segurou o corrimão, as mãos agarrando o carvalho entalhado, e sentiu a ponta dos dedos latejando. Ela não queria subir. Mas a voz voltou a sussurrar.

Mila sabe.

Há algo que tenho de ver lá em cima, pensou. Algo para o que a voz está me guiando.

Gabriel subiu as escadas. Jane seguiu mais lentamente, o olhar fixo nos degraus, agarrando o corrimão. Ela parou ao ver um trecho de madeira mais clara. Ao se agachar para tocar a superfície recentemente lixada, sentiu os cabelos da nuca se arrepiarem. Feche as janelas, pulverize luminol nestes degraus, e os grãos desta madeira certamente vão se iluminar de um verde espectral. Os trabalhadores tentaram tirar o que puderam, mas as provas ainda estavam ali, onde o sangue das vítimas fora derramado. Fora ali que ela morreu, esparramada nesses degraus, naquele lugar exato em que Jane estava tocando.

Gabriel já estava no andar de cima, andando pelos quartos.

Ela foi atrás dele. O cheiro de fumaça era mais forte ali. O corredor tinha papel de parede verde e um chão de carvalho escuro. As portas estavam escancaradas, projetando retângulos de luz no corredor. Ela entrou na primeira porta à direita, e viu um quarto vazio, paredes marcadas por quadrados fantasmagóricos onde outrora havia quadros. Podia ser um quarto vazio em qualquer casa vazia, todas as pistas sobre os seus ocupantes apagadas. Ela foi até a janela, ergueu a moldura. As barras de ferro estavam soldadas no lugar. Nenhuma possibilidade de fugir em caso de incêndio, pensou. Mesmo que conseguisse pular, eram quatro metros e meio sobre a brita, sem arbustos para amortecer a queda.

— Jane — ela ouviu Gabriel chamar.

Ela seguiu a voz dele até o outro quarto.

Gabriel olhava para um armário aberto.

— Aqui — murmurou.

Ela foi até o lado dele e se agachou para passar a mão sobre a madeira lixada. Não conseguia evitar sobrepor mentalmente outra imagem do vídeo. As duas mulheres, braços delgados entrelaçados como amantes. Quanto tempo ficaram escondidas ali? O armário era pequeno, e o cheiro de medo deve ter azedado a escuridão.

Ela se ergueu abruptamente. O quarto parecia muito quente, sem ar. Ela foi até o corredor, as pernas dormentes por ter ficado muito tempo agachada. Essa é uma casa de horrores, pensou. Se nos concentrarmos bem, podemos ouvir ecos de gritos.

Ao fim do corredor havia o último quarto, onde ocorrera o incêndio. Ela hesitou à porta, repelida pelo forte fedor de queimado. Ambas janelas quebradas haviam sido cobertas com placas de compensado, bloqueando a luz da tarde. Ela tirou a lanterna da bolsa e iluminou o interior em penumbras. As chamas lamberam paredes e o teto, devorando as seções até restar apenas madeira queimada. Ela passou a lanterna pelo quarto e iluminou um armário sem portas. Lá dentro, no fundo do armário, brilhava uma elipse. Franzindo as sobrancelhas, Jane voltou com a lanterna.

Ali estava outra vez, a elipse mais clara, brilhando contra o fundo do armário.

Aproximou-se do armário para olhar mais de perto. Viu uma abertura larga o bastante para enfiar um dedo ali. Perfeitamente redonda e macia. Alguém fizera um buraco entre o armário e o quarto.

Vigas rangeram acima dela. Assustada, Jane ergueu a cabeça ao ouvir passos lá em cima. Gabriel estava no sótão.

Ela voltou ao corredor. A luz do dia esvaecia rapidamente, espalhando sombras pela casa.

— Ei! — chamou Jane. — Onde fica o alçapão para subir até aí?

— Veja no segundo quarto.

Ela viu a escada e subiu os degraus. Enfiando a cabeça no espaço mais acima, viu o brilho da lanterna de Gabriel rompendo as sombras.

— Alguma coisa aí? — perguntou ela.

— Um esquilo morto.

— Quero dizer, algo interessante?

— Nada.

Ela subiu ao sótão e quase bateu a cabeça em uma viga mais baixa. Gabriel era forçado a se mover agachado, as pernas longas como as de um caranguejo enquanto inspecionava o lugar, a lanterna iluminando os recessos mais sombrios do cômodo.

— Fique longe daquele canto — advertiu. — As tábuas do chão estão queimadas. Não creio que seja seguro.

Ela foi até o extremo oposto, onde uma janela solitária deixava entrar a luz do dia. Aquela não tinha grades. Não precisava ter. Ela abriu a janela e enfiou a cabeça para fora, onde viu um parapeito estreito e uma queda de quebrar os ossos até o chão. Uma rota de fuga adequada para suicidas. Ela fechou a janela e ficou em silêncio, olhar fixo nas árvores.

Na floresta, uma luz brilhou fracamente, como um vaga-lume.

— Gabriel.

— Legal. Outro esquilo morto.

— Há alguém ali.

— O quê?

— Na floresta.

Ele foi até o lado dela e olhou para o lusco-fusco que se adensava.

— Onde?

— Acabei de ver faz um minuto.

— Talvez fosse um carro. — Ele se voltou para a janela e murmurou: — Droga. Minha pilha está acabando. — Ele balançou a lanterna. O brilho aumentou levemente, então começou a diminuir outra vez.

Ela ainda estava olhando pela janela, para a floresta que parecia estar se fechando ao redor deles. Prendendo-os naquela casa repleta de fantasmas. Ela sentiu um calafrio na espinha e voltou-se para o marido.

— Quero ir embora.

— Eu devia ter trocado as pilhas antes de sair de casa...

— Agora, por favor.

Subitamente ele registrou a ansiedade na voz da mulher.

— O que houve?

— Não creio que fosse um carro.

Ele se voltou para a janela outra vez, os ombros cobrindo qualquer luz que talvez ainda restasse. Foi o silêncio dele que a sobressaltou, um silêncio que só era ampliado pelo bater de seu coração.

— Tudo bem — murmurou Gabriel. — Vamos embora.

Desceram a escada e voltaram pelo corredor, passando diante do quarto onde ainda havia sangue no armário. Desceram a escadaria, onde a madeira lixada ainda lembrava os horrores ali ocorridos. Cinco mulheres haviam morrido naquela casa e ninguém ouviu os seus gritos.

Ninguém ouviria os nossos também.

Saíram à varanda pela porta da frente.

E ficaram paralisados quando luzes poderosas subitamente os cegaram. Jane ergueu um braço para proteger os olhos do brilho. Ela ouviu passos sobre a brita, e através de olhos ofuscados, só conseguiu ver três silhuetas se aproximando.

Gabriel ficou na frente dela, um movimento tão rápido que Jane se surpreendeu ao ver os seus ombros obstruindo a luz.

— Fiquem onde estão — ordenou uma voz.

— Posso ver com quem estou falando? — perguntou Gabriel.

— Identifiquem-se.

— Se puderem baixar as lanternas primeiro.

— Seus documentos.

— Tudo bem, tudo bem. Vou pôr a mão no bolso — disse Gabriel, a voz calma, mantendo a razão. — Não estou armado, nem minha mulher. — Lentamente ele retirou a carteira e a estendeu. Foi arrancada de sua mão. — Meu nome é Gabriel Dean. E esta é minha esposa, Jane.

— Detetive Jane Rizzoli — corrigiu ela. — Departamento de Polícia de Boston. — Ela piscou quando a lanterna iluminou seu rosto. Embora não pudesse ver nenhum daqueles homens, sentiu que a estavam examinando minuciosamente. Ela sentiu a irritação crescer à medida que o medo esvaecia.

— O que o Departamento de Polícia de Boston está fazendo aqui? — perguntou o homem.

— E o que você está fazendo aqui? — retorquiu ela.

Ela não esperava uma resposta. E não a teve. O homem devolveu a carteira de Gabriel, então acenou com a lanterna para um sedã estacionado atrás de seu carro de aluguel.

— Entrem. Terão de vir conosco.

— Por quê? — perguntou Gabriel.

— Precisamos confirmar suas identidades.

— Temos de pegar um avião de volta a Boston — disse Jane.

— Cancelem.

28

Jane estava sozinha na sala de interrogatório, olhando para o seu próprio reflexo e pensando: é uma droga estar do lado errado do espelho falso. Estava ali havia mais de uma hora, levantando-se freqüentemente para verificar a porta, esperando a improvável oportunidade de ter sido destrancada miraculosamente. Obviamente a separaram de Gabriel. Era assim que se devia fazer, o modo como ela mesma conduzia seus interrogatórios. Mas tudo o mais a respeito daquela situação era território novo e nada familiar. Os homens não se identificaram, não apresentaram distintivos, não disseram seus nomes, patente, ou números de série. Podiam ser os Homens de Preto, protegendo a Terra da escória do universo. Introduziram seus prisioneiros no prédio através de uma garagem subterrânea, de modo que ela nem sabia para qual agência trabalhavam, apenas que aquela sala de interrogatório ficava em algum lugar dentro dos limites da cidade de Reston.

— Ei. — Jane foi até o espelho, no qual bateu com os nós dos dedos. — Sabem que vocês não leram os meus diretos? Também tiraram o meu telefone celular, de modo que não posso ligar para um advogado. Cara, vocês estão ferrados.

Não houve resposta.

Seus seios começaram a doer outra vez, a vaca precisando desesperadamente ser ordenhada, mas ela jamais ergueria a blusa diante daquele espelho falso. Bateu outra vez, com mais força. Sem medo algum a essa altura, já que sabia que aqueles sujeitos eram agentes do governo se divertindo, tentando intimidá-la. Ela conhecia os seus direitos. Como policial, desperdiçara muito esforço garantindo os direitos dos fora-da-lei. Estava a ponto de exigir os seus.

No espelho, confrontou-se com o seu próprio reflexo. Seu cabelo era uma coroa encrespada de cabelos castanhos, o queixo um quadrado obstinado. Olhem bem, rapazes, pensou. Quem quer que esteja atrás desse vidro, você está vendo agora uma policial puta da vida que está se tornando cada vez menos cooperativa.

— Ei! — gritou, batendo no vidro.

Subitamente a porta se abriu, e ela se surpreendeu ao ver uma mulher entrando na sala. Embora o rosto ainda fosse jovial, não mais que 50 anos, seu cabelo já se tornara prateado, fazendo um grande contraste com seus olhos escuros. Assim como seus colegas, ela também usava roupas conservadoras, características de mulheres que trabalham em atividades masculinas.

— Detetive Rizzoli — disse a mulher. — Desculpe tê-la feito esperar tanto tempo. Vim para cá o mais rapidamente possível. Sabe como é o trânsito em Washington, não é? — Ela estendeu-lhe a mão. — Fico feliz em conhecê-la, afinal.

Jane ignorou a mão estendida e encarou a mulher.

— Eu a conheço?

— Helen Glasser. Departamento de Justiça. E, sim, concordo, você tem todo o direito de estar puta da vida. — Outra vez ela estendeu a mão, outra tentativa de selar uma trégua.

Desta vez Jane aceitou, e sentiu um aperto firme como o de qualquer homem.

— Onde está meu marido? — perguntou.

— Está esperando por nós lá em cima. Queria uma chance de fazer as pazes com você antes. O que houve esta noite foi apenas um mal-entendido.

— O que houve foi uma violação de nossos direitos.

Glasser gesticulou para a porta.

— Por favor, vamos subir e falamos sobre isso.

Desceram um corredor até um elevador, onde Glasser inseriu um cartão de código e apertou um botão para subir. Foram do canil à cobertura sem escalas. A porta do elevador se abriu, e eles entraram em uma sala com grandes janelas e uma vista da cidade de Reston. A sala era decorada com o gosto característico dos escritórios governamentais. Jane viu um sofá cinza e poltronas agrupadas ao redor de um tapete sem graça, uma mesa de canto com uma cafeteira e uma bandeja com xícaras e pires. Nas paredes havia apenas uma peça de arte decorativa, uma pintura abstrata em forma de uma bola laranja indistinta. Pendure aquilo em uma delegacia, pensou ela, e com certeza algum policial sacana desenharia um alvo ali.

O ruído do elevador a fez se voltar e ela viu Gabriel sair.

— Você está bem? — perguntou ele.

— Não gostei muito dos choques elétricos. Mas estou... — Ela fez uma pausa, atônita por reconhecer o homem que saiu do elevador atrás de Gabriel. O homem cujo rosto ela acabara de ver naquela tarde na fita da cena do crime.

John Barsanti inclinou a cabeça.

— Detetive Rizzoli.

Jane olhou para o marido.

— *Você sabe* o que está acontecendo?

— Vamos nos sentar — disse Glasser. — É hora de desfazermos alguns mal-entendidos.

Desconfiada, Jane se acomodou no sofá ao lado de Gabriel. Ninguém falou enquanto Glasser servia café e passava as xícaras. Após o tratamento que tiveram mais cedo naquela noite, foi um gesto tardio de civilidade, e Jane não estava pronta a abrir mão de sua raiva acumulada em troca de um mero sorriso e uma xícara de café. Ela não tomou um gole sequer, mas pousou a xícara na mesa em uma recusa silenciosa às tentativas de trégua daquela mulher.

— Devemos fazer perguntas? — perguntou Jane. — Ou esse vai ser um interrogatório de mão única?

— Gostaria de *poder* responder a todas as suas perguntas. Mas temos uma investigação ativa a proteger — disse Glasser. — Não é por sua causa. Pesquisamos os seus antecedentes e os do agente Dean e sabemos que ambos se destacam como ótimos policiais.

— Ainda assim, não confia em nós.

Glasser lançou-lhe um olhar tão metálico quanto a cor de seu cabelo.

— Não podemos confiar em ninguém. Não em um assunto tão delicado quanto este. O agente Barsanti e eu tentamos de todas as formas manter o nosso trabalho em segredo, mas cada movimento que fazíamos era monitorado. Nossos computadores foram acessados sem que percebêssemos, meu escritório foi invadido, e não tenho certeza se meu telefone não está grampeado. Alguém está se intrometendo em nossa investigação. — Ela baixou a xícara de café. — Agora, preciso saber o que *vocês* estão fazendo aqui e por que foram até aquela casa.

— Provavelmente pelo mesmo motivo que vocês a mantêm sob vigilância.

— Vocês sabem o que aconteceu lá.

— Vimos os arquivos do detetive Wardlaw.

— Estão muito longe de sua jurisdição. Qual o seu interesse no caso Ashburn?

— Por que não nos responde a uma pergunta primeiro — disse Jane. — Por que o Departamento de Justiça está tão interessado na morte de cinco prostitutas?

Glasser ficou em silêncio, a expressão indevassável. Calmamente ela bebeu um gole de café, como se a pergunta nunca tivesse sido feita. Jane não conseguiu conter uma pontada de admiração por aquela mulher, que não demonstrava sequer um relance de vulnerabilidade. Evidentemente, Glasser estava no comando.

— Vocês sabem que a identidade das vítimas nunca foi estabelecida — disse Glasser.

— Sim.

— Acreditamos que sejam estrangeiras sem documentação. Estamos tentando entender como entraram no país. Quem as trouxe, e que rotas pegaram para penetrar nossas fronteiras.

— Vai nos dizer que é um assunto de segurança nacional? — Jane não conseguia afastar o ceticismo da voz.

— Apenas em parte. Os americanos acreditam que, depois do Onze de Setembro, nós fechamos as nossas fronteiras e reprimimos a imigração ilegal. Não é o caso. O tráfego ilícito entre o México e os EUA continua intenso como o de uma grande rodovia. Temos quilômetros e mais quilômetros de linha costeira não policiada. Uma fronteira com o Canadá muito mal patrulhada. E contrabandistas de gente que conhecem todas as rotas, todos os truques. Trazer as meninas não é difícil. E, uma vez aqui, não é difícil fazê-las trabalhar. — Glasser pousou a xícara na mesa de café. Ela se inclinou para a frente, os olhos como ébano polido. — Você sabe quantas operárias do sexo involuntárias temos neste país? Nosso supostamente civilizado país? Ao menos cinqüenta mil. Não estou falando de prostitutas. Essas meninas são escravas, servindo contra a sua vontade. Milhares de meninas trazidas aos EUA, onde simplesmente desaparecem. Tornam-se mulheres invisíveis. Contudo estão todas ao nosso redor nas cidades grandes e em pequenos povoados. Ocultas em bordéis, presas em apartamentos. E pouca gente sabe que existem.

Jane lembrou-se das grades nas janelas e pensou no isolamento daquela casa. Não admira tê-la feito pensar em uma prisão. *De fato, aquilo era uma prisão.*

— Essas garotas morrem de medo de cooperar com as autoridades. Se forem pegas pelos cafetões, as conseqüências são terríveis. E mesmo que escapem e consigam voltar para os seus países de origem, ainda podem ser encontradas lá. É melhor estarem mortas. — Fez uma pausa. — Você viu o relatório da necropsia da vítima número cinco. A mais velha.

Jane engoliu em seco.

— Sim.

— O que aconteceu com ela é uma mensagem muito clara. *Metam-se conosco e acabarão assim.* Não sei o que ela fez para enfurecê-los, que limite ela ultrapassou. Talvez tivesse embolsado dinheiro que não era dela. Talvez estivesse fazendo negócios paralelos. Claramente, ela era a cafetina daquela casa, em uma posição de autoridade, o que não a salvou. Seja lá o que tenha feito de errado, pagou por isso. E as meninas pagaram com ela.

— Então sua investigação não é sobre terrorismo — disse Gabriel.

— O que teria terrorismo a ver com isso? — perguntou Barsanti.

— Estrangeiros sem documentos vindos da Europa Oriental. A possibilidade de uma conexão tchetchena.

— Essas mulheres foram trazidas aos EUA para fins exclusivamente comerciais.

Glasser franziu as sobrancelhas para Gabriel.

— Quem mencionou terrorismo para você?

— O senador Conway. Assim como o subdiretor de Espionagem Interna.

— David Silver?

— Ele voou para Boston por causa da crise com reféns. Era o que eles achavam que estavam enfrentando. Uma ameaça de terroristas tchetchenos.

Glasser riu, debochada.

— David Silver é um maníaco por terroristas, agente Dean. Ele os vê embaixo de pontes e viadutos.

— Ele disse que era uma preocupação que vinha de cima. Motivo pelo qual o diretor Wynne o enviou.

— É para isso que o DEI é pago. É como justifica a sua existência. Para gente como ele, *tudo é terrorismo, todo o tempo.*

— O senador Conway também parecia preocupado com isso.

— Você confia no senador?

— Não devia?

— Você já teve assuntos com Conway, não é? — disse Barsanti.

— O senador Conway faz parte do Comitê de Espionagem. Nos encontramos algumas vezes, por conta de meu trabalho na Bósnia. Investigação de crimes de guerra.

— Mas quão bem você o *conhece*, agente Dean?

— Está sugerindo que não o conheço?

— Ele é senador há três mandatos — disse Glasser. — Para durar tanto, deve ter feito um bocado de acordos e assumido muitos compromissos ao longo do caminho. Cuidado em quem você confia. É tudo o que estamos dizendo. Aprendemos essa lição há algum tempo.

— Então o terrorismo não é o que os preocupa neste caso — disse Jane.

— Minha preocupação é com cinqüenta mil mulheres desaparecidas, escravidão dentro de nossas fronteiras e seres humanos sofrendo abusos, explorados por clientes que só se importam em dar uma boa trepada. — Glasser fez uma pausa e inspirou profundamente. — É com isso que me preocupo.

— Isso me soa como uma cruzada pessoal.

Glasser meneou a cabeça e disse:

— Há quase quatro anos.

— Por que não salvou aquelas mulheres em Ashburn? Você deveria saber o que estava acontecendo naquela casa.

Glasser nada disse. Não precisava dizer. Sua expressão aflita confirmou o que Jane já havia adivinhado.

Jane olhou para Barsanti.

— Por isso você chegou tão rapidamente à cena do crime. Praticamente ao mesmo tempo que a polícia. Você já sabia o que estava acontecendo ali. Tinha de saber.

— Recebemos a dica apenas alguns dias antes — disse Barsanti.

— E por que não invadiram imediatamente? Por que não resgataram aquelas mulheres?

— Ainda não tínhamos escuta no lugar. Não tínhamos como monitorar o que acontecia lá dentro.

— Mas sabia que era um bordel. Você sabia que elas estavam presas ali dentro.

— Havia mais em jogo do que você imagina — disse Glasser. — Muito mais do que aquelas cinco mulheres. Tínhamos uma investigação maior a proteger, e se invadíssemos muito cedo podíamos estragar as nossas chances de manter a coisa em segredo.

— E agora há cinco mulheres mortas.

— Você acha que não *sei* disso? — A pergunta angustiada de Glasser surpreendeu a todos. Abruptamente, ela se levantou e caminhou até a janela, onde ficou a observar as luzes da cidade. — Sabe qual foi o pior produto de exportação que nosso país já mandou para a Rússia? Aquilo que lhes demos que eu gostaria que Deus nunca tivesse criado? Foi aquele filme, *Uma linda mulher.* Você sabe, aquele com a Julia Roberts. A prostituta como Cinderela. Eles adoram aquele filme na Rússia. As meninas o vêem e pensam: se eu for para os EUA, vou conhecer Richard Gere. Ele vai se casar comigo, ficarei rica e viverei feliz para sempre. De modo que mesmo que a garota esteja ressabiada, mesmo que tenha certeza de que nenhum trabalho legítimo a espera nos EUA, ela imagina que basta mexer alguns pauzinhos e Richard Gere vai aparecer para salvá-la. Então, a menina é mandada, digamos, para a Cidade do México. Dali, viaja de barco até San Diego. Ou os traficantes as levam de carro através de um posto de fronteira movimentado. Se elas forem louras e falarem inglês, entram. Às vezes, entram a pé. Acham que vão viver a vida de Julia Roberts no filme *Uma linda mulher.* Em vez disso, são compradas e vendidas como peças de carne. — Glasser voltou-se para Jane. — Sabe quanto uma garota bonita rende para um cafetão?

Jane balançou a cabeça.

— Trinta mil dólares por semana. Por *semana.* — O olhar de Glasser voltou outra vez para a janela. — Não há nenhum Richard Gere esperando para se casar com ela. A garota acaba trancada em uma casa ou apartamento, controlada por verdadeiros monstros, que treinam, mantêm a disciplina e destroem o seu espírito. Outras mulheres.

— Maria Ninguém número cinco — disse Gabriel.

— Sim — disse Glasser. — A matrona da casa, por assim dizer.

— Morta pelas mesmas pessoas para quem trabalhava? — perguntou Jane.

— Quando se nada com tubarões, pode-se ser mordido.

Ou, neste caso, ter as suas mãos esmagadas, ossos pulverizados, pensou Jane. Punição por alguma transgressão, alguma traição.

— Cinco mulheres morreram naquela casa — disse Glasser. — Mas há cinqüenta mil outras almas perdidas por aí, aprisionadas na Terra da Liberdade. Abusadas por homens que só querem sexo e não dão a mínima se a prostituta está chorando. Homens que não param para pensar no ser humano que acabaram de usar. Talvez o sujeito volte para a sua casa, sua esposa e filhos, e faça pose de bom marido. Mas dias ou semanas depois, ele está de volta ao bordel, para trepar com alguma menina que pode ter a idade da filha dele. E, ao se olhar no espelho pela manhã, nunca lhe ocorre que está olhando para um monstro.

A voz de Glasser baixou a um sussurro. Ela inspirou profundamente e esfregou a nuca, como se para afastar a raiva.

— Quem era Olena? — perguntou Jane.

— O nome completo? Provavelmente nunca o saberemos.

Jane olhou para Barsanti.

— Você a seguiu até Boston e nem sabia seu nome?

— Mas sabíamos algo mais sobre ela — disse Barsanti. — Sabíamos que ela era uma testemunha. Ela estava naquela casa em Ashburn.

É isso, pensou Jane. A ligação entre Ashburn e Boston.

— Como sabe? — perguntou ela.

— Digitais. A unidade da cena do crime recolheu dezenas de impressões não identificadas naquela casa. Impressões que não batem com nenhuma das vítimas. Algumas podem ter sido deixadas por clientes do sexo masculino. Mas um grupo delas corresponde às de Olena.

— Espere um minuto — disse Gabriel. — O Departamento de Polícia de Boston imediatamente requisitou uma busca das impressões de Olena no Afis, sem resultado. Contudo, você está me dizendo que as impressões digitais dela foram encontradas em uma cena do crime em janeiro? Por que o Afis não nos deu tal informação?

Glasser e Barsanti se entreolharam. Uma expressão ansiosa que respondia à pergunta de Gabriel.

— Vocês tiraram as impressões dela do Afis — disse Gabriel. — Aquilo era uma informação que o Departamento de Polícia de Boston poderia ter usado.

— Outras pessoas também — disse Barsanti.

— Quem são esses *outros* de que está falando? — intrometeu-se Jane. — Eu fiquei presa naquele hospital com aquela mulher, com uma arma apontada para minha cabeça. Vocês se preocuparam ao menos um pouco com os reféns?

— Claro que sim — disse Glasser. — Mas queríamos *todo mundo* fora dali vivo. Incluindo Olena.

— Principalmente Olena — disse Jane. — Já que ela era a sua testemunha.

Glasser concordou:

— Ela viu o que aconteceu em Ashburn. Por isso aqueles dois homens apareceram em seu quarto de hospital.

— Quem os enviou?

— Não sabemos.

— Você tem as digitais do homem que ela baleou. Quem era?

— Também não sabemos. Se era ex-militar, o Pentágono não nos disse.

— Vocês são do Departamento de Justiça e *não* têm acesso a essa informação?

Glasser foi até onde Jane estava e sentou-se em uma cadeira, olhando-a.

— Agora você compreende as barreiras que estamos enfrentando. O agente Barsanti e eu temos de lidar com isso calma e discretamente. Ficamos sob vigilância, por que *eles* também estavam procurando por ela. Esperávamos encontrá-la primeiro. E chegamos perto. De Baltimore a Connecticut, e dali para Boston, o agente Barsanti esteve apenas um passo atrás dela.

— Como conseguiram rastreá-la? — perguntou Gabriel.

— Durante algum tempo foi fácil. Apenas seguimos a trilha deixada pelo cartão de crédito de Joseph Roke. Suas retiradas no caixa eletrônico.

— Tentei entrar em contato com ele — disse Barsanti. — Mensagens de voz em seu telefone celular. Cheguei a deixar um recado com uma tia velha na Pensilvânia. Finalmente, Roke ligou para mim e tentei convencê-lo a se apresentar. Mas ele não confiou em mim. Então baleou o policial em New Haven, e perdemos inteiramente a sua pista. Foi aí que acho que eles se separaram.

— Como sabia que viajavam juntos?

— Na noite da matança de Ashburn, Joseph Roke abasteceu em um posto ali perto — disse Glasser. — Usou o cartão de crédito, depois perguntou ao encarregado se o posto tinha um guincho, porque ele pegara duas mulheres na estrada que precisavam de socorro para seu carro.

Houve um silêncio. Gabriel e Jane trocaram olhares.

— *Duas* mulheres? — perguntou Jane.

— Sim — disse Glasser. — A câmera de segurança do posto filmou o carro de Roke parado junto à bomba. Através do pára-brisa, você pode ver uma mulher sentada no banco da frente. É Olena. Essa foi a noite em que suas vidas se uniram, a noite em que Joseph Roke se envolveu com elas. No minuto que convidou aquelas mulheres para entrar em seu carro, na sua vida, tornou-se um homem marcado. Cinco horas depois dessa parada no posto de gasolina, sua casa pegou fogo. Foi quando se deu conta de que havia se metido em uma tremenda enrascada.

— E a segunda mulher? Você disse que ele pegou duas mulheres na estrada.

— Nada sabemos sobre ela. Apenas que ainda estava com eles em New Haven. Isso faz dois meses.

— Você está falando do vídeo feito pelo carro-patrulha. O atentado a bala contra aquele policial.

— No vídeo, pode-se ver uma cabeça despontando do banco de trás do carro de Roke. Apenas a parte de trás de uma cabeça. Nunca vimos o rosto. O que nos deixa com quase nenhuma informação sobre ela. Apenas alguns fios de cabelo ruivo deixados no banco. Para nós, deve estar morta.

— Mas, se estiver viva, é nossa última testemunha — disse Barsanti. — A única que sobrou da chacina de Ashburn.

— Posso lhe dizer o nome dela — murmurou Jane.

Glasser franziu as sobrancelhas.

— O quê?

— Esse é o sonho. — Jane olhou para Gabriel. — É o que Olena diz para mim.

— Ela tem tido um pesadelo recorrente — disse Gabriel. — Sobre a invasão.

— E o que acontece no sonho? — perguntou Glasser, olhos fixos em Jane.

Jane engoliu em seco.

— Ouço gente batendo à porta, invadindo a sala. Ela se inclina em minha direção. Para me dizer algo.

— Olena?

— Sim. Ela diz: "Mila sabe." É o que ela me diz. "Mila sabe."

Glasser olhou para ela.

— Mila *sabe*? No tempo presente? — Ela olhou para Barsanti. — Nossa testemunha ainda está viva.

29

— Estou surpreso que esteja aqui, Dra. Isles — disse Peter Lukas. — Já que não consegui falar com você ao telefone. — Ele a cumprimentou brevemente, uma saudação justificadamente fria e comercial. Afinal, Maura não retornava suas ligações. Ele a guiou ao longo do saguão do prédio do *Boston Tribune* até o guichê da segurança, onde o guarda deu a Maura o crachá laranja de visitantes.

— Terá de devolvê-lo quando for embora, senhora — disse o guarda.

— É bom mesmo — acrescentou Lukas — Ou esse homem irá caçá-la como um cão.

— Anotado — disse Maura, fixando o crachá à blusa. — Têm melhor segurança aqui do que no Pentágono.

— Faz idéia de quanta gente um jornal aborrece todos os dias? — Ele apertou o botão de chamada do elevador e olhou para o rosto sisudo de Maura. — Epa... acho que você deve ser uma delas. Foi por isso que não retornou as minhas ligações?

— Algumas pessoas não gostaram do que você escreveu sobre mim naquela coluna.

— Não gostaram do que escrevi ou do que você disse?

— Do que eu disse.

— Coloquei palavras em sua boca? Dei uma falsa idéia ao seu respeito?

Ela hesitou mas admitiu:

— Não.

— Então por que está aborrecida comigo? Porque claramente está.

Ela olhou para ele.

— Fui muito franca com você. Não devia ter sido.

— Bem, gostei de entrevistar uma mulher que fala com franqueza — disse ele. — Foi uma bela mudança.

— Sabe quantas ligações recebi por causa de minha teoria sobre a ressurreição de Cristo?

— Ah, isso.

— Até da Flórida. Gente furiosa com a minha blasfêmia.

— Você só disse o que pensava.

— Quando se tem um trabalho público como o meu, é algo perigoso de se fazer.

— Depende do território, Dra. Isles. Você é uma figura pública, e se disser algo interessante, sai no jornal. Ao menos você *tinha* algo interessante a dizer, ao contrário da maioria das pessoas a quem entrevisto.

A porta do elevador se abriu, e eles entraram. Juntos e a sós, Maura estava ciente de que ele a observava. Que estava incomodamente próximo.

— Por que andou me ligando? — perguntou ela. — Está tentando arrumar mais confusão?

— Queria saber sobre as necropsias em Joe e Olena. Você nunca liberou o relatório.

— Não completei a necropsia. Os corpos foram transferidos para o laboratório do FBI.

— Mas seu laboratório deteve a custódia temporária e não posso crer que você simplesmente deixou os corpos na geladeira sem fazer qualquer tipo de exame. Não é o seu jeito ser.

— E como, exatamente, é o meu jeito de ser? — Ela olhou para ele.

— Curiosa. Exigente. — Ele sorriu. — Tenaz.

— Como você?

— A tenacidade não está me levando a lugar algum com você. E eu achando que podíamos ser amigos. Não que estivesse esperando qualquer favor em especial.

— O que esperava de mim?

— Jantar? Dançar? Um coquetel, pelo menos?

— Fala sério?

Ele respondeu com um dar tímido de ombros.

— Não custa tentar.

A porta do elevador se abriu e eles saíram.

— Ela morreu por causa de ferimentos de bala na têmpora — disse Maura. — Creio que era isso que queria saber.

— Quantos ferimentos? Quantos atiradores?

— Quer todos os detalhes sinistros?

— Quero ser preciso. Isso quer dizer ir diretamente à fonte, mesmo que tenha de me tornar um aborrecimento para os outros.

Entraram na redação, passaram por repórteres digitando em teclados e chegaram a uma escrivaninha onde cada centímetro quadrado de superfície horizontal estava tomado de arquivos e bilhetes adesivos. Nenhuma foto de criança, mulher ou cão. Aquele espaço era dedicado inteiramente ao trabalho dele, embora Maura se perguntasse como ele podia trabalhar cercado por tal bagunça.

Ele roubou uma cadeira extra da escrivaninha do colega e a trouxe para Maura. A cadeira rangeu quando ela se sentou.

— Você não responde às minhas ligações — disse ele, também se sentando —, mas vem me ver no trabalho. O que depreender disso?

— Este caso ficou complicado.

— E agora você precisa de algo de mim.

— Estamos tentando compreender o que houve naquela noite. E por quê.

— Se tem alguma pergunta a me fazer, bastava atender o telefone. — Ele a encarou. — Eu teria retornado as *suas* ligações, Dra. Isles.

Ficaram em silêncio. Em outras escrivaninhas, os telefones tocavam e os teclados estalavam, mas Maura e Lukas apenas se olhavam, o ar entre eles carregado de irritação e algo mais, algo que ela não queria reconhecer. Um forte indício de atração mútua. *Ou estou apenas imaginando?*

— Desculpe — disse ele, afinal. — Estou sendo um idiota. Quero dizer, você *está* aqui. Mesmo que seja por interesse.

— Você tem de compreender minha posição também — disse ela. — Como autoridade pública, recebo ligações de repórteres todo o tempo. Alguns deles, a maioria, não se importa com a privacidade das vítimas, com o sofrimento das famílias e nem se vão atrapalhar as investigações. Aprendi a ser cautelosa e prestar atenção no que digo. Porque fui traída diversas vezes por repórteres que juraram que meus comentários seriam omitidos.

— Foi isso que a impediu de ligar? Discrição profissional?

— Sim.

— Não há outro motivo para não ter me ligado?

— Qual motivo haveria?

— Não sei. Achei que talvez você não gostasse de mim. — Seu olhar era tão intenso que ela teve dificuldade em manter contato visual. Ele a fazia sentir-se assim incômoda.

— Você não me desagrada, Sr. Lukas.

— Ai! Agora sei como é ser alvo de elogios amenos.

— Achei que repórteres tinham uma casca mais grossa.

— Todos queremos ser queridos, especialmente pelas pessoas a quem admiramos. — Ele se inclinou mais para perto. — E por falar nisso, não é Sr. Lukas. É Peter.

Outro silêncio, porque ela não sabia se aquilo era um flerte ou manipulação. Para aquele homem, ambas as coisas poderiam não ter diferença.

— Tiro na água, ao que parece — disse ele.

— É bom ser lisonjeada, mas gostaria que fosse mais direto.

— Achei estar sendo direto.

— Você quer informações de mim. Quero o mesmo de você. Só não queria falar isso ao telefone.

Ele meneou a cabeça, concordando.

— Tudo bem. Então isso é apenas uma transação.

— O que desejo saber é...

— Vamos direto ao assunto? Não posso lhe oferecer um café antes? — Ele se levantou e foi até a cafeteira comunitária.

Olhando para o frasco, ela só viu resíduos escuros como asfalto e disse rapidamente:

— Não para mim, obrigada.

Ele serviu uma xícara para si e voltou a se sentar.

— Então, por que a relutância em discutir isso ao telefone?

— Coisas têm... acontecido.

— Coisas? Está me dizendo que não confia nem mesmo no próprio telefone?

— Como disse, este caso é complicado.

— Intervenção federal. Provas balísticas confiscadas. O FBI em um cabo-de-guerra com o Pentágono. Uma seqüestradora ainda sem identificação. — Ele riu. — É, eu diria que isso está ficando *muito* complicado.

— Você sabe de tudo isso?

— Por isso nos chamam de repórteres.

— Com quem tem falado?

— Acha mesmo que vou responder a esta pergunta? Digamos apenas que tenho amigos policiais. E tenho teorias.

— Sobre o quê?

— Joseph Roke e Olena. E o que foi aquele seqüestro.

— Ninguém sabe a resposta.

— Mas sei o que a polícia está pensando. Conheço as teorias *deles*. — Ele baixou a xícara de café. — John Barsanti passou cerca de três horas comigo, sabia? Sondando, tentando descobrir por que eu era o único repórter com quem Joseph Roke queria falar. Há uma coisa interessante nos interrogatórios. A pessoa sendo interrogada pode recolher um bocado de informação a partir das perguntas que fazem a ela. Sei que, há dois meses, Olena e Joe estiveram juntos em New Haven, onde ele matou um policial. Talvez fossem amantes, talvez apenas amigos sofrendo de delírios, mas após um incidente como aquele, resolveram se separar. Ao menos deveriam se separar, se fossem espertos, e não creio que fossem burros. Mas deviam ter um meio de entrar em contato. Um modo de se reunirem outra vez caso fosse preciso. E escolheram Boston como local de encontro.

— Por que Boston?

Seu olhar foi tão direto que ela não pôde evitá-lo.

— Você está olhando para o motivo.

— Você?

— Não estou sendo egocêntrico. Estou apenas dizendo o que Barsanti parece estar pensando. Que Joe e Olena de algum modo me identificaram como seu herói. Que vieram a Boston para me ver.

— E isso leva à pergunta que vim fazer. — Ela se inclinou na direção dele. — Por que você? Não tiraram o seu nome de dentro de uma cartola. Joe podia ser mentalmente instável, mas era inteligente. Um leitor obsessivo de jornais e revistas. Algo que você escreveu deve ter chamado a atenção dele.

— Sei a resposta para esta pergunta. Barsanti entregou o ouro ao perguntar sobre uma coluna que escrevi no início de junho. Sobre a Ballentree Company.

Ambos ficaram em silêncio quando uma repórter passou por ali, a caminho do café. Enquanto esperavam ela se servir, seus olhares permaneceram fixos um no outro. Apenas quando a mulher voltou a sair de perto, Maura disse:

— Mostre-me a coluna.

— Deve estar no LexisNexis. Deixe ver. — Ele girou a cadeira até ficar diante do computador, entrou na página de busca de notícias do LexisNexis, escreveu o próprio nome e clicou em "buscar".

A tela se encheu de registros.

— Vamos procurar a data exata — disse ele, passando as páginas.

— Isso é tudo o que você escreveu?

— É, deve remontar aos meus tempos de Pé Grande.

— Como?

— Quando saí da escola de jornalismo, tinha uma tonelada de empréstimos estudantis a pagar. Pegava qualquer trabalho de redação que aparecesse, incluindo a cobertura de uma convenção sobre o Pé Grande, na Califórnia. — Ele olhou para ela. — Admito, eu era um prostituto de notícias. Mas tinha contas a pagar.

— E agora você é respeitável?

— Bem, eu não iria *tão* longe... — Fez uma pausa, clicou em um verbete. — Tudo bem, aqui está a coluna — disse ele e levantou-se, oferecendo-lhe sua cadeira. — Foi o que escrevi em junho sobre a Ballentree.

Ela sentou-se e concentrou-se no texto que estava na tela.

Guerra é lucro: negócios em alta para a Ballentree

Enquanto a economia dos EUA afunda, há um setor que ainda está produzindo grandes lucros. A Ballentree, megaempreiteira do Departamento de Defesa, está com contratos até o pescoço...

— Desnecessário dizer que a Ballentree não gostou nem um pouco da matéria — disse Lukas. — Mas não sou o único a escrever essas coisas. Outros repórteres igualaram as minhas críticas.

— Contudo Joe o escolheu.

— Talvez tenha sido casual. Talvez ele tivesse pegado o *Tribune* naquele dia, e lá estava a minha coluna sobre a malvada Ballentree.

— Posso ver sobre o que mais escreveu?

— Fique à vontade.

Ela voltou à lista de artigos na página da LexisNexis.

— Você é prolífico.

— Venho escrevendo há mais de vinte anos, cobrindo de tudo, desde guerra de gangues até casamento gay.

— E o Pé Grande.

— Não me lembre disso.

Ela examinou a primeira e a segunda página, então se voltou para a terceira. Ali fez uma pausa.

— Estes arquivos foram enviados de Washington.

— Acho que já lhe contei. Fui correspondente do *Tribune* em Washington. Só durei dois anos lá.

— Por quê?

— Detestei Washington. E admito, sou um ianque de nascença. Pode me chamar de masoquista, mas sentia falta dos invernos daqui, de modo que voltei a Boston em fevereiro.

— Qual era a sua editoria em Washington?

— De tudo. Matérias especiais. Política, polícia. — Fez uma pausa. — Um cínico diria não haver diferença entre as duas últimas. Mas prefiro cobrir um bom homicídio do que ficar atrás de algum insípido senador o dia inteiro.

Ela olhou para ele por sobre o ombro.

— Já lidou com o senador Conway?

— Claro. É um de nossos senadores. — Fez uma pausa. — Por que perguntou por Conway? — Quando ela não respondeu ele se aproximou e agarrou o encosto da cadeira onde ela estava sentada. — Dra. Isles — disse ele, a voz subitamente baixa, sussurrando em seu cabelo. — Pode me dizer o que está pensando?

Seu olhar estava fixo na tela.

— Estou tentando fazer algumas conexões aqui.

— Está sentindo a coceira?

— O quê?

— É o que digo quando sinto que estou diante de algo interessante. Também conhecido como PES ou sentido de aranha. Diga-me por que o senador Conway chamou a sua atenção.

— Ele está no Comitê de Espionagem.

— Eu o entrevistei em novembro ou dezembro. A matéria está em algum lugar por aí.

Ela leu as manchetes sobre audiências no Congresso, alertas de terrorismo, um senador preso em Massachusetts por embriaguez ao volante, e descobriu o artigo sobre o senador Conway. Então seu olhar divagou para outra manchete, datada de 15 de janeiro.

Cidadão de Reston encontrado morto em iate. Executivo desaparecido desde 2 de janeiro.

Foi a data que chamou a atenção de Maura: 2 de janeiro. Ela clicou na matéria. Havia pouco, Lukas falara na tal *coceira.* Ela a estava sentindo agora.

— Fale-me de Charles Desmond.

— O que deseja saber sobre ele? — perguntou Lukas.

— Tudo.

30

Quem é você, Mila? Onde está?

Em algum lugar, tinha de haver uma pista dela. Jane serviu-se de uma xícara de café, então se sentou à mesa da cozinha e verificou todos os arquivos que recolhera desde que voltara do hospital. Ali estavam a necropsia e os laudos do laboratório do Departamento de Polícia de Boston, arquivos da polícia de Leesburg sobre o massacre de Ashburn, arquivos de Moore sobre Joseph Roke e Olena. Ela já vasculhara aqueles arquivos diversas vezes, procurando uma pista de Mila, a mulher cujo rosto ninguém conhecia. A única evidência física de que Mila existia vinha do interior do carro de Joseph Roke: diversos fios de cabelo humano encontrados no banco de trás que não eram nem de Roke e nem de Olena.

Jane tomou um gole de café e voltou a pegar o arquivo da perícia do carro abandonado de Joseph Roke. Ela aprendera a trabalhar nas horas em que Regina cochilava, e agora que a filha finalmente havia adormecido, voltou a procurar Mila. Verificou a lista de objetos encontrados no veículo, revisando outra vez a sua patética coleção de bens materiais. Havia uma bolsa de náilon repleta de roupas sujas e toalhas roubadas do Motel Six. Havia um saco de pão mofado, um pote de manteiga de amendoim Skippy e uma dúzia de latas de salsicha tipo viena. Dieta de um homem que não tinha oportunidade de cozinhar. Um homem em fuga.

Ela se voltou para o relatório de provas residuais e concentrou-se nas descobertas de cabelos e fibras. Aquele fora um carro extraordinariamente imundo, o banco da frente e o de trás com uma grande variedade de fibras, tanto naturais quanto feitas pelo homem, assim como inúmeros fios de cabelo. Foram os cabelos no banco de trás que a interessaram, e ela se deteve no relatório.

Humano. A02/B00/C02 (7 cm)/D42

Cabelo. Ligeiramente curvo, fio de sete centímetros, pigmento vermelho médio.

Até agora, isso é tudo o que sabemos de você, pensou Jane. Você tem cabelo ruivo e curto.

Ela se voltou para as fotografias do carro. Já as vira antes, mas ainda assim, voltou a estudar as latas de Red Bull e os papéis de doce amarrotados, o cobertor embolado e o travesseiro sujo. Seus olhos se detiveram no tablóide que estava no banco de trás.

O *Weekly Confidential.*

Outra vez, chocou-se com a incongruência daquele jornal naquele carro masculino. Será que Joe realmente se importava com os problemas de Melanie Griffith, ou qual marido em viagem estava desfrutando os prazeres de um clube de strippers? O *Confidential* era um tablóide feminino. As mulheres *realmente* se importam com os sofrimentos das estrelas de cinema.

Ela saiu da cozinha e deu uma olhada no quarto da filha. Regina ainda dormia, um desses raros instantes que logo acabariam. Silenciosamente, fechou a porta do quarto, saiu no corredor do prédio e foi até o apartamento vizinho.

Demorou algum tempo até a Sra. O'Brien atender a porta, mas ela realmente estava fascinada por ter uma visita. Qualquer visita.

— Perdoe incomodá-la — disse Jane.

— Entre, entre!

— Não posso ficar. Deixei Regina no berço e...

— Como ela está? Eu a ouvi chorar na noite passada.

— Desculpe. Ela não é de dormir muito.

A Sra. O'Brien inclinou-se e sussurrou:

— Conhaque.

— Perdão?

— Para acalmar. Fazia isso com meus dois meninos, e eles dormiam como anjos.

Jane conhecia os dois filhos dela. *Anjos* não era uma palavra que se aplicasse a eles.

— Sra. O'Brien — disse ela, antes de ouvir outro conselho de mãe relapsa —, a senhora é assinante do *Weekly Confidential*, não é?

— Tenho a desta semana. "Animais Mimados de Hollywood!" Sabia que alguns hotéis têm quartos especiais só para o seu cão?

— Ainda tem edições do mês passado? Estou procurando aquela com Melanie Griffith na capa.

— Sei qual é.

A Sra. O'Brien apontou para o interior do apartamento. Jane seguiu-a até a sala de estar e olhou, surpresa, para as pilhas de revistas acumuladas sobre toda superfície horizontal. Devia haver uma década de *People* e *Entertainment Weekly* e outras revistas dos EUA.

A Sra. O'Brien foi direto até a pilha de *Confidentials* e tirou dali o exemplar com Melanie Griffith.

— Ah, sim, eu me lembro, essa foi *boa* — disse ela. — "Desastres da cirurgia plástica." Se alguma vez pensou em fazer um lifting no rosto, é melhor ler essa revista. Vai fazer você desistir.

— Incomoda-se de me emprestar esta revista?

— Mas vai trazer de volta?

— Sim, claro. É só por um dia ou dois.

— Por que eu a *quero* de volta. Gosto de relê-las.

Provavelmente também lembrava de cada detalhe.

De volta à mesa da própria cozinha, Jane olhou para a data do tablóide: 20 de julho. Fora publicado uma semana antes de Olena ser tirada da baía Hingham. Ela abriu o *Confidential* e começou a ler. Descobriu que estava gostando do que lia: meu Deus, isso é lixo, mas é *divertido*. Não fazia idéia de que *ele* fosse gay, ou que *ela* não faz sexo há quatro anos. E por que aquele súbito interesse em pólipos colônicos? Fez uma pausa para ver os desastres da cirurgia plástica, então prosseguiu, passando pelas tendências da moda, "Eu Vi Anjos" e "Gato Corajoso Salva Família". Teria Joseph Roke se detido sobre as mesmas fofocas, as mesmas notícias sobre as celebridades? Teria estudado os rostos desfigurados pela operação plástica e pensado: *Não para mim. Vou ficar velho e bonito?*

Não, claro que não. Joseph Roke não era homem de ler essas coisas.

Então, quem leu?

Voltou-se para os anúncios classificados nas últimas duas páginas. Ali havia colunas de anúncios de médiuns e terapeutas alternativos e oportunidades de negócios sem sair de casa. Será que alguém realmente respondia àqueles anúncios? Será que alguém acreditava ser capaz de ganhar até 250 dólares por dia ficando em casa, preenchendo envelopes? Na metade da página, encontrou anúncios pessoais e seu olhar subitamente se fixou em um anúncio de duas linhas. Em quatro palavras familiares.

A sorte está lançada.

Ali embaixo havia uma data, uma hora e um número de telefone com código de área 617. Boston.

A frase podia ser apenas coincidência, pensou. Podiam ser dois amantes combinando um encontro furtivo. Ou uma entrega de drogas. Muito provavelmente nada tinha a ver com Olena, Joe e Mila.

Coração acelerado, pegou o telefone da cozinha e discou o número do anúncio. Tocou. Três, quatro, cinco vezes. Nenhuma secretária eletrônica atendeu e nenhuma voz se fez ouvir. Apenas continuou a tocar até ela perder a conta. *Talvez seja o telefone de uma morta.*

— Alô? — disse uma voz masculina.

Ela ficou estática, a mão pronta para desligar o aparelho. Então, voltou o fone ao ouvido.

— Tem alguém aí? — disse o homem, a voz impaciente.

— Alô? — disse Jane. — Quem fala?

— Bem, quem fala digo *eu.* Foi você quem ligou.

— Desculpe eu, hã, me deram esse número mas não tenho o nome da pessoa.

— Bem, essa linha não tem assinante — disse o homem. — É um telefone público.

— Onde fica?

— Faneuil Hall. Eu estava passando e ouvi o telefone tocar. Portanto, se está buscando alguém em particular, não posso ajudá-la. Tchau.

E desligou.

Ela voltou a olhar para o anúncio. Para aquelas quatro palavras.

A sorte está lançada.

Mais uma vez, ela pegou o telefone e discou.

— *Weekly Confidential* — respondeu uma mulher. — Classificados.

— Alô — disse Jane. — Eu gostaria de publicar um anúncio.

— Você devia ter falado comigo primeiro — disse Gabriel. — Não posso crer que tenha feito isso por conta própria.

— Não havia tempo de ligar para você — disse Jane. — O prazo para publicar anúncios na próxima edição acabava às cinco horas de hoje. Tive de decidir na hora.

— Você não sabe quem responderá. Agora, o número de seu telefone celular será publicado.

— O pior que pode acontecer é receber alguns trotes.

— Ou se envolver em algo muito mais perigoso do que imaginamos. — Gabriel pousou o jornal na mesa da cozinha. — Temos de combinar isso com Moore. O Departamento de Polícia de Boston pode localizar e monitorar as ligações. Temos de planejar isso primeiro. — Ele olhou para ela. — Cancele, Jane.

— Não posso. Já disse, é tarde demais.

— Meu Deus. Vou à sucursal durante duas horas e, ao voltar para casa, encontro minha mulher *brincando com o perigo* em nossa cozinha.

— Gabriel, é apenas um anúncio de duas linhas. Ou alguém liga de volta, ou ninguém morde a isca.

— E se alguém morder?

— Então deixarei Moore cuidar disso.

— Você *vai deixar*? — Gabriel riu. — Esse trabalho é dele, não seu. Você está de licença-maternidade, lembra?

Como para enfatizar este aspecto, o bebê começou a chorar no quarto. Jane foi ver e descobriu que Regina, como sempre, se livrara do cobertor e brandia os punhos, furiosa por suas exigências não serem imediatamente atendidas. Ninguém está contente comigo hoje, pensou Jane ao erguer Regina do berço. Dirigiu a boca faminta do bebê para o seio e fez uma careta quando as gengivas se fecharam sobre seu mamilo. Estou tentando ser uma boa mãe, pensou, realmente estou, mas estou cansada de cheirar a leite azedo e talco. Estou cansada de ficar cansada.

Costumava perseguir bandidos, você sabe.

Levou o bebê para a cozinha e o ninou, tentando manter Regina contente, mesmo estando a ponto de explodir.

— Mesmo que pudesse, eu não cancelaria o anúncio — disse ela, desafiadora. Ela viu Gabriel ir até o telefone. — Para quem está ligando?

— Moore. Ele vai cuidar desse assunto daqui para a frente.

— É o meu telefone celular. A idéia é minha.

— A investigação não é sua.

— Não estou dizendo que preciso comandar o espetáculo. Especifiquei dia e hora. Que tal nos sentarmos juntos na noite combinada e esperarmos para ver quem liga? Você, eu e Moore. Só quero *estar lá* quando tocar.

— Você tem de sair dessa, Jane.

— Já faço parte disso.

— Você tem Regina. Você é mãe.

— Mas não estou morta. Está me ouvido? Eu. Não. Estou. *Morta.*

Suas palavras pareceram pairar no ar, sua fúria ainda reverberando como dois pratos de orquestra se chocando. Regina subitamente parou de mamar e abriu os olhos para olhar assustada para a mãe. A geladeira chacoalhou e ficou silenciosa.

— Eu nunca disse que você estava morta — murmurou Gabriel.

— Mas bem que poderia estar, do modo como fala. *Oh, você tem Regina. Tem um trabalho mais importante agora. Tem de ficar em casa, aleitá-la e deixar o seu cérebro apodrecer.* Sou uma policial e preciso voltar ao trabalho. *Sinto falta* de trabalhar. Sinto saudades do maldito bipe tocando. — Ela inspirou profundamente e sentou-se na mesa da cozinha deixando escapar um soluço de frustração. — Sou uma policial — murmurou.

Gabriel se sentou diante dela.

— Sei que é.

— Não acho que você pense assim. — Ela limpou os olhos com a mão. — Você não entende quem sou. Você acha que se casou com outra pessoa. A Sra. Mãe Perfeita.

— Sei exatamente com quem me casei.

— A realidade é desagradável, não é mesmo? Eu também sou.

— Bem — disse Gabriel. — Às vezes é.

— Mas eu avisei. — Ela se levantou. Regina ainda estava estranhamente quieta, ainda olhando para Jane como se mamãe de repente tivesse se tornado algo interessante para se olhar. — Você sabe quem sou, e comigo sempre foi pegar ou largar. — Ela fez menção de sair da cozinha.

— Jane.

— Regina precisa de fraldas limpas.

— Droga, você está fugindo da briga.

Ela se voltou para ele.

— Não fujo de brigas.

— Então sente-se aqui comigo. Porque não estou fugindo de você, e nem pretendo fazê-lo.

Por um instante ela apenas olhou para ele. E pensou: isso é tão difícil. Ser casada é tão difícil e assustador, e ele está certo quanto ao meu desejo de fugir. Tudo o que desejo é me retirar para um lugar onde ninguém possa me ferir.

Ela puxou uma cadeira e sentou-se.

— As coisa *mudaram*, você sabe — disse ele. — Não é como antes, quando não tínhamos Regina.

Ela nada disse, ainda furiosa com o fato de ele ter concordado que ela era desagradável. Mesmo que fosse verdade.

— Agora, se algo acontecer com você, não será a única a se ferir. Você tem uma filha. Tem outras pessoas em quem pensar.

— Eu me candidatei à maternidade, não à prisão.

— Está dizendo que lamenta o nascimento de sua filha?

Jane olhou para Regina. A filha a olhava agora com olhos arregalados, como se compreendesse cada palavra que a mãe dizia.

— Não, claro que não. É só que... — Ela balançou a cabeça. — Sou mais que apenas a mãe dela. Também sou *eu mesma*. Mas estou me perdendo, Gabriel. A cada dia, sinto-me desaparecer mais um pouco. Como o Gato de Cheshire no País das Maravilhas. A cada dia parece ser mais difícil lembrar quem sou. Então você volta para casa e me dá uma bronca porque contratei aquele anúncio. O que, tem de admitir, é uma idéia *brilhante*. E eu penso: tudo bem, agora estou realmente perdida. Até mesmo meu marido esqueceu quem sou.

Ele se inclinou para a frente, olhando-a fixamente.

— Sabe o que passei quando você esteve presa naquele hospital? Tem alguma idéia? Você se acha tão forte. Põe uma arma à cintura e, de repente, se acha a Mulher Maravilha. Mas se você se ferir, não será a única a sangrar, Jane. Eu também sangrarei. Você alguma vez pensou em mim?

Ela nada disse.

Ele riu, mas o que lhe saiu foi o som de um animal ferido.

— É, sou um pé no saco, sempre tentando protegê-la de si mesma. Alguém tinha de fazê-lo, porque você é seu pior inimigo. Você nunca pára de se pôr à prova. Você ainda é a irmã caçula desprezada de Frankie Rizzoli. Uma *menina*. Você ainda não é boa o bastante para brincar com os meninos, e nunca será.

Ela o encarou de volta, lamentando quão bem ele a conhecia. Ressentindo-se da precisão de suas setas, que tão cruelmente atingiam os alvos.

— Jane. — Ele estendeu a mão por cima da mesa. Antes que pudesse evitar, Gabriel agarrou a sua mão sem intenção de largar. — Você não precisa provar nada para mim, Frankie ou qualquer outro. Sei que agora está sendo difícil, mas logo você estará de volta ao trabalho. Portanto, dê um tempo com a adrenalina. Dê um tempo *para mim*. Durante algum tempo, deixe-me desfrutar o fato de ter minha mulher e filha a salvo em casa.

Ele ainda segurava a mão dela sobre a mesa. Ela olhou para as suas mãos e pensou: esse homem não vacila. Não importando o quanto eu o pressione, ele está sempre ao meu lado. Mereça ou não. Lentamente, seus dedos se uniram em um armistício silencioso.

O telefone tocou.

Regina chorou.

— Bem — disse Gabriel, suspirando. — O instante de paz não durou muito. — Balançando a cabeça, ele se levantou para atender a chamada. Jane estava carregando Regina para fora da cozinha quando o ouviu dizer:

— Está certo. Não falemos sobre isso por telefone.

Instantaneamente, ela ficou alerta, voltando-se para encará-lo e entender por que ele baixara a voz. Mas Gabriel estava voltado para a parede, e Jane se concentrou nos músculos tensos do pescoço do marido.

— Estaremos esperando por você — disse ele antes de desligar.

— Quem era?

— Maura. E está vindo para cá.

31

Maura não veio sozinha. Ao seu lado no corredor havia um homem atraente com cabelos escuros e barba bem-aparada.

— Este é Peter Lukas — disse ela.

Jane olhou para Maura com incredulidade.

— Você trouxe um repórter?

— Precisamos dele, Jane.

— Desde quando precisamos de repórteres?

Lukas acenou alegremente.

— Prazer em conhecê-la também, detetive Rizzoli, agente Dean. Podemos entrar?

— Não, não vamos conversar aqui — disse Gabriel, quando ele e Jane, carregando Regina, saíram no corredor.

— Para onde vamos? — perguntou Lukas.

— Sigam-me.

Gabriel subiu dois lances de escada e emergiram no teto do prédio. Ali, os zeladores haviam colocado diversos vasos de plantas, mas o calor do verão da cidade e a superfície escaldante do revestimento de betume estavam começando a secar aquele oásis. Os tomateiros secavam em seus vasos, e as folhas das parreiras estavam marrons por causa do calor, penduradas como dedos ressequidos. Jane sentou Regina na cadeirinha de bebê sob uma mesa com guarda-sol e ela imediatamente adormeceu, as bochechas rosadas. Dali, podiam ver outros jardins de cobertura, outros trechos de verde na paisagem de concreto.

Lukas pousou uma pasta de arquivo ao lado do bebê adormecido.

— A Dra. Isles achou que vocês gostariam de ver isso.

Gabriel abriu a pasta. Continha recortes de notícias, com a fotografia do rosto sorridente de um homem e a manchete: "Cidadão de Reston Encontrado Morto em Iate. Executivo Estava Desaparecido desde 2 de Janeiro."

— Quem era Charles Desmond? — perguntou Gabriel.

— Um homem que pouca gente realmente conhecia — disse Lukas. — O que, em si, era o que me intrigava a respeito dele e o motivo pelo qual me interessei por essa história. Mesmo que o perito tenha convenientemente considerado sua morte como um suicídio.

— Você questiona este laudo?

— Não há como provar que não foi suicídio. Desmond foi encontrado no banheiro de seu iate, que ele mantinha ancorado em uma marina no rio Potomac. Morreu na banheira, com os pulsos cortados, e deixou um bilhete de suicida na cabine. Quando o encontraram, estava morto já fazia dez dias. O laboratório de perícia médica nunca divulgou qualquer fotografia, mas, como podem imaginar, não deve ter sido uma necropsia muito agradável.

Jane fez uma careta.

— Prefiro não imaginar.

— O bilhete que deixou era particularmente revelador: *Estou deprimido, a vida é uma merda, não consigo viver mais um dia.* Desmond era um bebedor contumaz, e estava divorciado havia cinco anos. Portanto, fazia sentido ele estar deprimido. Tudo isso soa como um caso bem convincente de suicídio, certo?

— Por que você não parece convencido?

— Senti aquela coceira. Um certo sexto sentido de repórter de que algo mais estava acontecendo, algo que podia levar a uma matéria maior. Lá estava aquele milionário, desaparecido durante dez dias antes de alguém pensar em procurar por ele. Só puderam determinar a data em que ele desapareceu pelo fato de seu carro ter sido encontrado no estacionamento da marina com um tíquete de entrada de 2 de janeiro. Seu vizinho disse que ele viajava para o exterior tão freqüentemente que não se alarmaram quando não o viram durante uma semana.

— Viajava para o exterior? — perguntou Jane. — Para quê?

— Ninguém conseguiu me explicar.

— Ou não quis?

Lukas sorriu.

— Você é desconfiada, detetive. Eu também. Fiquei cada vez mais curioso quanto a Desmond, pensando que havia algo mais por trás desta história. Vocês sabem, foi assim que o caso Watergate começou. Um caso rotineiro de invasão que acabou redundando em algo muito, muito maior.

— O que havia de "maior" a respeito desta história?

— O sujeito. Charles Desmond.

Jane olhou para uma foto de Desmond. Sorriso agradável, gravata bem-laçada. Era o tipo de foto que devia aparecer nos relatórios de sua empresa. O executivo que espelha competência.

— Quanto mais perguntas eu fazia sobre ele, mais coisas interessantes surgiam. Charles Desmond nunca cursou faculdade. Serviu vinte anos no exército, a maior parte do tempo trabalhando na espionagem militar. Cinco anos depois de deixar o exército, possuía um iate e uma mansão em Reston. Agora temos de fazer a pergunta óbvia: o que ele fez para ter uma conta bancária tão polpuda?

— Sua matéria aqui diz que ele trabalhava para uma empresa chamada Pyramid Services — disse Jane. — O que é isso?

— Foi o que também me perguntei. Demorou um tempo para conseguir, mas alguns dias depois eu soube que a Pyramid Services é uma subsidiária de imagine qual empresa?

— Não diga — disse Jane. — Ballentree.

— Exato, detetive.

Jane olhou para Gabriel.

— Este nome vive aparecendo, não é?

— E veja a data em que ele desapareceu — disse Maura. — Foi o que me chamou a atenção. Dois de janeiro.

— Um dia antes do massacre de Ashburn.

— Interessante coincidência, não acha?

— Fale mais sobre a Pyramid — disse Gabriel.

Lukas meneou a cabeça e disse:

— É o braço de transporte e segurança da Ballentree, parte dos serviços que prestam em zonas de guerra. Qualquer coisa que nosso Departamento de Defesa precise no exterior: guarda-costas, escoltas de transporte, forças policiais particulares, a Ballentree pode fornecer. Trabalham em partes do mundo onde não há governos funcionais.

— Lucram com as guerras — disse Jane.

— Bem, e por que não? Pode-se fazer muito dinheiro com as guerras. Durante o conflito de Kosovo, os soldados particulares da Ballentree protegeram as equipes de construção. Estão agora fornecendo o mesmo serviço em Cabul, Bagdá e cidades ao redor do mar Cáspio. Tudo pago pelos contribuintes dos EUA. Foi assim que Charles Desmond pagou o seu iate.

— Estou trabalhando para a droga da força policial errada — disse Jane. — Talvez eu devesse me candidatar a Cabul e conseguir um iate para mim também.

— Você não gostaria de trabalhar para essa gente, Jane — disse Maura. — Não quando ouvir falar no que estão envolvidos.

— Refere-se ao fato de trabalharem em zonas de combate?

— Não — disse Lukas. — Ao fato de estarem ligados a certos parceiros bastante desagradáveis. Toda vez que você faz negócios em uma zona de guerra, tem de fazer negócios com a máfia local. É mais prático formar parcerias, de modo que os criminosos acabam trabalhando para empresas como a Ballentree. Há um mercado negro de cada produto: drogas, armas, bebidas, mulheres. Toda guerra é uma oportunidade, um novo mercado, e todo mundo quer uma parte do butim. Por isso há tanta competição pelos contratos de defesa. Não apenas pelos contratos em si, mas pelas chances de negócio no mercado negro que representam. A Ballentree conseguiu mais negócios no ano passado do que qualquer outro empreiteiro do Departamento de Defesa. — Ele fez uma pausa. — Em parte porque Charles Desmond era tão bom em seu trabalho.

— Que trabalho era esse?

— Ele era o seu negociador. Um homem com amigos no Pentágono e provavelmente em outros lugares também.

— E veja o bem que isso lhe fez — disse Jane, olhando para a fotografia de Desmond. — Um homem cujo cadáver esperou dez dias para ser encontrado. Um homem tão misterioso que seus vizinhos nem pensaram em notificar o seu desaparecimento.

— A pergunta é: por que ele teve de morrer? — disse Lukas. — Será que esses amigos no Pentágono se voltaram contra ele? Ou alguém mais?

Por um instante, ninguém falou. O calor fazia o chão do terraço tremular como água, e da rua lá embaixo subia o cheiro das descargas dos automóveis, o murmúrio do tráfego. Jane subitamente percebeu que Regina estava desperta, e que olhava fixamente para o rosto da mãe. *É assustador quanta inteligência vejo nos olhos de minha filha.* Do lugar onde estava sentada, Jane podia ver uma mulher tomando banho de sol em outro terraço, o topo do biquíni desamarrado, as costas nuas brilhando de óleo. Viu um homem na sua varanda falando ao telefone celular, e uma menina sentada perto da janela, tocando violino. No céu, uma faixa branca denunciava a passagem de um jato. Quantas pessoas podem nos ver?, perguntou-se. Quantas câmeras ou satélites, neste instante, estão voltadas para este terraço? Boston tornou-se uma cidade cheia de olhos.

— Estou certa de que isso passou pela cabeça de todos — disse Maura. — Charles Desmond trabalhou para a espionagem militar. O homem que Olena matou no quarto de hospital quase certamente era um ex-militar, embora suas digitais tenham sido tiradas dos arquivos. A segurança de meu laboratório foi quebrada. Estaremos lidando com agentes secretos? Talvez até da própria empresa?

— A Ballentree e a CIA sempre andaram lado a lado — disse Lukas. — Não que isso surpreenda. Trabalham nos mesmos países, empregam o mesmo tipo de gente. Negociam o mesmo tipo de informação. — Ele olhou para Gabriel. — Atualmente, têm aparecido por aqui. Declare uma ameaça terrorista, e o governo dos EUA pode justificar qualquer ação, qualquer expediente. Fundos não declarados são canalizados para programas não-oficiais. É assim que gente como Desmond acaba comprando iates.

— Ou acaba sendo morta — disse Jane.

O sol baixava e entrava por debaixo do guarda-sol, queimando o ombro de Jane. Ela sentiu uma gota de suor escorrer pelo seio. Está quente demais aqui para você, bebê, pensou, olhando para o rosto rosado de Regina.

Está quente demais para todos nós.

32

O detetive Moore olhou para o relógio perto das oito da noite. A última vez em que Jane estivera na sala de reuniões da unidade de homicídio estava com nove meses de gravidez, cansada, irritada e mais do que pronta para a licença-maternidade. Agora estava de volta à mesma sala, com os mesmos colegas, mas tudo era diferente. A sala parecia carregada, a tensão aumentando a cada minuto. Ela e Gabriel estavam sentados diante de Moore. Os detetives Frost e Crowe estavam sentados juntos à cabeceira da mesa. Ao centro, o objeto de sua atenção: o telefone celular de Jane, ligado a um sistema de alto-falantes.

— Está chegando a hora — disse Moore. — Ainda se sente confortável com isso? Podemos deixar que Frost receba a ligação.

— Não, preciso fazê-lo — disse Jane. — Se um homem responder, pode assustá-la.

Crowe deu de ombros.

— Isso se a mulher misteriosa ligar.

— Uma vez que você parece estar achando tudo isso uma grande perda de tempo, não precisa ficar aqui — rebateu Jane.

— Oh, vou ficar só para ver o que acontece.

— Não queremos aborrecê-lo.

— Três minutos, pessoal — disse Frost, tentando, como sempre, fazer o papel de pacificador entre Jane e Crowe.

— Ela pode nem ter visto o anúncio — disse Crowe.

— O exemplar está nas bancas há cinco dias — disse Moore. — Ela teve chance de vê-lo. Se não ligar, então é porque preferiu não fazê-lo.

Ou está morta, pensou Jane. Algo que certamente passou pela cabeça de todos os presentes, embora ninguém o tenha dito.

O telefone celular de Jane tocou, e todos se voltaram para ela. O mostrador indicava um número de Fort Lauderdale. Era apenas uma ligação telefônica, embora o coração de Jane pulsasse como se estivesse apavorada.

Ela inspirou profundamente e olhou para Moore, que meneou a cabeça.

— Alô? — disse ela.

Ouviu-se uma voz de homem pelo alto-falante.

— Então, do que se trata? — Ao fundo ouviam-se risadas, sons de pessoas se divertindo com uma boa piada.

— Quem é você? — perguntou Jane.

— Estamos todos nos perguntando aqui o que será isto: "A sorte está lançada."

— Você está ligando para me perguntar isso?

— É. É algum tipo de jogo? Temos de adivinhar?

— Não tenho tempo de falar com você agora, estou esperando outra ligação.

— Ei, ei, senhora! Droga, estamos fazendo interurbano!

Jane desligou e olhou para Moore.

— Que babaca.

— Se esse é o típico leitor do *Confidential* — disse Crowe —, vai ser uma noite muito engraçada.

— Provavelmente receberemos algumas outras ligações semelhantes — advertiu Moore.

O telefone tocou. A chamada vinha de Providence.

Jane sentiu a adrenalina voltar a correr em seu sangue.

— Alô?

— Oi — disse uma alegre voz feminina. — Vi seu anúncio no *Confidential* e estou fazendo um trabalho sobre anúncios pessoais. Gostaria de saber se esse seu anúncio tem fins de romance ou se é uma empresa comercial.

— Nenhum dos dois — disse Jane antes de desligar. — Meu Deus, o que há com essa gente?

Às 20h05, o telefone voltou a tocar. Uma pessoa de Newark perguntando:

— É algum tipo de concurso? Ganho um prêmio se ligar?

Às 20h07:

— Só queria saber se alguém realmente ligaria para esse número.

Às 20h15:

— Você é, tipo, uma espiã ou algo assim?

Às 20h30, as ligações finalmente terminaram. Durante vinte minutos, olharam para um telefone silencioso.

— Acho que é isso — disse Crowe, levantando-se e se espreguiçando. — Diria que foi uma noite muito *produtiva*.

— Espere — disse Frost. — Estamos chegando no fuso horário do centro dos EUA.

— O quê?

— O anúncio de Rizzoli não especificou fuso horário. São quase oito da noite em Kansas City.

— Ele está certo — disse Moore. — Vamos ficar sentados aqui.

— Todos os fusos horários? Vamos ficar aqui até meia-noite — disse Crowe.

— Mais ainda — destacou Frost. — Se incluir o Havaí.

Crowe riu debochado.

— Talvez devêssemos pedir uma pizza.

O que acabaram fazendo. No intervalo entre dez e onze da noite, Frost saiu e voltou com duas pizzas de pepperoni da Domino's. Abriram latas de refrigerantes e ficaram observando o telefone silencioso. Embora Jane estivesse de licença havia mais de um mês, sentia-se naquela noite como se nunca tivesse deixado o trabalho. Estava sentada diante da mesma mesa, com os mesmos policiais e, como sempre, Darren Crowe a estava aborrecendo além da conta. Com exceção do fato de Gabriel ter se juntado à equipe, nada havia mudado. Eu sentia falta disso, pensou ela. Crowe e tudo o mais. Sentia falta de fazer parte da caçada.

O telefone tocou quando levava um pedaço de pizza à boca. Pegou um guardanapo de papel para limpar a gordura dos dedos e olhou para o relógio. Onze da noite, em ponto. O mostrador indicava um número de Boston. Aquela ligação estava com três horas de atraso.

— Alô? — disse Jane.

Silêncio.

— Alô? — disse Jane outra vez.

— Quem é você? — perguntou uma voz feminina, quase um sussurro.

Sobressaltada, Jane olhou para Gabriel e viu que ele percebera o mesmo detalhe. *A pessoa tinha sotaque.*

— Sou uma amiga — disse Jane.

— Não a conheço.

— Olena me falou de você.

— Olena está morta.

É ela. Jane olhou para as faces atônitas ao redor da mesa. Até mesmo Crowe inclinou-se para a frente, o rosto tenso de ansiedade.

— Mila, diga-me onde podemos nos encontrar — disse Jane. — Por favor, preciso falar com você. Prometo que estará segura. Em qualquer lugar que quiser. — Ela ouviu o clique do aparelho sendo desligado. — *Merda.* Precisamos de sua localização!

Jane olhou para Moore, que se voltou para Frost.

— Conseguiu? — perguntou.

Frost desligou o telefone da sala de reuniões.

— West End. É um telefone público.

— Estamos a caminho — disse Crowe, voltando-se para a porta.

— Quando chegar lá ela já terá ido embora há muito tempo — disse Gabriel.

— Podemos mandar um carro-patrulha em cinco minutos — disse Moore.

Jane balançou a cabeça.

— Sem uniformes. Se ela vir alguém uniformizado vai saber que é uma armação e perco qualquer chance de voltar a entrar em contato com ela.

— O que acha que devemos fazer? — perguntou Crowe, parado à porta.

— Dar-lhe a chance de pensar a respeito. Ela sabe como falar comigo.

— Mas ela não sabe quem é você — disse Moore.

— E isso deve tê-la assustado. Ela só está sendo cuidadosa.

— Veja, ela pode nunca mais voltar a ligar — disse Crowe. — Essa pode ser nossa única chance de pegá-la. Vamos fazer isso.

— Ele está certo — disse Moore, olhando para Jane. — Pode ser a nossa única chance.

Após um instante, Jane concordou.

— Tudo bem. Vão.

Frost e Crowe deixaram a sala. À medida que os minutos passavam, Jane olhava para o telefone silencioso, pensando: Talvez eu devesse ter ido com eles. Devia ser eu lá, procurando por ela. Imaginou Frost e Crowe navegando pelo emaranhado de ruas do West End, procurando uma mulher cujo rosto não conheciam.

O telefone celular de Moore tocou e ele se sobressaltou. Apenas pela expressão de seu rosto, Jane podia ver que as notícias não eram boas. Ele desligou e balançou a cabeça.

— Ela não estava lá? — perguntou Jane.

— Pediram para a UCC tirar as impressões do telefone público. — Ele viu o desapontamento no rosto de Jane. — Veja, ao menos sabemos que ela é real. Ela está viva.

— Por enquanto — disse Jane.

Até mesmo policiais têm de comprar leite e fraldas.

Jane estava no armazém, Regina presa ao seu peito por um suporte, e inspecionava as latas de comida de bebê nas prateleiras, estudando o conteúdo nutricional de cada marca. Todas ofereciam cem por cento das necessidades de um bebê de A a zinco. Qualquer uma delas seria perfeitamente adequada, pensou, então por que me sinto culpada? Regina *gosta* de comida de bebê. E preciso pegar o meu bipe e voltar ao trabalho. Precisava levantar do sofá e parar de ver aquelas reprises da série *Cops.*

Preciso sair deste armazém.

Pegou dois pacotes com seis unidades de Similac, buscou as fraldas descartáveis em outro corredor e foi até o caixa.

Lá fora, o estacionamento estava tão quente que começou a suar apenas por ter colocado as compras no porta-malas. Os bancos podiam assar a carne de quem sentasse neles e, antes de amarrar Regina à sua cadeirinha de bebê, abriu todas as portas para arejar o carro. Carrinhos de compras passavam ao seu redor, empurrados por clientes igualmente suados. Ouviu-se uma buzina e um homem gritou:

— Ei, olhe por onde anda, seu babaca!

Nenhuma daquelas pessoas queria estar na cidade. Todas queriam estar na praia segurando casquinhas de sorvete, e não tendo de conviver ombro a ombro com outros cidadãos irritados de Boston.

Regina começou a chorar, cachos escuros suados contra o rosto rosado. Outra cidadã irritada. Ela continuou a chorar quando Jane se inclinou no banco de trás para prendê-la à cadeirinha, e ainda chorava a diversos quarteirões dali, enquanto Jane avançava em meio ao tráfego, o ar-condicionado no máximo. Pegou outro sinal vermelho e pensou: Meu Deus, permita que eu consiga sobreviver a esta tarde.

O telefone celular tocou.

Ela podia tê-lo deixado continuar tocando, mas acabou tirando-o da bolsa e viu no mostrador um número local que não reconheceu.

— Alô? — disse Jane.

Por causa do choro furioso de Regina, ela mal pôde ouvir a pergunta:

— Quem é você? — A voz soou-lhe suave e imediatamente familiar.

Seus músculos se contraíram.

— Mila? Não desligue! Por favor, não desligue. Fale comigo!

— Você é policial.

O sinal ficou verde e, atrás dela, um carro buzinou.

— Sim — admitiu Jane. — Sou uma policial. Só estou tentando ajudá-la.

— Como sabe o meu nome?

— Eu estava com Olena quando...

— Quando a polícia a matou?

O carro atrás de Jane voltou a buzinar, exigindo que ela saísse da droga do caminho. *Babaca.* Ela pressionou o acelerador e atravessou o cruzamento, o telefone celular ainda pressionado ao ouvido.

— Mila — disse ela. — Olena me falou de você. Foi a última coisa que ela disse... que eu devia encontrá-la.

— Ontem à noite, você mandou policiais atrás de mim.

— Não mandei...

— Dois homens. Eu os vi.

— São meus amigos, Mila. Estamos tentando protegê-la. É perigoso você ficar sozinha por conta própria.

— Você não sabe quanto.

— Sim, eu sei! — Ela fez uma pausa. — Sei por que está fugindo, por que está com medo. Você estava naquela casa quando suas amigas foram mortas. Não estava, Mila? Você viu acontecer.

— Sou a única que sobrou.

— Você podia testemunhar no tribunal.

— Eles me matariam antes.

— Quem?

Houve silêncio. Por favor, não desligue outra vez, pensou Jane. Fique na linha. Ela viu uma vaga junto ao meio-fio e estacionou abruptamente. Ali ficou, o telefone apertado contra o ouvido, esperando a mulher voltar a falar. No banco de trás, Regina continuava chorando, indignada com o fato de sua mãe a estar ignorando.

— Mila?

— Que bebê é esse que está chorando?

— É a minha filha. Está no carro comigo.

— Mas você disse que é policial.

— Sim, sou. Eu *disse* que sou. Meu nome é Jane Rizzoli. Sou detetive. Você pode confirmar isso, Mila. Ligue para o Departamento de Polícia de Boston e pergunte a meu respeito. Eu estava com Olena quando ela morreu. Eu estava presa naquele prédio com ela. — Jane fez uma pausa. — Não consegui salvá-la.

Outro silêncio. O ar-condicionado continuava no máximo e Regina ainda chorava, determinada a fazer brotar cabelos brancos nas sobrancelhas da mãe.

— Passeio Público — disse Mila.

— O quê?

— Hoje à noite. Às nove horas. Você me espere junto à lagoa.

— Você vai estar lá? Alô?

Não havia ninguém na linha.

33

Estranhamente incômoda, a arma pesava à cintura de Jane. Outrora uma velha amiga, estivera fechada e esquecida em uma gaveta nas últimas semanas. Não foi sem relutância que a carregou e a enfiou no coldre. Embora sempre tivesse visto a sua arma com o saudável respeito devido a qualquer objeto que pode abrir um buraco no peito de um homem, ela nunca antes hesitara em envergá-la. Deve ser isso que a maternidade faz com você, pensou. Olho para uma arma, agora, e só consigo pensar em Regina. Como se o apertar de um dedo e uma bala perdida pudessem tirá-la de mim.

— Não precisa ser você — disse Gabriel.

Estavam sentados no Volvo de Gabriel estacionado na Newbury Street, onde as lojas de moda estavam fechando. A gente que freqüentava os restaurantes aos sábados ainda estava por ali, casais bem-vestidos e alegres, saciados de comida e vinho. Diferentes de Jane, que estava nervosa demais para comer mais que algumas garfadas do assado de panela que a mãe lhe trouxera.

— Podem mandar outra policial feminina — disse Gabriel. — Você pode simplesmente ficar fora dessa.

— Mila conhece minha voz. Ela sabe o meu nome. Tenho de fazer isso.

— Você está parada há um mês.

— E já é hora de voltar. — Ela olhou para o relógio. — Quatro minutos — disse pelo microfone. — Todo mundo pronto?

No fone de ouvido, ela ouviu Moore dizer:

— Estamos em nossas posições. Frost na Beacon com Huntington. Eu em frente ao Four Seasons.

— E eu estarei atrás de você — disse Gabriel.

— Tudo bem. — Ela saiu do carro e baixou o casaco leve que vestia, de modo a cobrir o volume da arma. Caminhando pela Newbury Street em direção oeste, passou por turistas noturnos. Gente que não precisava de armas à cintura. Na Arlington fez uma pausa para esperar o sinal. Do outro lado da rua ficava o Passeio Público, e à sua esquerda a Beacon Street, onde estava Frost, mas ela não olhou na direção dele. Também não arriscou olhar por sobre os ombros para confirmar que Gabriel estava atrás dela. Ela sabia que ele estava.

Jane atravessou a Arlington e entrou no Passeio Público.

A Newbury Street estava cheia de gente, mas ali dentro havia poucos turistas. Jane viu um casal sentado em um banco junto à lagoa. Estavam abraçados, alheios a qualquer coisa fora de seu próprio e excitante universo. Havia um homem inclinado sobre uma lata de lixo, catando latas de alumínio e jogando-as dentro de um saco. Sentados na grama, protegidos pelas árvores do brilho das luzes dos postes, alguns jovens se revezavam tocando um violão. Jane fez uma pausa à beira da lagoa e vasculhou as sombras ao seu redor. *Estará aqui? Será que já está me vendo?*

Ninguém se aproximou.

Ela caminhou lentamente ao redor da lagoa. Durante o dia, havia barcos na água, famílias tomando sorvete e músicos tocando bongôs. Mas naquela noite a água estava tranqüila, um buraco negro que não refletia sequer um tremular de luzes da cidade. Continuou caminhando para o extremo norte da lagoa e fez uma pausa, ouvindo o tráfego na Beacon Street. Em meio aos arbustos viu a silhueta de um homem embaixo de uma árvore. Barry Frost. Ela se voltou e continuou a circundar a lagoa, e finalmente parou sob um poste de luz.

Aqui estou, Mila. Olhe bem para mim. Você pode ver que estou só.

Após um instante, ela se sentou em um banco, sentindo-se como a estrela de uma peça de um único ator com a luz do poste brilhando sobre sua cabeça. Sentiu olhos observando-a, violando a sua privacidade.

Algo chacoalhou atrás dela. Virou-se de súbito, automaticamente buscando a arma. Sua mão parou sobre o coldre quando viu que era apenas o mendigo com o saco de latas de alumínio. Coração disparado, voltou a se acomodar no banco. Uma brisa soprou no parque, causando ondulações na lagoa, pontilhando a superfície com lantejoulas de luz. O homem com as latas foi até uma lixeira ao lado do banco onde ela estava e começou a remexer o lixo. Demorou-se escavando os seus tesouros, cada achado anunciado por um tilintar metálico. Será que nunca iria embora? Frustrada, ela se levantou para se afastar dele.

O telefone celular tocou.

Ela meteu a mão no bolso e atendeu.

— Alô? *Alô?*

Silêncio.

— Estou aqui — disse ela. — Estou sentada junto à lagoa, onde me pediu. Mila?

Ouviu apenas o pulsar de seu próprio coração. A linha estava muda.

Ela se voltou e vasculhou o parque com os olhos, vendo apenas as mesmas pessoas que vira antes. O casal namorando no banco, os jovens com o violão. E o homem com o saco de latas. Ele estava imóvel, curvado sobre a lixeira, como se examinasse alguma pequena jóia em meio aos jornais e restos de comida.

Ele está ouvindo.

— Ei — disse Jane.

O homem imediatamente ficou ereto. Começou a se afastar com o saco, latas chacoalhando atrás dele.

Ela começou a segui-lo.

— Quero falar com você!

O homem não olhou para trás. Em vez disso, continuou andando. Mais rápido agora, sabendo estar sendo perseguido. Ela correu atrás dele e pegou-o assim que chegou à calçada. Segurando a parte de trás de seu casaco, ela o girou. Sob o brilho do poste, olharam-se. Ela viu olhos cavos e uma barba grisalha e malcuidada. Sentiu cheiro de álcool azedo e dentes estragados.

Ele afastou a mão dela.

— O que está fazendo? Que diabos, senhora?

— Rizzoli? — A voz de Moore se fez ouvir. — Precisa de reforços?

— Não. Não, estou bem.

— Com quem está falando? — disse o mendigo.

Furiosa, ela acenou para que ele se fosse.

— Vá. Apenas saia daqui.

— Quem você pensa que é para me dar ordens?

— Apenas *vá embora.*

— É, está bem. — Ele sorriu debochado e se foi, arrastando suas latas. — O parque anda cheio de gente esquisita ultimamente.

Ela se voltou e subitamente viu-se cercada. Gabriel, Moore e Frost haviam se aproximado, formando um círculo de proteção ao seu redor.

— Ora bolas — suspirou Jane. — Pedi ajuda?

— Não sabíamos o que estava acontecendo — disse Gabriel.

— Agora estragaram tudo. — Ela olhou ao redor do parque, que parecia mais vazio do que nunca. O casal que estava no banco havia ido embora. Apenas os jovens com o violão continuavam ali, rindo no escuro.

— Se Mila estava nos observando, ela sabe que é uma armação. Ela nunca mais vai voltar a se aproximar de mim.

— São nove e quarenta e cinco — disse Frost. — O que acha?

Moore balançou a cabeça.

— Vamos nos recolher. Nada vai acontecer esta noite.

— Eu estava indo bem — disse Jane. — Não precisava da cavalaria.

Gabriel estacionou na sua vaga atrás do prédio e desligou o motor.

— Não sabíamos o que estava acontecendo. Vimos você correndo atrás do sujeito, e então pareceu que ele estava lhe dando uma cotovelada.

— Ele só estava tentando se livrar de mim.

— Eu não sabia disso. Tudo em que pensei foi... — Ele parou de falar e olhou para ela. — Apenas reagi. Foi tudo.

— Provavelmente a perdemos, você sabe.

— Então a perdemos.

— Você soa como se não se importasse.

— Sabe com o que me importo? Que você não se machuque. Isso é mais importante do que qualquer outra coisa. — Ele saiu do carro. Ela também.

— Você se lembra do que faço para ganhar a vida? — perguntou ela.

— Tento não pensar.

— De repente, meu trabalho já não é mais bom.

Ele fechou a porta do carro e olhou para ela por cima do teto.

— Admito. No momento, estou tendo dificuldade para lidar com isso.

— Está me pedindo para eu me demitir?

— Se eu achasse que adiantaria...

— E o que eu faria em vez disso?

— Que tal ficar em casa com Regina?

— Quando você ficou tão antiquado assim? Não estou acreditando que você me disse isso.

Ele suspirou e balançou a cabeça.

— Também não acredito estar dizendo isso.

— Você sabia quem eu era quando se casou comigo, Gabriel. — Ela se voltou e entrou no prédio, e já estava subindo para o segundo andar quando ouviu-o dizer ao pé da escada:

— Sim, mas talvez eu não soubesse quem *eu* era.

Ela encarou-o de volta.

— O que quer dizer com isso?

— Você e Regina são tudo o que tenho. — Lentamente ele subiu a escada, até ficarem face a face na plataforma. — Nunca tive de me preocupar com ninguém antes, com aquilo que eu poderia perder. Não sabia que ficaria tão assustado. Agora, tenho esse imenso calcanhar-de-aquiles exposto, e tudo que consigo pensar é em como protegê-lo.

— Você não pode protegê-lo — disse ela. — É simplesmente algo com que você tem de conviver. É o que acontece quando se tem uma família.

— É muito a perder.

A porta de seu apartamento subitamente se abriu, e Angela enfiou a cabeça para fora.

— Achei ter ouvido vocês dois aqui.

Jane se voltou.

— Oi, mãe.

— Ela acabou de adormecer, portanto falem baixo.

— Como ela está?

— Exatamente como você com essa idade.

— Assim tão mal, é?

Ao entrarem no apartamento, Jane ficou surpresa como tudo estava arrumado. As louças lavadas e guardadas, as bancadas limpas. Havia uma passadeira de linho na mesa de jantar. De onde viera aquilo?

— Vocês dois brigaram, não é? — perguntou Angela. — Posso ver apenas olhando para vocês.

— Tivemos uma noite decepcionante, só isso. — Jane tirou o casaco e guardou-o no armário. Ao se voltar para olhar a mãe, viu que o olhar de Angela estava voltado para a sua arma.

— Você vai guardar essa coisa, não vai?

— Sempre guardo.

— Porque bebês e armas...

— Tudo bem, tudo bem.

Jane tirou a arma e guardou-a em uma gaveta.

— Sabe, ela não tem nem um mês.

— Ela é precoce, assim como você. — Angela olhou para Gabriel. — Alguma vez já lhe contei o que Jane fez com 3 anos de idade?

— Mamãe, ele não quer ouvir essa história.

— Sim, eu quero — disse Gabriel.

Jane suspirou.

— Envolve um isqueiro e cortinas da sala de estar. E o Corpo de Bombeiros de Revere.

— Ah, isso — disse Angela. — Havia me esquecido *desta* história.

— Sra. Rizzoli, por que não me conta enquanto eu a levo de carro para casa? — perguntou Gabriel, abrindo o armário para pegar o suéter de Angela.

No outro quarto, Regina subitamente começou a chorar para anunciar que ela não estava adormecida pelo resto da noite. Jane foi até o quarto e ergueu a filha do berço. Ao voltar à sala, Gabriel e a mãe haviam saído. Ninando Regina com um braço, foi até a pia da cozinha para encher uma panela de água para aquecer a mamadeira. A campainha da porta da frente tocou.

— Janie? — disse Angela pelo interfone. — Pode me deixar entrar de novo? Esqueci meus óculos.

— Suba, mamãe. — Jane apertou o botão para destrancar o portão e esperou junto à porta segurando os óculos da mãe.

— Não consigo ler sem eles — disse Angela ao terminar de subir a escadaria. Fez uma pausa para dar um último beijo na filha. — Melhor eu ir. Ele está com o carro ligado.

— Tchau, mamãe.

Jane voltou para a cozinha onde a panela transbordava. Deitou a mamadeira sobre água quente e, enquanto a comida de bebê esquentava, caminhou pela cozinha com a filha no colo.

A campainha do apartamento voltou a tocar.

Oh, mamãe. O que esqueceu desta vez?, perguntou-se e apertou o botão.

Àquela altura, a mamadeira estava quente. Ela introduziu o bico na boca de Regina, mas a filha simplesmente o recusou, como se estivesse incomodada. *O que você quer, bebê?*, pensou, frustrada, enquanto carregava a filha de volta para a sala. *Se você pudesse me dizer o que quer!*

Ela abriu a porta para receber a mãe.

Não era Angela.

34

Sem uma palavra, a menina passou por Jane, entrou no apartamento e trancou a porta. Foi até as janelas e baixou as persianas, uma após a outra, em rápida seqüência enquanto Jane observava, atônita.

— O que pensa que está fazendo?

A intrusa voltou-se para encará-la e apertou o dedo contra os lábios. Ela era pequena, mais uma criança que uma mulher, o corpo magro quase engolido pelo enorme suéter. As mãos que despontavam das mangas desbotadas tinham ossos que pareciam delicados como os de um pássaro, e a bolsa que ela carregava parecia puxar para baixo seu ombro frágil. O cabelo ruivo fora cortado em uma franja irregular, como se ela mesma tivesse empunhado a tesoura, cortando às cegas. Seus olhos eram pálidos, um tom sobrenatural de cinza, transparentes como vidro. Era um rosto feroz e faminto, com maçãs da face proeminentes e um olhar que vasculhava a sala em busca de armadilhas ocultas.

— Mila? — perguntou Jane.

Novamente o dedo da menina subiu aos lábios. O olhar que ela lançou para Jane não precisava de interpretação.

Não faça barulho. Tenha medo.

Até mesmo Regina pareceu compreender. O bebê subitamente ficou quieto, os olhos arregalados e alertas enquanto repousava nos braços de Jane.

— Aqui você está segura — disse Jane.

— Nenhum lugar é seguro.

— Deixe-me chamar meus amigos. Conseguimos proteção policial para você agora mesmo.

Mila balançou a cabeça.

— Conheço estes homens. Trabalhei com eles — disse Jane, fazendo menção de pegar o telefone.

A menina avançou e desligou o aparelho.

— *Sem polícia.*

Jane olhou para os olhos da menina, agora tomados de pânico.

— Tudo bem — murmurou, afastando o telefone. — Também sou policial. Por que confia em mim?

O olhar de Mila baixou para Regina. E Jane pensou: Foi por isso que ela arriscou a visita. Ela sabe que sou mãe. De algum modo, isso fez toda a diferença.

— Sei por que está fugindo — disse Jane. — Sei a respeito de Ashburn.

Mila foi até o sofá e afundou nas almofadas. Subitamente, pareceu ainda menor, diminuindo sob o olhar de Jane. Seus ombros curvaram-se para a frente e ela segurou a cabeça com as mãos, como se estivesse exausta demais para sustentá-la.

— Estou tão cansada — murmurou.

Jane se aproximou até ficar bem acima da cabeça curvada de Mila, olhando para o cabelo cortado às pressas.

— Você viu os assassinos. Ajude-nos a identificá-los.

Mila olhou para cima com olhos vazios de assombro.

— Não viverei o bastante.

Jane se agachou, nivelando os olhos com os da menina. Regina também olhava para Mila, fascinada por aquela criatura exótica.

— Por que está aqui, Mila? O que quer que eu faça?

Mila enfiou a mão na bolsa encardida que carregava e remexeu roupas, barras de doce e tecidos amarrotados. Tirou uma fita de vídeo e a entregou para Jane.

— O que é?

— Tenho medo de ficar com esta fita. Por isso a estou dando para você. Diga-lhes que não resta mais nenhuma. Esta é a última cópia.

— Onde conseguiu?

— Apenas *pegue*! — Ela estendeu o braço como se a fita fosse venenosa e quisesse mantê-la o mais distante possível. A menina suspirou aliviada quando Jane finalmente a pegou.

Jane sentou Regina no carrinho de bebê e foi até a tevê. Introduziu a fita no aparelho de videocassete e apertou a tecla PLAY no controle remoto.

Uma imagem apareceu na tela. Ela viu uma cama de bronze, uma cadeira, uma cortina pesada na janela. Fora de cena, ouviram-se passos, e uma mulher rindo. Uma porta se fechou e uma mulher e um homem entraram em quadro. A mulher tinha um belo cabelo louro, e o decote da blusa revelava seios fartos. O homem vestia uma camisa pólo e calças cáqui.

— Isso — suspirou o homem quando a mulher desabotoou a blusa, que tirou junto com a calcinha. Ela deu um empurrão de brincadeira no sujeito, que caiu de costas na cama, absolutamente passivo, enquanto ela desabotoava as calças dele e as puxava para baixo. Curvando-se sobre ele, ela tomou o seu pênis ereto na boca.

É apenas um vídeo pornô, pensou Jane. Por que estou vendo isso?

— Essa não — disse Mila, pegando o controle remoto das mãos de Jane e adiantando a fita.

A cabeça da loura passou a se movimentar com frenética eficiência. A tela ficou escura. Agora, outro casal aparecia em cena. Ao ver os longos cabelos negros da mulher, Jane ficou pasma. Era Olena.

As roupas magicamente desapareceram. Corpos nus tombaram na cama, contorcendo-se em alta velocidade no colchão. Conheço este quarto, Jane deu-se conta, lembrando-se do armário com um buraco no fundo. Foi assim que filmaram esta fita — com uma câmera montada naquele armário. Ela também se deu conta de quem era a loura da primeira cena. Era a Maria Ninguém número dois no vídeo da cena do crime do detetive Wardlaw, a mulher que morrera na cama, escondendo-se debaixo do cobertor.

Todas as mulheres deste vídeo estão mortas.

Mais uma vez, a tela escureceu.

— Aqui — murmurou Mila, que apertou a tecla STOP e, em seguida, a tecla PLAY.

Era a mesma cama, o mesmo quarto mas com lençóis diferentes desta vez: um padrão floral com fronhas de travesseiro que não combinavam. Um homem mais velho apareceu. Careca, óculos de armação de metal, vestido com camisa social branca e gravata vermelha. Ele tirou a gravata, atirou-a na cadeira e então desabotoou a camisa, revelando uma barriga branca e flácida pela meia-idade. Embora olhasse para a câmera, não parecia estar ciente de sua presença, e tirou a camisa com total desembaraço, revelando para a câmera um físico nada elogioso. Subitamente ele se aprumou, voltando a atenção para algo que a câmera ainda não estava focalizando. Era uma menina. Seus gritos a precederam, protestos desesperados em um idioma que parecia ser russo. Ela não queria entrar no quarto. Seus gemidos foram interrompidos por um tapa violento e uma ordem severa de uma mulher. A menina apareceu tropeçando diante da câmera, como se tivesse sido empurrada, e esparramou-se no chão aos pés do sujeito. A porta bateu ao se fechar, seguida pelo ruído de passos se afastando.

O homem olhou para a menina, uma ereção já se avolumando dentro das calças.

— Levante-se — disse ele.

A menina não se moveu.

Outra vez:

— Levante-se. — E cutucou-a com o pé.

Finalmente, a menina levantou a cabeça. Lentamente, como se estivesse exaurida apenas pela força da gravidade, ela se pôs de pé, cabelos louros despenteados.

Contra a vontade, Jane sentiu-se atraída para mais perto da tevê. Estava horrorizada demais para desviar o olhar, ao mesmo tempo que sua raiva aumentava. A menina ainda não era nem adolescente. Vestia uma blusa rosada e uma curta saia jeans que expunham pernas extremamente magras. Sua face ainda estampava a marca vermelha do tapa violento da mulher. Ferimentos antigos em seus braços nus contavam a história de outras agressões, outras crueldades. Embora o sujeito fosse muito mais alto que ela, a menina agora o encarava em mudo desafio.

— Tire a blusa.

A menina apenas ficou olhando para ele.

— Você é idiota? Não entende inglês?

A menina se sobressaltou e seu queixo se ergueu. *Sim, ela entende. E está mandando você ir se foder.*

O homem caminhou em direção a ela, agarrou-lhe a blusa com ambas as mãos e a rasgou, espalhando botões para todos os lados. A menina engoliu em seco e deu um tapa no rosto do sujeito, fazendo os óculos dele voarem para longe e caírem ruidosamente no chão. Durante alguns segundos, o homem apenas olhou-a, surpreso. Então, seu rosto foi tomado de tal fúria que Jane afastou-se da tevê, já sabendo o que aconteceria a seguir.

O soco atingiu o queixo da menina, impacto tão poderoso que pareceu erguê-la do chão. Ela caiu. Ele a pegou pela cintura, arrastou-a para a cama e a jogou sobre o colchão. Com alguns puxões, arrancou-lhe a saia, então desabotoou as próprias calças.

Embora o golpe a tivesse aturdido temporariamente, a menina ainda não havia desistido de reagir. Subitamente, pareceu ter voltado a si, berrando, punhos golpeando o seu agressor. Ele agarrou-lhe os pulsos e pulou sobre ela, forçando-a contra o colchão. Na pressa de se posicionar entre as coxas dela, deixou escapar a mão direita da menina. Ela agarrou o rosto dele, e suas unhas cravaram-se na sua pele. Ele recuou e passou a mão no rosto no lugar onde ela o arranhara. Olhou, incrédulo, para os próprios dedos. Para o sangue que ela tirara dele.

— Sua puta. Sua *putinha.*

Ele socou-a na têmpora. O golpe fez Jane encolher-se, a náusea tomando a sua garganta.

— Estou pagando, droga!

A menina agarrou o peito dele, mas estava mais fraca agora. O olho esquerdo inchava e o sangue escorria de seus lábios, embora continuasse a lutar. A resistência só parecia excitá-lo ainda mais. Fraca demais para resistir, ela não conseguiu evitar o inevitável. Quando ele a penetrou, ela gritou.

— Cale a boca.

Ela não parou de gritar.

— Cale a boca! — Ele bateu nela outra vez. E mais outra. Por fim, decidiu tapar a boca da menina com as mãos para abafar os gritos enquanto a possuía. Não pareceu perceber que ela finalmente parara de gritar e ficara absolutamente imóvel. O único ruído agora era o ranger ritmado da cama, os grunhidos animais de sua garganta. Emitiu um gemido final e suas costas se arquearam em um espasmo. Então, com um suspiro, tombou sobre a menina.

Deteve-se durante algum tempo respirando pesadamente, o corpo flácido de exaustão. Lentamente, pareceu registrar que algo estava errado. Ele olhou para a menina.

Estava imóvel.

Ele a sacudiu.

— Ei.

Ele tocou-lhe a face e disse, a voz um tanto preocupada:

— Acorde. Droga, *acorde.*

A menina não se mexeu.

Ele rolou para fora da cama e ficou olhando para ela durante algum tempo. Em seguida, apertou os dedos contra o pescoço dela para verificar o pulso. Cada músculo de seu corpo pareceu se contrair. Afastando-se da cama, sua respiração se acelerou.

— Ah, meu Deus — murmurou, em pânico.

Olhou ao redor, como se a solução de seu dilema estivesse em algum lugar naquele quarto. Muito agitado, pegou as roupas e começou a se vestir, as mãos trêmulas enquanto manipulava os botões e o cinto. Ajoelhou-se para recuperar os óculos, que haviam caído embaixo da cama, e colocou-os. Olhou uma última vez para a menina e confirmou o que mais temia.

Balançando a cabeça, saiu de quadro. Uma porta se abriu, voltou a se fechar, e ouviram-se passos apressados afastando-se. Uma eternidade se passou, a câmera ainda focalizada na cama e em sua ocupante sem vida.

Ouviram-se passos diferentes se aproximando. Ouviu-se um bater à porta, uma voz falando em russo. Jane reconheceu a mulher que entrara no quarto. Era a matrona da casa, que morrera amarrada a uma cadeira na cozinha.

Sei o que aconteceu com você. O que vão fazer com as suas mãos. Sei que vai morrer gritando.

A mulher foi até a cama e balançou a menina. Gritou-lhe uma ordem. A menina não respondeu. A mulher deu um passo atrás, cobrindo a boca com a mão. Então, abruptamente, voltou-se e olhou diretamente para a câmera.

Ela sabe que está lá. Ela sabe que está sendo filmada.

Imediatamente caminhou até a câmera e ouviu-se o som da porta do guarda-roupa se abrindo. A tela ficou escura.

Mila desligou o aparelho de videocassete.

Jane não conseguia falar. Afundou no sofá e ali ficou, em silêncio. Regina também estava quieta, como se sentisse que não era hora de fazer barulho. Que naquele instante a sua mãe estava muito abalada para cuidar dela. Gabriel, pensou. Preciso de você aqui. Ela olhou para o telefone e deu-se conta de que ele deixara o telefone celular sobre a mesa, e não tinha como ligar para ele no carro.

— É um homem importante — disse Mila.

Jane voltou-se para a menina.

— O quê?

— Joe disse que o sujeito deve ser de alto escalão no seu governo. — Mila apontou para a tevê.

— Joe viu a fita?

— Sim — disse Mila. — Ele me deu uma cópia quando fui embora. Assim todos teríamos uma cópia caso... — Ela parou de falar. — Caso nunca mais voltássemos a nos ver — murmurou.

— De onde veio isso? Onde conseguiu este vídeo?

— A Mãe o guardava no quarto. Não sabíamos. Só queríamos o dinheiro.

Eis o motivo do massacre, pensou Jane. Por isso as mulheres da casa foram mortas. Porque sabiam o que havia acontecido naquele quarto. E aquela fita era a prova.

— Quem é ele? — perguntou Mila.

Jane olhou para a tevê desligada.

— Não sei. Mas conheço alguém que deve saber. — Ela foi até o telefone.

Mila olhou-a, alarmada.

— Sem polícia!

— Não estou ligando para a polícia. Vou pedir a um amigo para vir até aqui. Um repórter. Conhece gente em Washington. Ele morou lá. Deve saber quem é esse homem. — Ela folheou a sua agenda até encontrar o nome de Peter Lukas. Ele morava em Milton, ao sul de

Boston. Enquanto discava, sentia que Mila a observava, ainda evidentemente desconfiada. Se eu fizer um movimento em falso, pensou Jane, esta garota vai fugir. Tenho de ser cuidadosa para não assustá-la.

— Alô? — respondeu Peter Lukas.

— Poderia vir aqui agora?

— Detetive Rizzoli? O que houve?

— Não posso falar pelo telefone.

— Parece sério.

— Pode ser seu prêmio Pulitzer, Lukas.

Ela parou de falar. Alguém tocava a campainha do apartamento.

Mila lançou um olhar de puro pânico para Jane. Pegando a sua mala, ela correu para a janela.

— Espere. Mila, não...

— Rizzoli? — perguntou Lukas. — O que está acontecendo aí?

— Espere. Ligo de volta para você — disse Jane e desligou.

Mila corria de janela em janela, desesperadamente procurando a saída de incêndio.

— Está tudo bem! — disse Jane. — Acalme-se.

— Eles sabem que estou aqui!

— Nem mesmo sabemos quem está na porta. Vamos descobrir. — Ela apertou o botão do interfone. — Sim?

— Detetive Rizzoli, é John Barsanti. Posso subir?

A reação de Mila foi instantânea. Ela começou a percorrer os quartos, buscando uma rota de fuga.

— Espere! — gritou Jane, seguindo-a pelo corredor. — Pode confiar neste homem!

A menina já abria a janela do quarto.

— Você não pode ir embora.

Novamente ouviram a campainha do interfone e Mila saiu pela janela, alcançando a saída de incêndio. Se ela se for, nunca mais a verei, pensou Jane. *Esta garota sobreviveu até agora por puro instinto. Talvez eu devesse ouvi-la.*

Ela segurou o pulso de Mila.

— Vou com você, está bem? Vamos juntas. Apenas não vá sem mim!

— Rápido — sussurrou Mila.

Jane se virou e disse:

— O bebê.

Mila seguiu-a de volta à sala e manteve um olhar ansioso para a porta enquanto Jane tirava a fita do aparelho e a jogava dentro da bolsa de fraldas. Abriu a gaveta, pegou a arma e também a meteu na bolsa de fraldas. *Só por precaução.*

A campainha voltou a tocar.

Jane pegou Regina nos braços.

— Vamos.

Mila desceu a escada de incêndio, rápida como um macaco. Outrora, Jane já fora muito rápida, muita corajosa. Mas agora era obrigada a tomar muito cuidado a cada passo, porque estava carregando Regina. Pobre bebê, agora não tenho escolha, pensou. Tenho de arrastá-la nesta aventura. Finalmente desceram até o beco e foram até o Subaru de Jane. Ao destrancar a porta do carro, Jane ainda podia ouvir, através da janela aberta do apartamento, a persistente campainha de Barsanti.

Dirigindo para oeste na Tremont Street, manteve o olhar no espelho retrovisor, mas não viu sinal de perseguição, nenhum farol atrás delas. Agora, é encontrar um lugar seguro onde Mila não se apavore, pensou. Onde não veja uniformes policiais. Acima de tudo, um lugar onde eu possa manter Regina em segurança.

— Para onde vamos? — perguntou Mila.

— Estou pensando, estou pensando. — Ela olhou para o telefone celular, mas não ousava ligar para a mãe. Não ousava ligar para ninguém.

Abruptamente virou para o sul, pegando a Columbus Avenue.

— Conheço um lugar seguro — disse ela.

35

Peter Lukas observou em silêncio enquanto o ataque brutal se desenrolava na tela de sua tevê. Quando a fita terminou, ele não se moveu. Mesmo depois de Jane ter desligado o aparelho de videocassete, Lukas ficou sentado, estático, o olhar fixado na tela, como se ainda pudesse ver o corpo espancado da menina, os lençóis sujos de sangue. A sala ficou silenciosa. Regina cochilava no sofá. Mila estava perto da janela, olhando para a rua.

— Mila nunca soube o nome da menina — disse Jane. — Há uma boa chance de que o corpo ainda esteja enterrado em algum lugar na floresta atrás da casa. É uma área erma, com um bocado de lugares onde descartar um corpo. Deus sabe quantas outras meninas devem estar enterradas por lá.

Lukas baixou a cabeça.

— Estou com vontade de vomitar.

— Você e eu.

— Por que alguém gravaria em fita uma coisa dessas?

— Esse sujeito não se deu conta de que fora filmado. A câmera estava montada dentro de um armário, onde os clientes não podiam vê-la. Talvez fosse apenas outra fonte de renda. Prostitua as meninas, filme os atos, depois ofereça as fitas no mercado pornográfico. Para onde se virar, há dinheiro a ser ganho. Afinal de contas, este bordel era apenas uma de suas subsidiárias. — Ela fez uma pausa e acrescentou, secamente: — A Ballentree parece acreditar na diversificação.

— Mas esse é um filme de assassinato real! A Ballentree jamais conseguiria vendê-lo.

— Não, esse era muito explosivo. A matrona da casa definitivamente sabia que era. Ela o escondeu em sua mala. Mila disse que carregaram o volume durante meses sem saber o que estava no vídeo. Então Joe um dia a inseriu no aparelho de videocassete de um quarto de motel. — Jane olhou para a tevê. — Agora sabemos por que aquelas mulheres em Ashburn foram mortas. Por que Charles Desmond foi morto. Porque elas conheciam aquele cliente. Podiam identificá-lo. Todas tinham de morrer.

— Então, tudo gira em torno da ocultação de um estupro seguido de morte.

— Sim — disse Jane. — De repente, Joe se dá conta de que está segurando uma bomba. O que fazer com a prova? Não sabia em quem confiar. E quem acreditaria em um sujeito que já fora rotulado como paranóico? Deve ser isso que ele enviou para você pelo correio. Uma cópia desta fita.

— Só que eu não a recebi.

— Então, tiveram de se separar, para evitar a captura. Mas cada um deles tinha uma cópia. Olena foi pega antes de conseguir trazê-la ao *Tribune*. A de Joe provavelmente foi pega após a tomada do hospital. — Ela apontou para a tevê. — Esta é a última cópia.

Lukas voltou-se para Mila, encolhida em um canto da sala como um animal amedrontado com medo de se aproximar.

— Você já viu esse homem da fita, Mila? Ele freqüentava a casa?

— O barco — disse ela e estremeceu visivelmente. — Eu o vi em uma festa, no barco.

Lukas olhou para Jane.

— Acha que ela se refere ao iate de Charles Desmond?

— Acho que é assim que a Ballentree faz negócio — disse Jane. — O mundo de Desmond era um reduto masculino. Contratos para o Departamento de Defesa, gente do Pentágono. Onde quer que haja meninos grandes brincando com muito dinheiro, pode apostar que há sexo em jogo. Um modo de fechar o negócio. — Ela ejetou a fita e voltou-se para Lukas. — Você sabe quem é esse homem? Aquele no vídeo?

Lukas engoliu com dificuldade.

— Desculpe, estou com dificuldade para crer que esta fita seja verdadeira.

— O sujeito deve ser um figurão. Veja tudo o que conseguiu fazer, os recursos a que recorreu para encontrar esta fita. — Ela se aproximou de Lukas. — Quem é ele?

— Não o reconhece?

— Devia?

— Não, a não ser que tivesse assistido às sessões de confirmação do mês passado. Ele é Carleton Wynne. Nosso novo diretor de espionagem interna.

Ela suspirou profundamente e afundou em uma cadeira diante dele.

— Meu Deus! Você está falando do sujeito responsável por todas as agências de espionagem no país.

— Sim — disse Lukas. — O FBI. A CIA. A espionagem militar. Quinze agências ao todo, incluindo ramificações na segurança nacional e no Departamento de Justiça. Este sujeito é alguém que pode mexer os pauzinhos lá dentro. O motivo de não ter reconhecido Wynne é que ele não é um homem muito público. É um daqueles sujeitos de terno cinza. Ele deixou a CIA há dois anos, para dirigir o novo departamento de apoio estratégico do Pentágono. Depois que o último diretor de espionagem foi forçado a renunciar, a Casa Branca nomeou Wynne para substituí-lo. Ele acabou de ser empossado.

— Por favor — disse Mila. — Preciso usar o banheiro.

— Fica no fim do corredor — murmurou Lukas, nem mesmo levantando a cabeça enquanto Mila saía da sala. O olhar dele permanecia voltado para Jane. — Não é um cara fácil de derrubar — disse ele.

— Com esta fita você pode derrubar até o King Kong.

— O diretor Wynne tem toda uma rede de contatos no Pentágono e na CIA. Ele é o homem escolhido pelo *presidente.*

— Agora ele é meu. E vou derrubá-lo.

A campainha tocou. Jane ergueu a cabeça, assustada.

— Relaxe — disse Lukas, levantando-se. — Provavelmente é apenas o vizinho. Prometi alimentar o gato dele esta semana.

Apesar disso, Jane ficou sentada na beira da cadeira, ouvindo, enquanto Lukas atendia a porta da frente. Seu cumprimento foi casual:

— Oi, entre.

— Tudo sob controle? — perguntou o outro homem.

— Sim, estávamos apenas assistindo a um vídeo.

Neste instante Jane devia ter percebido que algo não estava certo, mas o tom de voz relaxado de Lukas a desarmou, levando-a a acreditar estar em segurança naquela casa, em sua companhia. O visitante entrou na sala. Tinha cabelo louro curto e braços musculosos. Mesmo quando Jane viu a arma que ele empunhava, não acreditou integralmente no que estava acontecendo. Lentamente se levantou, o coração na garganta. Ela se voltou para Lukas, e sua expressão chocada por ter sido traída evocou nele apenas um dar de ombros. Uma expressão de *desculpe, mas é assim que as coisas são.*

O louro olhou em torno, e seu olhar se concentrou em Regina, que dormia entre as almofadas do sofá. Imediatamente voltou a arma para o bebê, e Jane sentiu uma pontada de pânico, aguda como uma facada no coração.

— Nenhuma palavra — disse ele para Jane. Ele sabia como controlá-la, como encontrar o ponto mais vulnerável de uma mãe. — Onde está a puta? — perguntou a Lukas.

— No banheiro. Vou buscá-la.

É tarde demais para avisar Mila, pensou Jane. Mesmo se eu gritar, ela não terá chance de escapar.

— Então você é a policial de quem ouvi falar — disse o louro.

A policial. A puta. Será que ele sabia o nome das mulheres que estava a ponto de matar?

— Meu nome é Jane Rizzoli — disse ela.

— Lugar errado, hora errada, detetive. — Ele sabia o nome dela. É claro. Um profissional saberia. Também sabia o bastante para manter uma distância segura, longe o suficiente para poder reagir a qualquer movimento dela. Mesmo sem a arma, não era um homem fácil de lidar. Sua postura e o modo calmo e eficiente como assumiu o controle diziam que, desarmada, não tinha qualquer chance contra aquele homem.

Mas armada...

Ela olhou para o chão. Onde diabos deixara a bolsa de fraldas? Estaria atrás do sofá? Ela não a via.

— Mila? — Lukas chamou através da porta do banheiro. — Está bem aí?

Regina subitamente gemeu, como se ciente de que havia algo errado. Que a mãe estava em apuros.

— Deixe-me pegá-la — disse Jane.

— Ela está bem ali onde está.

— Se não me deixar pegá-la, ela vai começar a gritar. E ela sabe gritar.

— Mila? — Agora, Lukas batia à porta do banheiro. — Abra isso, por favor, Mila!

Regina, como era de esperar, começou a chorar. Jane olhou para o homem, e ele finalmente meneou a cabeça. Ela pegou o bebê nos braços, o que não pareceu confortar Regina. *Ela está sentindo o meu coração acelerado. Ela está percebendo o meu medo.*

Ouviram-se estrondos no corredor, então um ruído de madeira quebrando quando Lukas arrombou a porta. Segundos depois, ele veio correndo pelo corredor até a sala, rosto afogueado.

— Ela fugiu. A janela do banheiro está aberta. Ela deve ter se arrastado para fora.

O louro deu de ombros.

— Então a encontramos outro dia. O vídeo é o que importa.

— Nós o temos.

— Tem certeza de que é a última cópia?

— É a última.

Jane olhou para Lukas.

— Você já sabia da fita.

— Você faz idéia da quantidade de lixo não solicitado que um repórter recebe por correio? — perguntou Lukas. — Sabe quantos teóricos de conspirações e loucos paranóicos existem por aí, desesperados para que o público acredite neles? Escrevi aquela coluna sobre a Ballentree, e subitamente me tornei o melhor amigo de todos os Joseph Rokes do país. Todos os malucos. Eles acham que, caso me contem os seus pequenos delírios, eu pegarei a matéria dali em diante. Serei seu Woodward e Bernstein.

— Era assim que *devia* funcionar. É o que se espera que os jornalistas façam.

— Conhece algum repórter rico? Afora as poucas estrelas, de quantos nomes você lembra? A verdade é que o público não dá a mínima para a verdade. Ah, talvez haja algum interesse durante algumas semanas. Algumas matérias de primeira página. "Diretor da Espionagem Interna Acusado de Homicídio." A Casa Branca expressaria o seu adequado horror, Carleton Wynne alegaria ser culpado, e então isso seguiria o caminho de qualquer outro escândalo em Washington. Em alguns meses, o público esqueceria. E eu voltaria a escrever a minha coluna, pagar minha hipoteca e dirigir o mesmo Toyota batido. — Ele balançou a cabeça. — Assim que vi a fita que Olena me deixou, sabia que valia mais do que o prêmio Pulitzer. Sabia quem me pagaria por aquilo.

— Aquele vídeo que Joe lhe enviou. Você o *recebeu*.

— Também quase o joguei fora. Então pensei, que diabos, vamos ver o que há aí. Reconheci Carleton Wynne na hora. Até eu pegar o telefone e ligar, ele nem sabia que a fita existia. Achava apenas que estava perseguindo duas putas. Subitamente aquilo se tornou muito, muito mais sério. E muito mais caro.

— Ele realmente quis negociar com você?

— Não agiria da mesma forma? Sabendo o que aquela fita faria contra você? Sabendo que há outras cópias por aí?

— Você realmente acha que Wynne vai deixá-lo vivo? Agora que você entregou Joe e Olena? Ele não precisa mais de você.

O louro interveio:

— Preciso de uma pá.

Mas Lukas ainda olhava para Jane.

— Não sou idiota — disse ele. — E Wynne sabe disso.

— A pá? — repetiu o louro.

— Há uma na garagem — disse Lukas.

— Pegue-a para mim.

Quando Lukas foi até a garagem, Jane gritou:

— Você é um idiota se acha que vai viver o bastante para gastar o que ganhou. — Regina silenciara em seus braços, acalmada pelo ódio da mãe. — Você viu como essa gente joga. Sabe como Charles Desmond morreu. Eles o encontrarão na *sua* banheira com os pulsos cortados. Ou o obrigarão a engolir um vidro de fenobarbital e jogá-lo na baía, como fizeram com Olena. Ou talvez esse cara vá meter uma bala na sua cabeça, pura e simplesmente.

Lukas voltou a entrar em casa, carregando uma pá. Ele a entregou ao louro.

— Esse bosque nos fundos da casa — perguntou o sujeito. — Até onde vai?

— Faz parte da reserva Blue Hills. Tem quase dois quilômetros de extensão.

— Teremos de levá-la para bem fundo na mata.

— Olhe, não quero nada com isso. Ele paga você para isso.

— Então terá de cuidar do carro dela.

— Espere. — Lukas procurou no sofá e voltou trazendo a bolsa de fraldas. Entregou-a para o outro homem. — Não quero vestígios dela em minha casa.

Dê a bolsa para mim, pensou Jane. Entregue a droga da bolsa.

Em vez disso, o louro a pendurou no ombro e disse:

— Vamos passear no bosque, detetive.

Jane voltou-se para Lukas.

— Você terá o que merece. Você é um homem morto.

Lá fora, uma meia-lua iluminava o céu estrelado. Carregando Regina, Jane tropeçava em arbustos e raízes, o caminho iluminado fracamente pela lanterna do pistoleiro. Ele teve o cuidado de segui-la a distância, sem lhe dar chance de tentar qualquer coisa. Ela não tentaria coisa alguma, em nenhuma circunstância, não com Regina nos braços. Regina, que só tivera algumas poucas semanas de vida.

— Meu bebê não pode feri-lo — disse Jane. — Ela não tem nem um mês.

O homem nada disse. O único som que se ouvia era o de seus passos na floresta. O quebrar de gravetos, farfalhar de folhas. Tanto barulho, e ninguém ao redor para ouvir. *Se uma mulher tomba na floresta, mas ninguém a ouve...*

— Você podia levá-la e deixá-la em algum lugar onde seja encontrada — disse Jane.

— Ela não é problema meu.

— Ela é apenas um *bebê*! — A voz de Jane subitamente falseou.

Ela fez uma pausa entre as árvores, apertando a filha contra o peito enquanto as lágrimas inundavam sua garganta. Regina gemeu baixinho, como se para confortá-la, e Jane apertou o rosto contra a cabeça da filha e inalou o cheiro doce de seu cabelo, sentindo o calor de suas bochechas aveludadas. Como pude metê-la nisso?, pensou. Sua mãe não podia cometer um erro maior. E agora você vai morrer comigo.

— Continue andando — disse ele.

Já reagi e sobrevivi. Posso fazê-lo outra vez. Tenho de fazê-lo outra vez, por você.

— Ou quer que eu acabe com você aqui mesmo?

Ela inspirou profundamente, inalando o cheiro das árvores e das folhas úmidas. Lembrou-se dos restos humanos que examinara na reserva Stony Brook no verão anterior. Como as heras penetraram as cavidades orbitais, agarrando o crânio como tentáculos cobiçosos. Como faltavam as mãos e os pés das ossadas, arrancadas e levadas para longe por animais carniceiros. Sentiu a ponta dos dedos pulsarem e pensou em quão frágeis eram os ossos da mão humana. Quão facilmente se espalhavam pelo chão de uma floresta.

Ela voltou a caminhar, aprofundando-se na mata. Mantenha a calma, pensou. Entre em pânico, e vai perder a chance de surpreendê-lo.

A chance de salvar Regina. Seus sentidos se aguçaram. Ela podia sentir o sangue pulsando em suas panturrilhas, quase conseguia sentir as moléculas de ar que roçavam o seu rosto. Você acabou de nascer, pensou, e está a ponto de morrer.

— Acho que aqui está bom — disse o homem.

Estavam em uma pequena clareira. As árvores os cercavam, um anel escuro de testemunhas silenciosas. As estrelas brilhavam. Nada disso vai mudar quando eu tiver partido, pensou. As estrelas não se importam. As árvores não se importam.

O homem jogou a pá aos pés de Jane.

— Comece a cavar.

— E meu bebê?

— Deite-a no chão e comece a cavar.

— O chão é duro demais.

— E isso importa? — Ele atirou a bolsa de fraldas aos pés dela. — Deite-a em cima disso.

Jane ajoelhou-se, o coração agora batendo tão forte que achou que iria arrebentar as suas costelas. Tenho uma chance, pensou. Pegue a arma dentro da bolsa. Volte-se e dispare antes de ele perceber o que está acontecendo. Sem piedade, apenas estoure a cabeça dele.

— Pobre bebê — murmurou Jane ao se curvar sobre a bolsa e enfiar a mão lá dentro. — Mamãe tem de fazê-la dormir.

Sua mão roçou a carteira, uma mamadeira, fraldas. *Minha arma. Onde está a droga da arma?*

— Apenas deite o bebê aí.

Não está aqui. Ela suspirou em meio a um soluço. *Claro que ele a pegou. Ele não é idiota. Eu sou uma policial. Ele sabia que eu devia ter uma arma.*

— Cave.

Ela se curvou para beijar e acariciar Regina, então a deitou no chão usando a bolsa de fraldas como almofada. Então pegou a pá e levantou-se lentamente. Suas pernas pareciam drenadas de toda energia, toda esperança. Ele estava longe demais para poder atingi-lo com a pá. Mesmo que ela a arremessasse, aquilo o aturdiria apenas por alguns segundos. Não dava tempo de pegar Regina e correr.

Ela olhou para baixo. Sob a luz da meia-lua, viu o chão coberto de folhas mortas. Seu leito para a eternidade.

Gabriel nunca nos encontrará aqui. Ele nunca saberá.

Ela cravou a pá no chão e sentiu as primeiras lágrimas escorrendo pelo rosto.

36

A porta de seu apartamento estava aberta.

Gabriel fez uma pausa no corredor, instintos alarmados. Ouviu vozes lá dentro, o som de passos. Ele empurrou a porta e entrou.

— O que fazem aqui?

John Barsanti voltou-se da janela para olhá-lo. Sua primeira pergunta deixou Gabriel surpreso.

— Sabe onde está sua mulher, agente Dean?

— Não está aqui? — Seu olhar voltou-se para o segundo visitante, que acabara de sair do quarto do bebê. Era Helen Glasser do Departamento de Justiça, o cabelo grisalho puxado para trás em um rabo-de-cavalo apertado, o que enfatizava as rugas de preocupação de seu rosto.

— A janela do quarto está aberta — disse ela.

— Como vocês dois chegaram aqui?

— O porteiro nos deixou entrar — disse Glasser. — Não podíamos esperar mais.

— Onde está Jane?

— É o que gostaríamos de saber.

— Devia estar aqui.

— Há quanto tempo saiu? Quando viu a sua mulher pela última vez?

Ele olhou para Glasser, perturbado com a urgência da voz dela.

— Saí há cerca de uma hora. Levei a mãe dela para casa.

— Jane ligou desde que você se foi?

— Não. — Ele caminhou até o telefone.

— Ela não está respondendo o celular, agente Dean — disse Glasser. — Já tentamos encontrá-la. *Precisamos* encontrá-la.

Ele se voltou para os dois.

— O que está acontecendo?

Glasser perguntou:

— Ela está com Mila agora?

— A menina não apareceu no... — Ele fez uma pausa. — Vocês já sabiam disso. Também estavam observando o parque.

— Aquela menina é nossa última testemunha — disse Glasser. — Se estiver com a sua mulher, precisamos saber.

— Jane e o bebê estavam a sós quando saí.

— Então, onde estão agora?

— Não sei.

— Compreende, agente Dean, que, se Mila estiver com ela, Jane está em grande perigo?

— Minha mulher sabe tomar conta de si mesma. Ela não se meteria em coisa alguma caso achasse que não estava preparada. — Foi até a gaveta onde Jane guardava sua arma e a encontrou destrancada. Ele a abriu e viu o coldre vazio.

Ela levou a arma.

— Agente Dean?

Gabriel fechou a porta e entrou no quarto. Como Glasser anunciara, a janela estava escancarada. Agora ele estava com medo. Gabriel voltou à sala e topou com Glasser olhando para seu rosto, sentindo o seu medo.

— Para onde iria? — perguntou.

— Ela teria *me* ligado, isso é o que ela faria.

— Não se achasse que o telefone está grampeado.

— Então iria à polícia. Direto para Schroeder Plaza.

— Já ligamos para o Departamento de Polícia de Boston. Ela não está lá.

— Precisamos encontrar esta menina — disse Barsanti. — Precisamos dela viva. Vou tentar o telefone celular outra vez. Talvez não seja nada. Talvez tenha saído para comprar leite.

Certo. E levou a arma. Ele pegou o telefone e estava a ponto de discar quando subitamente franziu as sobrancelhas. Olhou para o teclado. Era improvável, pensou. Mas, talvez...

Ele apertou o botão de rediscagem.

Após três toques, um homem respondeu.

— Alô?

Gabriel fez uma pausa, tentando identificar a voz. Ele sabia tê-la ouvido antes. Então se lembrou.

— É... Peter Lukas?

— Sim.

— É Gabriel Dean. Jane estaria por aí?

Houve um longo silêncio. Um estranho silêncio.

— Não. Por quê?

— Seu número está na nossa rediscagem. Ela deve ter ligado para você.

— Ah, aquilo. — Lukas riu. — Ela queria todas as minhas anotações sobre o caso Ballentree. Eu disse que recolheria o material para ela.

— Quando foi isso?

— Deixe-me pensar. Há cerca de uma hora.

— E foi só? Não disse mais nada?

— Não. Por quê?

— Então vou continuar procurando. Obrigado.

Ele desligou e ficou olhando para o telefone. Pensando naquele silêncio antes de Lukas responder a sua pergunta. *Algo está muito errado.*

— Agente Dean — chamou Glasser.

Ele se voltou para ela.

— O que sabe sobre Peter Lukas?

O buraco agora estava à altura de seu joelho.

Jane tirou outra pá de terra e jogou-a no monte ao lado. Suas lágrimas haviam parado de correr, substituídas pelo suor. Ela trabalhava em silêncio. Os únicos sons que ouviam era o raspar da pá e o retinir de pedras. Regina também estava quieta, como se compreendesse que não adiantava fazer barulho. Que seu destino, assim como o de sua mãe, já estava decidido.

Não, não está. Droga, nada está decidido.

Jane cravou a pá no chão rochoso, e embora as costas doessem e seus braços estivessem trêmulos, sentia o calor do ódio inundando seus músculos como o mais poderoso combustível. Você não vai ferir o meu bebê, pensou. Vou arrebentar a sua cabeça primeiro. Ela levou a terra até o monte, suas dores e fadiga irrelevantes agora, a mente concentrada no que teria de fazer a seguir. O pistoleiro era apenas uma silhueta junto às árvores. Embora não pudesse ver o seu rosto, sabia que ele a estava observando. Mas ela estava cavando havia uma hora, seus esforços retardados pelo solo rochoso, e ele talvez estivesse menos atento. Afinal, que resistência uma mulher exausta poderia opor a um homem armado? Ela nada tinha a seu favor.

Apenas a surpresa. E a fúria de uma mãe.

O primeiro tiro seria apressado. Ele atiraria no tórax, não na cabeça. Não importando o que, apenas continue se movendo, pensou, continue atacando. Uma bala demora a matar, e mesmo um corpo caindo tem o seu ímpeto.

Ela se curvou para pegar outra carga de terra, a pá oculta pela sombra do buraco. Ele não podia ver os seus músculos tensos, nem que estava firmando os pés contra as bordas do buraco. Ele não a ouviu inspirar enquanto suas mãos agarravam com força o cabo da pá. Ela se agachou, membros prontos para arremeter.

Isso é por você, meu bebê. Tudo por você.

Erguendo a pá, ela jogou a terra no rosto do homem. Ele tropeçou para trás, surpreso, enquanto ela pulava para fora do buraco e o atacava, arremetendo com a cabeça diretamente contra seu abdome.

Ambos caíram, galhos se rompendo sob o peso de seus corpos. Ela investiu contra a arma, as mãos se fechando ao redor do pulso do atirador, e subitamente se deu conta de que ele não mais a estava empunhando, que caíra de sua mão quando tombaram.

A arma. Encontre a arma!

Ela se voltou e arrastou-se pelo chão, tateando.

O golpe a derrubou de lado. Ela caiu de costas, sem ar por causa do impacto. A princípio, não sentiu dor, apenas o choque ao ver que a batalha acabara tão rapidamente. Seu rosto começou a latejar e, então, a dor subiu à sua cabeça. Ele o viu em pé ao seu lado, a silhueta de sua cabeça contra as estrelas. Ouviu Regina chorando, o último lamento de sua curta vida. *Pobre bebê. Você nunca vai saber o quanto a amei.*

— Entre no buraco — disse ele. — Está fundo o bastante.

— Meu bebê não — murmurou Jane. — Ela é tão pequena...

— Entre, sua puta.

O chute nas costelas a fez tombar de lado, incapaz de gritar porque doía demais simplesmente para respirar.

— Vamos — ele ordenou.

Lentamente ela ficou de joelhos e arrastou-se até Regina. Sentiu algo quente e úmido escorrendo de seu nariz. Pegando a filha nos braços, apertou os lábios contra o seu cabelo macio e a ninou, o sangue escorrendo na cabeça do bebê. *Mamãe está aqui. Mamãe nunca irá deixá-la.*

— Está na hora — disse ele.

37

Gabriel olhou para o Subaru de Jane estacionado, e seu coração disparou. O telefone celular estava sobre o painel, e a cadeirinha de bebê estava atada ao banco de trás. Ele se voltou, direcionando a lanterna para o rosto de Peter Lukas.

— Onde ela está?

Lukas voltou-se para Barsanti e Glasser, que estavam a alguns metros dali, observando o confronto em silêncio.

— Esse é o carro dela — disse Gabriel. — Onde ela está?

Lukas ergueu a mão para proteger os olhos do brilho da lanterna.

— Deve ter tocado a campainha quando eu estava no banho. Nem mesmo percebi o carro dela estacionado aqui.

— Primeiro ela liga para você, depois vem à sua casa. Por quê?

— Não sei...

— Por quê? — repetiu Gabriel.

— Ela é sua mulher. Você não sabe?

Gabriel pegou-lhe o pescoço com tanta rapidez que Lukas não teve tempo de reagir. Ele tropeçou para trás, contra o carro de Barsanti, a cabeça batendo sobre o capô. Tentando respirar, agarrou as mãos de Gabriel mas não conseguiu se livrar, debatendo-se indefeso, as costas comprimidas contra o carro.

— Dean — disse Barsanti. — Dean!

Gabriel soltou Lukas e afastou-se, respirando profundamente, tentando não ceder ao pânico. Mas o pânico já estava lá, agarrando a sua garganta do mesmo modo como ele agarrara a de Lukas, que agora estava de joelhos, tossindo e arfando. Gabriel voltou-se para a casa. Subiu os degraus e atravessou a porta da frente. Movendo-se com rapidez, foi de quarto em quarto, abrindo portas e verificando armários. Apenas ao voltar à sala de estar percebeu o que não vira na primeira vez que passou por ali: as chaves do carro de Jane, jogadas no tapete atrás do sofá. Ele as viu, o pânico transformado em pavor. Você esteve nesta casa, pensou. Você e Regina...

Tiros distantes o fizeram erguer a cabeça.

Ele saiu da casa e foi até a varanda da frente.

— Vieram da floresta — disse Barsanti.

Ouviu-se um terceiro tiro.

Gabriel começou a correr, sem se preocupar com os galhos que o açoitavam enquanto se internava na mata. Sua lanterna dançava freneticamente pelo chão da floresta, coberto de folhas mortas e bétulas tombadas. Para onde, para onde? Estaria indo na direção certa?

Um emaranhado de vinhas prendeu o seu tornozelo e ele tombou para a frente, caindo de joelhos. Voltou a se erguer, o peito arfando, enquanto recuperava o fôlego.

— Jane? — ele gritou. Sua voz falseou, o nome dela baixando a um sussurro. — Jane...

Ajude-me a encontrá-la. Mostre um jeito.

Ficou ouvindo, as árvores ao seu redor como grades de uma prisão. Além do brilho de sua lanterna, havia uma noite tão densa que parecia ser sólida, insondável.

Ao longe ouviu estalar um graveto.

Ele se voltou e não conseguiu ver coisa alguma além do brilho de sua lanterna. Ele a desligou e observou, coração disparado, enquanto tentava discernir algo em meio à escuridão. Somente então viu o brilho, tão tênue que bem podia ser o de vaga-lumes dançando entre as árvores. Outro estalar de graveto. A luz movia-se em sua direção.

Ele sacou a arma e a manteve apontada para o chão enquanto a luz aumentava. Não podia ver quem segurava a outra lanterna, mas ouvia os passos se aproximando, o farfalhar de folhas. Estava a apenas alguns metros agora.

Ele ergueu a arma. Acendeu a lanterna.

Pega de surpresa, a figura se encolheu como um animal aterrorizado, olhos ofuscados pela lanterna de Gabriel. Ele olhou para o rosto pálido, o cabelo ruivo espetado. Apenas uma menina, pensou. Apenas uma menina amedrontada e magricela.

— Mila? — disse ele.

Então viu outra figura emergir das sombras por trás da menina. Mesmo antes de ver o rosto, reconheceu o caminhar, a silhueta de cachos despenteados.

Baixou a lanterna e correu para a esposa e a filha, ansioso por abraçá-las. Jane se recostou contra o seu peito, trêmula, segurando Regina nos braços, enquanto Gabriel a abraçava. Um abraço dentro de um abraço, toda a família no universo de um único abraço.

— Ouvi tiros — disse ele. — Pensei...

— Foi Mila — murmurou Jane.

— O quê?

— Ela pegou a minha arma. Ela nos seguiu. — Subitamente, Jane ficou tensa e olhou para o marido. — Onde está Peter Lukas?

— Barsanti está de olho nele. Não vai a lugar algum.

Jane estremeceu e voltou-se para a floresta.

— Animais carniceiros vão aparecer por causa do corpo. Precisamos da UCC aqui.

— Corpo de quem?

— Vou lhe mostrar.

Gabriel ficou junto às árvores, fora do caminho dos detetives e da unidade da cena do crime, o olhar fixo no buraco aberto que seria o túmulo de sua mulher e de sua filha. O lugar já estava isolado por fitas, e holofotes alimentados por baterias iluminavam o corpo do homem. Maura Isles, que estava agachada junto ao corpo, ergueu-se e voltou-se para os detetives Moore e Crowe.

— Vejo três orifícios de entrada — disse ela. — Dois no peito, um na testa.

— Foi o que ouvimos — disse Gabriel. — Três tiros.

Maura olhou para ele.

— Qual o intervalo entre esses tiros?

Gabriel pensou e outra vez sentiu ecos de pânico. Lembrou-se de seu mergulho floresta adentro e de como, a cada passo, seu medo aumentava.

— Houve dois, em rápida sucessão — disse ele. — O terceiro foi de cinco a dez segundos depois.

Maura ficou em silêncio e seu olhar voltou ao cadáver. Olhou para o cabelo louro, os ombros largos. Uma SIG Sauer estavas caída junto à sua mão.

— Bem, eu chamaria isso de um caso óbvio de legítima defesa — disse Crowe.

Ninguém disse nada sobre as marcas de pólvora no rosto da vítima, ou no intervalo entre o segundo e o terceiro tiro. Mas todos sabiam.

Gabriel voltou-se e retornou à casa.

A entrada de veículos estava lotada de automóveis. Ele fez uma pausa ali, temporariamente ofuscado pelas luzes azuis dos giroscópios. Viu Helen Glasser ajudando a menina a se sentar no banco da frente de um carro-patrulha.

— Para onde a está levando? — perguntou ele.

Glasser voltou-se para Gabriel, o cabelo refletindo as luzes do teto.

— Um lugar seguro.

— Há algum lugar assim no caso dela?

— Acredite, encontrarei um. — Glasser fez uma pausa junto à porta do motorista e olhou de volta para a casa. — Aquela fita de vídeo muda tudo, você sabe. E também podemos fazer Lukas mudar de lado. Ele não tem escolha agora e irá cooperar conosco. Como vê, nem tudo depende da menina. Ela é importante, mas não é a única arma que temos.

— Ainda assim, será o bastante para derrubar Carleton Wynne?

— Ninguém está acima da lei, agente Dean. — Glasser olhou para ele, olhos inflexíveis. — Ninguém. — Ela se sentou atrás do volante.

— Espere — chamou Gabriel. — Preciso falar com a menina.

— E nós precisamos ir.

— Só vai levar um minuto. — Gabriel foi até o lado do passageiro, abriu a porta e olhou para Mila. Ela abraçava a si mesma, tremendo sobre o banco como se estivesse desconfiada de suas intenções. Só uma criança, pensou, embora seja mais forte do que todos nós. Dê-lhe uma pequena chance, e ela é capaz de sobreviver a qualquer coisa.

— Mila — disse ele, gentil.

Ela fitou-o com olhos desconfiados. Talvez nunca mais confiasse em um homem, e por que deveria? *Ela viu o pior que temos a oferecer.*

— Eu queria agradecer — disse ele. — Agradecer por você ter me devolvido a minha família.

Ali estava, um leve sorriso. Era mais do que ele esperava receber. Ele fechou a porta e meneou a cabeça para Glasser.

— Acabe com ele — disse Gabriel.

— Para isso ganho bem — disse ela, sorrindo. Então acelerou, seguida por uma escolta do Departamento de Polícia de Boston.

Gabriel subiu os degraus e entrou na casa. Lá dentro, encontrou Barry Frost confabulando com Barsanti enquanto membros da equipe de coleta de provas do FBI levavam o computador e caixas com os arquivos de Lukas. Aquilo evidentemente se tornara um caso federal, e o Departamento de Polícia de Boston cederia o controle da investigação ao FBI. Ainda assim, pensou Gabriel, quão longe poderiam ir com aquilo? Então Barsanti olhou-o, e Gabriel viu nos olhos dele a mesma inflexibilidade que vira nos olhos de Glasser. E percebeu que Barsanti segurava a fita de vídeo. Guardando-a como se fosse o próprio Santo Graal.

— Onde está Jane? — perguntou a Frost.

— Na cozinha. O bebê estava com fome.

Gabriel encontrou a mulher sentada de costas para a porta. Ela não o viu entrar. Ele parou atrás dela, observando-a acalentar Regina no colo, cantando fora do tom. Jane sempre foi desafinada, pensou com um sorriso. Mas Regina não parecia se importar. Estava deitada silenciosamente nos braços da mãe. O amor vem naturalmente, pensou Gabriel. O que leva tempo é o resto. Aquilo que temos de aprender.

Pousou as mãos nos ombros de Jane e curvou-se para beijar-lhe o cabelo. Ela ergueu a cabeça para fitá-lo, olhos brilhando.

— Vamos para casa — disse Jane.

38

Mila

A mulher tem sido gentil comigo. Enquanto nosso carro sacoleja pela estrada de terra batida, ela pega minha mão e aperta. Sinto-me segura ao lado dela, embora saiba que não vai estar sempre aqui para segurar minha mão. Há tantas outras meninas em que pensar, outras meninas que ainda estão perdidas nos cantos escuros deste país. Mas, por enquanto, ela está aqui comigo. Ela é a minha protetora, e me inclino em direção a ela, esperando que me abrace. Mas ela está distraída, o olhar concentrado no deserto no lado de fora de nosso carro. Um fio de seu cabelo caiu na minha manga e brilha como um fio de prata. Eu o pego e guardo no bolso. Pode ser a única lembrança que terei quando terminar o nosso tempo juntas.

O carro pára.

— Mila — diz ela, cutucando-me. — Estamos chegando perto? O lugar parece ser esse?

Ergo a cabeça de seu ombro e olho pela janela. Paramos junto ao um leito de rio seco, onde as árvores são raquíticas, atormentadas. Mais adiante, há colinas marrons cobertas de pedregulhos.

— Não sei — respondo.

— Parece ser este o lugar?

— Sim, mas... — Continuo olhando, tentando me lembrar daquilo que fiz tanta força para esquecer.

Um dos homens no banco da frente olha para nós.

— Foi aqui que encontraram a trilha, no outro lado do leito do rio — diz ele. — Pegaram um grupo de meninas tentando atravessar por aqui. Talvez ela devesse saltar e dar uma olhada. Ver se reconhece alguma coisa.

— Vamos, Mila.

Ela abre a porta e sai, mas não me movo. Ela se curva e olha para mim.

— É o único meio de fazermos isso. Você precisa nos ajudar a encontrar o lugar.

Ela estende a mão. Relutante, eu a tomo.

Um dos homens nos guia através do emaranhado de mato rasteiro e arbustos, através de uma trilha estreita até o leito do rio seco. Ali ele pára e olha para mim. Ele e a mulher me observam, esperando minha reação. Olho para a margem, para um sapato abandonado com o couro rachado pelo calor. Uma lembrança tremula e então sai de foco. Volto-me e olho para a margem oposta, repleta de garrafas plásticas, e vejo um pedaço de lona azul pendurado em uma árvore.

Outra lembrança.

Foi aqui que ele me bateu. Foi aqui que Ânia estava, os pés sangrando em suas sandálias.

Sem uma palavra, eu me volto e subo a margem do rio. Meu coração está acelerado, o medo estreita os seus dedos ao redor de minha garganta, mas não tenho escolha. Vejo o fantasma dela, pairando bem à minha frente. O cabelo levado pelo vento. Um olhar triste para trás.

— Mila? — disse a mulher.

Continuo andando, avançando através dos arbustos, até chegar à estrada de terra batida. Aqui, penso. Foi aqui que as vans estacionaram. Foi aqui que os homens esperavam por nós. As lembranças estão voltando mais rapidamente agora, como relances terríveis de um pesadelo. Os homens, olhando com malícia enquanto nos despíamos. A menina berrando enquanto era empurrada contra a van. E Ânia. Vejo Ânia, caída inerte de costas enquanto o homem que acabou de estuprá-la fecha o zíper das calças.

Ânia estremece e se ergue com dificuldade, como um bezerro recém-nascido. Tão pálida, tão magra, apenas a sombra de uma menina.

Eu a sigo, o fantasma de Ânia. O deserto está repleto de rochas afiadas. Ervas espinhentas brotam da terra, e Ânia corre sobre elas com os pés ensangüentados. Soluçando, correndo em direção àquilo que ela pensa ser a liberdade.

— Mila?

Ouço Ânia arfar em pânico, vejo o cabelo louro solto sobre seus ombros. O deserto aberto diante dela. Se ao menos pudesse correr rápido o bastante, longe o bastante.

O tiro ecoa.

Eu a vejo inclinar-se para a frente, sem fôlego, e seu sangue cai na areia quente. Ainda assim ela se levanta sobre os joelhos e se arrasta sobre os espinhos, sobre as pedras que cortam como cacos de vidro.

Ouve-se o segundo tiro.

Ânia cai, pele branca contra areia marrom. Foi aqui que ela caiu? Ou foi ali? Estou andando em círculos agora, ansiosa por encontrar o lugar. *Onde está você, Ânia, onde?*

— Mila, fale conosco.

Subitamente paro, olhar fixo no chão. A mulher diz algo para mim. Mal a ouço. Só consigo olhar para o que está aos meus pés.

A mulher murmura:

— Venha, Mila. Não olhe.

Mas não posso me mover. Fico paralisada enquanto os dois homens se agacham. Um deles veste luvas e afasta a areia, revelando costelas e o topo de um crânio.

— Parece ser de uma mulher — diz ele.

Por um instante ninguém fala. Um vento quente sopra a areia em nossos rostos e eu pisco. Quando volto a abrir os olhos, vejo mais de Ânia despontando da areia. A curva do quadril, o osso da coxa. O deserto decidira abrir mão dela, e agora ela reemergia da terra.

Aqueles que se vão às vezes voltam para nós.

— Vamos, Mila. Vamos.

Olho para a mulher. Ela é tão imponente, tão intocável. Seu cabelo prateado brilha como o capacete de um guerreiro. Ela me abraça e voltamos juntas para o carro.

— Está na hora, Mila — murmura a mulher. — Hora de me dizer tudo.

Estamos sentadas em uma mesa, em uma sala sem janelas. Olho para o bloco de papel que ela tem diante de si. Está em branco, esperando para ser preenchido. Esperando pelas palavras que tenho medo de pronunciar.

— Já lhes contei tudo.

— Não creio.

— Todas as perguntas que me fez, eu respondi.

— Sim, ajudou-nos muito. Deu-nos o que precisávamos. Carleton Wynne *vai* para a cadeia. Ele *vai* pagar. Todo o mundo agora sabe o que ele fez, e agradecemos a você por isso.

— Não sei o que mais querem de mim.

— Quero o que está trancado aqui. — Ela estende o braço na mesa e toca o meu peito à altura do coração. — Quero saber as coisas que você tem medo de me contar. Vai me ajudar a compreender o modo como operam, me ajudar a lutar contra essa gente. Vai me ajudar a salvar mais meninas como você. Você *tem* de fazer isso, Mila.

Enxugo as lágrimas.

— Ou vão me mandar de volta.

— Não. *Não.* — Ela se inclina mais para perto, o olhar enfático. — Aqui é a sua casa agora, se quiser ficar. Você não será deportada, dou-lhe a minha palavra.

— Mesmo se... — Parei de falar. Não consigo mais olhar nos olhos dela. A vergonha sobe ao meu rosto enquanto olho para a mesa.

— Nada do que aconteceu com você é culpa sua. O que quer que esses homens tenham feito com você, eles a forçaram a fazê-lo. Foi feito com o seu corpo. Nada tem a ver com sua alma. Sua alma, Mila, ainda é pura.

Não consigo encará-la. Continuo a olhar para baixo, vendo minhas lágrimas caindo sobre a mesa, e sinto o coração sangrar, como se cada lágrima fosse uma parte de mim sendo drenada.

— Por que está com medo de olhar para mim? — perguntou ela, gentil.

— Estou com vergonha — sussurro. — Todas as coisas que quer que eu lhe diga...

— Ajudaria se eu não estivesse na sala? Se não olhasse para você?

Ainda não consigo olhar para ela.

Ela suspira.

— Tudo bem, Mila, já sei o que vou fazer. — Ela pousou um gravador sobre a mesa. — Vou ligar este gravador e sair da sala. Então poderá dizer o que quiser. O que se lembrar. Fale em russo se for mais fácil. Quaisquer pensamentos, quaisquer lembranças. Tudo o que aconteceu com você. Você não está falando com uma pessoa, está falando apenas com uma máquina que não pode feri-la.

Ela se levanta, aperta o botão REC e sai da sala.

Olho para a luz vermelha brilhando na máquina. A fita roda lentamente, esperando por minhas primeira palavras. Esperando pela minha dor. Inspiro profundamente, fecho os olhos e começo a falar.

Meu nome é Mila, e esta é a minha história.

Este livro foi composto na tipografia Minion,
em corpo 11/15, e impresso em papel off-set
90g/m², no Sistema Digital Instant Duplex
da Divisão Gráfica da Distribuidora Record.